Żyć każdym dniem

czyli jak znaleźć wielką radość w małych rzeczach

Phil Bosmans

Żyć każdym dniem

czyli jak znaleźć wielką radość w małych rzeczach

Przekład
ANNA KUCHARCZYK

Wrocław 2003

Tytuł oryginału: Leben jeden Tag

Redakcja: Małgorzata Grochocka
Korekta: Stanisława Treła

Skład: Wydawnictwo

ISBN: 83-87153-55-9

Kontakt z Wydawnictwem:
tel. kom. 0-601-77-35-61
tel./fax: (071) 327-42-95

Druk i oprawa: Rzeszowskie Zakłady Graficzne S. A.

SPIS TREŚCI

PRZEDMOWA

Nigdy nie zapomina się pierwszego spotkania. Z długą przyjaźnią jest podobnie jak z wielką miłością. Phila Bosmansa poznałem w roku 1976 w związku z ukazaniem się jego pierwszej książki w języku niemieckim pod tytułem *Vergiss die Freude nicht* [Nie zapominaj o radości]. Poświęcił mi sporo czasu i pokazał różne instytucje społeczne Stowarzyszenia bez Nazwy (*Bund ohne Namen*) w Antwerpii. Podczas jazdy samochodem w centrum wielkomiejskiego ruchu, już wówczas doskonale znany w swej flamandzkiej stolicy, powiedział w pewnym momencie coś, co zapadło mi głęboko w pamięć: „Zwraca się do mnie tylu cierpiących, zrozpaczonych ludzi z pytaniem, czy umiałbym zaradzić ich kłopotom. Ja tego jednak nie potrafię. Nie jestem cudotwórcą. Jestem tylko małym człowiekiem, szklaną drobiną, przez którą prześwituje słońce".

Prezentowane Czytelnikom teksty są jak promienie słońca, które mogą oświetlić ciemne strony życia – dzięki „drobinie szkła", przez którą przebłyskuje miłość. Mają one swoją historię. Phil Bosmans sam ją opowiedział: „W latach sześćdziesiątych zacząłem nagrywać na automatycznej sekretarce «Witaminy serca». Słyszałem kiedyś, że można przez telefon odsłuchać swój horoskop. Chciałem – robiąc coś podobnego – nieść pozytywne przesłanie. Poczta przydzieliła mi łatwy do zapamiętania numer telefonu. (...) Myślałem, że nie będzie to zbyt długo trwało, ale, jak się okazało, był to strzał w dziesiątkę".

Phil Bosmans nagrywał i przekazywał drogą telefoniczną co tydzień przez ponad dwanaście lat krótkie, trwające zaledwie od trzech do pięciu minut, „impulsy życia". Jeśli nawet niektóre z tych tekstów pojawiły się w mniej lub bardziej zmodyfikowanej postaci w późniejszych utworach pisarza, zostały na potrzeby niniejszej książki przywrócone do swej pierwotnej formy. W niej właśnie przejawia się szczególny talent Phila Bosmansa do nawiązywania rozmowy z ludźmi, przemawiania do nich z sympatią, siłą przekonywania i nierzadko z humorem.

„Masz przy uchu słuchawkę. To jest wspaniałe. Nie widzę cię, nie znam, a mimo to rozmawiam z tobą. Być może pomyliłeś się i myślisz: Niech sobie mówi, ja przecież nie muszę powiedzieć ani słowa. Może czegoś poszukujesz i uważasz, że moje słowa ci w tym pomogą. Jeżeli jesteś zmęczony, u kresu sił, twoja głowa jest jak z drewna, a serce wypalone, jeżeli zgasły wszystkie światła i nie wiesz, co dalej, jeżeli nic nie możesz zobaczyć – jedno słowo, myśl, obraz, wspomnienie zabłysną czasem niczym gwiazda pośród nocy. Tak, często jesteśmy załamani, leżymy na ziemi jak ptak z podciętymi skrzydłami. Cóż możesz zrobić, gdy jesteś na dnie? Spójrz w górę! Popatrz na słońce, wstań! Gdy zrzucisz z siebie zbędne troski i ciężary, staniesz się lżejszy i poczujesz się lepiej. Uwierz mi”.

Wszystkie teksty zostały odpowiednio zredagowane, tak aby zmieścić je na jednej stronie przeznaczonej na każdy dzień roku. Tworzą one niczym drobne części mozaiki złożony obraz ludzkiego życia, są jak wciąż nowe odmiany podstawowej melodii ludzkiego serca, jak witaminy niezbędne do życia, które jednak tracą siłę oddziaływania, jeśli zażyje się ich za dużo na raz. Dotyczy to także podanych tu „witamin serca”: jeden tekst dziennie. Oby ten swoisty przewodnik stał się oparciem na każdy dzień, pomógł żyć sercem, a to oznacza: żyć w miłości i dla miłości.

Ulrich Schütz

STYCZEŃ

Uczynić ludzi szczęśliwymi
to marzenie szczęśliwych ludzi

RAZEM W JEDNEJ ŁODZI

Nowy rok. Wyruszmy we wspólną podróż.
Siedzimy w jednej łodzi. Wszyscy ludzie
w jednej łodzi jak bracia i siostry.
Ludzie we wspólnej podróży.
Fantastyczny sen. Słońce tańczy na niebie.
W morzu śpiewają ryby. Wszyscy ludzie
jak bracia i siostry w jednej łodzi świata.
Silni i słabi. Wszystkie narody i rasy.
Wielcy i mali. Bogaci i biedni.

Ludzie we wspólnej podróży
jak bracia i siostry na morzu świata,
w tym samym słońcu, na tych samych falach,
z wiatrem, pod wiatr, podczas takiej samej pogody.
Odbywają wspólną podróż.
Nie ma już silnych i słabych,
biednych i bogatych.
Nikt już nie wypadnie za burtę, nikogo już
nie osadzimy samotnie w głębokiej piwnicy, gdzie umrze z głodu.
Nie będzie już walki o to, kto ma być dowódcą.
Na pokładzie słychać śpiew. Wszyscy są bezpieczni
i nic im nie grozi.

Fantastyczny sen.
Dlaczego muszę się obudzić i zobaczyć, jak łódź ta,
mocno naruszona, płynie bezwiednie przed siebie?
Dlaczego słyszę idealistów i proroków rozpaczliwie
wzywających z łodzi ludzi mających serce?
A ty? Czy wniesiesz do łodzi własne serce?

---

1 STYCZNIA

PODAJ IM DŁOŃ

Z całego serca życzę udanego roku.
Udanego roku dla ciebie i wszystkich ludzi.
Podaj im dłoń, także tym, którym już dawno
jej nie podałeś.
Podaj im dłoń, mając serce
pełne dobrych i szczerych życzeń,
zrzuciwszy piękną maskę,
jaką nakładają na twarz ludzie obłudni.
Napisz kartkę, złóż na niej pocałunek.

Zaczyna się nowy rok. Postaraj się, aby to był dobry rok.
Daj odczuć swą dobroć i przyjaźń
w domu, w szkole, w pracy.
Zażegnaj wszelkie spory. Powściągnij złośliwy język.
Spraw, by twój mąż, twoja żona, twoje dzieci byli szczęśliwi,
szczęśliwi dzięki czynom, nie tylko słowom,
ponieważ potrzebujesz ich szczęścia, aby samemu być
szczęśliwym.

Nie szukaj nigdy szczęścia tylko dla siebie,
we własnych czterech ścianach.
Pomóż stworzyć świat, w którym
będziemy się nie tylko tolerować, lecz naprawdę lubić,
świat, w którym znajdzie się miejsce na uśmiech, kwiat,
serce, troszeczkę nieba na ziemi.

CZAS, ABY BYĆ SZCZĘŚLIWYM

Nowy rok powinien być najszczęśliwszym rokiem
w twoim życiu.
Znajdź czas, aby być szczęśliwym.
Jesteś prawdziwym cudem tego świata.
Jesteś wyjątkowy, jedyny w swoim rodzaju, niepowtarzalny.
Czy o tym wiesz? Dlaczego cię to nie zdumiewa,
dlaczego się nie cieszysz, zaskoczony sam sobą
i wszystkimi ludźmi wokół ciebie?

Czy to nie wspaniałe, że żyjesz?
Czy to takie oczywiste, że możesz żyć,
że dany ci został czas, byś mógł śpiewać i tańczyć,
być szczęśliwym?
Po co tracić czas w pogoni
za pieniądzem i dobrami materialnymi?
Po co mamy wciąż na nowo się kłócić,
po co się nudzić, zanudzać nawzajem,
po co podążać od jednej przyjemności do drugiej
i spać, gdy świeci słońce?

Znajdź czas, aby być szczęśliwym.
Czas nie jest drogą szybkiego ruchu pomiędzy kołyską
a grobem,
lecz miejscem, gdzie możemy spokojnie zaparkować w słońcu.
Lata to nie kilometry do połykania,
a każdy rok, także ten nowy rok,
jest darem Boga danym bezinteresownie.
Miałżebyś nie być szczęśliwy?

3 STYCZNIA

JAK ZACZYNA SIĘ LEPSZY ŚWIAT

Czasami skarżymy się na złe czasy
i okrutny, bezlitosny świat.
Na nic zdadzą się jednak skargi.
Świat jest tylko dlatego zły, twardy i okrutny,
że tacy są ludzie, którzy go zamieszkują.
Decyzje o życiu na ziemi nie zapadają
ani w niebie, ani w piekle,
lecz podejmują je właśnie ludzie żyjący na ziemi – tacy jak ty.
Każdy jest za nie odpowiedzialny.

Lepszy świat nie jest prezentem niebios.
Sam musisz zbudować lepszy świat.
Nie za pomocą pieniędzy, wiedzy,
władzy czy świetnej pozycji,
lecz sercem, dobrocią,
przyjaźnią i gotowością niesienia pomocy.
Najlepsza rada, by stworzyć lepszy świat: Zacznij od siebie!
Wyzwól siebie, swych bliskich,
całe swe otoczenie
ze szponów egoizmu.
Wtedy nowy rok będzie dla ciebie
i twoich bliskich najlepszy z możliwych.

4 STYCZNIA

SZCZĘŚLIWOŚĆ

Znajdź dzisiaj czas, aby być szczęśliwym!
Nie musisz porzucać pracy,
lecz być może tylko zająć się czymś innym.
Nie musisz wyjeżdżać za granicę,
nie potrzebujesz wcale więcej pieniędzy.
Bądź szczęśliwy. Tu i teraz!

Znajdź czas, aby być szczęśliwym. To znaczy:
Odłóż na bok wszelkie spory i kłótnie.
Spróbuj być wyjątkowo dobry,
miły i wyjątkowo uprzejmy.
Wtedy innym łatwiej przyjdzie cię polubić.
Spróbuj być dla innych radością,
swego rodzaju darem, codziennym prezentem.
Wtedy doznasz zdumiewających przeżyć.
Wtedy spojrzysz na innych innymi oczyma,
a może to oni staną się inni, a i ty potraktujesz ich
jako dar, prawdziwą łaskę.

Drogi człowieku, życzę ci szczęśliwego roku.
Będziesz szczęśliwy, jeśli zadowalasz się małym,
jeśli nie dążysz do bogactwa
i potrafisz zasnąć w fotelu.
Będziesz szczęśliwy, jeśli masz czas na to,
co nie daje pieniędzy, jeśli słyszysz jeszcze śpiew ptaków,
dostrzegasz jeszcze kwiaty, drzewa i gwiazdy na niebie
i potrafisz jeszcze jak dziecko wszystkiemu się dziwić.
Tak wiele szczęścia ci życzę.

5 STYCZNIA

SKRZYŻOWANIA I ŚWIATŁA

Nie możesz w życiu się cofać.
Nie możesz żyć czasem minionym,
by w ten sposób przywołać najpiękniejsze dni.
Musisz iść naprzód. Dzień za dniem, rok za rokiem.
Nie możesz się zatrzymywać,
nikt nie może cię zatrzymać.

Istnieje wiele skrzyżowań.
Napotykasz ludzi i rzeczy.
Możesz mieć wypadek, może czasem dojść do kłótni.
Zderzysz się z ludźmi, którzy są jak czołg.
Nigdy nie schodzą z drogi. Uparcie pozostają na swoim pasie.
Zablokują ci drogę i mogą sprawić wiele przykrości.
Istnieje wiele skrzyżowań. Uważaj na światła.
Światła czerwone to dla życia światła stopu.
Tam już nie da się dalej iść: niepohamowana chciwość,
zaciekły egoizm, chorobliwa zazdrość.
Tam urywają się drogi i zaczyna przepaść.

Uprzejmość, wola pojednania, gotowość niesienia pomocy,
łagodność:
Tu światła twojego życia ponownie przełączają się na kolor
zielony,
tu twoja droga ciągnie się dalej. Bądź uprzejmy i życzliwy,
obcując codziennie z ludźmi i załatwiając sprawy.
Nie gaś nigdy silnika swego serca.
Nie zapominaj, że masz do niego tylko jeden kluczyk,
a jest nim miłość.

6 STYCZNIA

PRAWDZIWY POSTĘP

Zaczął się nowy rok.
Zaczął się już na dobre.
Znów oczekujemy czegoś od niego.
Pamiętajmy jednak:
Dobrobyt i szczęście nie spadają po prostu z nieba.
Dobrobyt może wyrosnąć z ciężkiej pracy,
ale szczęście wyrasta wyłącznie
z serca, dobroci i przyjaźni,
jednym słowem: z miłości bliźniego.

Prawdziwy postęp nie polega
na coraz lepszych sposobach komunikacji,
biotechnice, technice genetycznej czy medycznej,
lecz na tym, by ludzie żyjący na ziemi
stali się lepsi, serdeczniejsi, szczęśliwsi.
Bez miłości bliźniego kultura nie ma sensu.
Bez miłości bliźniego jesteśmy, także w nowym roku,
tylko dobrze odzianymi barbarzyńcami.
Wyrwijmy nowy rok
ze szponów egoizmu.
Miłość bliźniego powinna wejść w modę,
modę nowego roku.

7 STYCZNIA

WYDOBĄDŹ SŁOŃCE Z UKRYCIA

Życie jest krótkie, tak krótkie. Świat jest mały, tak mały.
Mieszkamy w jednej wiosce zwanej Ziemią.
Nasz najbliższy sąsiad to Księżyc.
Dlaczego mamy się wciąż kłócić, wciąż zwalczać
z powodu kawałka ziemi, grubych pieniędzy,
wyższego stanowiska, słowa, które rani?
Mieszkamy w jednej wiosce zwanej Ziemią
i nie jest to, jak wiesz, raj.
Rok zaczyna się i szybko kończy.
Czasu jest niewiele. Zrób z nim to, co najlepsze.

W tych dniach obsypujemy innych
mnóstwem ciepłych życzeń. Ale staną się one chłodne,
jeśli nie postanowisz jeszcze dziś,
że każdego dnia uczynisz coś dla innych. Co?
Wydobywaj dla nich codziennie przez resztę roku „słońce"
z ukrycia.
Znajduje się ono za horyzontem twego serca i czeka:
słońce twej przyjaźni i dobroci.
Wydobądź je z ukrycia. Nie pozwól mu zajść w chmurach
złego humoru, w mgle obojętności,
w nocy nieufności. Wydobądź z ukrycia słońce
dla każdego człowieka, którego spotkasz w tym roku.
Przyjmij go do swego życia jako prezent, dar,
prawdziwą radość. Wtedy bycie razem stanie się świętem.
A przecież nie chodzi o nic innego jak o szczęście,
o święto w każdym ludzkim sercu, także w twoim.

KAŻDY DZIEŃ ZACZYNAJ NA NOWO

Zaczynaj każdy dzień jako nowy człowiek.
Każdy dzień powinien być tym pierwszym,
twoim najpierwszym dniem.
Minęło wczoraj, za nami wszystkie dawne dni i lata,
pogrzebane w czasie minionym.
Nie możesz ich już zmienić.

Czy zostały jakieś skorupy? Nie noś ich ze sobą.
Będą cię codziennie ranić,
aż w końcu nie będziesz mógł tak dalej żyć.
Są skorupy, których pozbędziesz się ręką Boga.
Są skorupy, które
skleisz dzięki szczeremu wybaczeniu.
I takie, których nie skleisz
mimo najlepszych chęci. Musisz je zostawić.

Musisz zaczynać każdy dzień na nowo.
To sztuka życia.
Być każdego dnia świeży jak światło słońca.
Każdego ranka powstawać z nocy.
Zaczynać na nowo każdy dzień,
mając ręce pełne nadziei i ufności.
A nie skorup z dnia wczorajszego!

9 STYCZNIA

POZOSTAĆ MŁODYM

Nie martw się w nowym roku
o swoją fryzurę, swoje zęby
i wygląd.
Zatroszcz się przede wszystkim
o swe serce i swą duszę.
Jeśli bowiem serce i dusza
nie są w stu procentach takie, jak należy,
to nowy rok przyniesie ci wiele trosk,
a ty przedwcześnie się zestarzejesz.

Serce i dusza są najsilniej
atakowane i niszczone przez egoizm.
Egoizm czyni ludzi samotnymi,
sprawia, że wyglądają staro i brzydko.
Serce i dusza pozostają młode i pełne życia,
jeśli wypełnimy je miłością i przyjaźnią.
Serce i dusza śniedzieją i gorzknieją,
jeśli zarastają zawiścią i nienawiścią.

Dany nam nowy rok podzielony jest
na dwudziestoczterogodzinne porcje.
Nie wszystko naraz!
Uporaj się z kawałkiem po kawałku.
Dodaj do każdego dnia trochę słońca
i dużo miłości.
Wtedy wszystko pójdzie jak z płatka.

TO NIE POLE BITWY

*B*ądź ostrożny, gdy coś mówisz.
Słowa to potężna broń,
która może wyrządzić wiele krzywd.
Twój język nie służy do kompromitowania innych,
twój niewyparzony język nie może innych niszczyć.
Pogódź się z tym, że inni myślą inaczej,
że inaczej czują i mówią inaczej,
że młodzi są inni niż starzy.

*J*eżeli zraniłeś kogoś swoimi wypowiedziami,
w domu, w pracy czy gdziekolwiek indziej,
pośpiesz się, by to naprawić.
Mocne słowo, ostre słowo może bardzo długo
tkwić jak zadra w sercu innego człowieka.

*B*ądź ostrożny w doborze słów, wyrozumiały.
Słowa powinny być światłem prowadzącym do prawdy i miłości.
Słowa powinny godzić, łączyć,
czynić pokój, budzić radość.

*T*am, gdzie słowa są bronią,
stają naprzeciwko siebie wrogowie. Rodziny, zakłady pracy,
szkoły, urzędy zamieniają się w teren walki,
gdzie jedni ludzie męczą drugich.
Nasze życie jest o wiele za krótkie,
a nasz świat o wiele za mały,
by czynić z nich pole bitwy.

11 STYCZNIA

ZWRÓĆ UWAGĘ NA WŁASNE BŁĘDY

*T*en, kto chce się czegoś nauczyć, potrzebuje mistrza.
Także ten, kto chce nauczyć się żyć, potrzebuje mistrzów.
Wydaje się jednak, że ich czas już minął.
Nikt nie chce już słuchać,
co inni mają do powiedzenia. Minęły już czasy,
gdy mówiono: „Ojciec i matka wiedzą to najlepiej".
Teraz wszyscy wiedzą lepiej.

*Ż*yjemy w wieży Babel. Zamieszanie jest ogromne.
Coraz więcej ludzi bez charakteru i inicjatywy.
Nie radzą sobie już z życiem.
Nie układa się w niezliczonej liczbie związków.
Mówimy tym samym językiem, ale się nie rozumiemy.
A przecież wielu trudności można by uniknąć.
Przyczyną wielu życiowych niepowodzeń
jest brak charakteru, opanowania, wyczucia.

*J*eśli chcesz żyć dobrze i szczęśliwie, to pozwól,
by zwracać ci uwagę na twoje błędy.
Ciesz się, jeśli ktoś ci nie schlebia.
Bądź wdzięczny, jeśli ktoś ci pomoże i wskaże drogę,
trudną drogę do samoakceptacji i poświęcenia siebie,
drogę do dobroci i gotowości do pojednania,
drogę do życia w służbie innego człowieka.

CZŁOWIEKU, LUBIĘ CIĘ

Nie możesz żyć bez ludzi, którzy cię lubią,
ludzi, którzy od czasu do czasu sami z siebie
dają ci do zrozumienia: Człowieku, lubię cię.
Ma to duże znaczenie w małżeństwie.
Jest koniecznością życiową dla dziecka.
Źródłem szczęścia dla starego człowieka.
Cząstką zdrowia dla chorego człowieka.
Cichą pociechą dla człowieka samotnego.
Nie chodzi tu o drogie upominki.
Prezenty mogą być wykorzystywane także do tego,
by ludzie zapomnieli, że nie ma już miłości.
Prawdziwa miłość znajdzie tysiące dróg do serca bliźniego.
Dróg, na których rozdajesz siebie za darmo.

Nie możesz żyć bez ludzi, którzy cię lubią.
Sprawdź, czy może w twoim otoczeniu,
w pobliżu ciebie, nie marzną ludzie,
którzy nie mogą żyć bez twojej miłości.
Trzymasz w rękach cząstkę ich szczęścia.
Gdy stoisz nad grobem ukochanego człowieka,
najbardziej właśnie bolą
nie okazane dowody miłości, zapomniane uczynki.
Jedyną pociechą, która sięga daleko poza granice śmierci,
jest miłość i poczucie bezpieczeństwa,
które dajesz innym.
Jedyne, o co właściwie chodzi, to:
kochać i być szczęśliwym.

13 STYCZNIA

NIE NA SPRZEDAŻ

Czy znasz receptę na szczęście?
Nie można jej kupić, inaczej wszyscy bogaci byliby szczęśliwi.
Mam często wrażenie, że jest wręcz odwrotnie.
Nie jest ona na sprzedaż, nie da się jej też
zażyć jak pigułki czy proszku.

Czy zauważyłeś, że ludzie zawsze powtarzają:
„Ależ byłbym szczęśliwy czy byłabym szczęśliwa, gdybym
poślubiła innego mężczyznę, gdybym poślubił inną kobietę;
gdybym miał więcej pieniędzy lub własny dom;
gdyby mój reumatyzm nie był taki dokuczliwy; gdyby...".
Rzadko spotykasz człowieka, który mówi:
„Jaki jestem bogaty, jaki szczęśliwy!
Mam dwoje oczu, by dostrzec tyle piękna.
Dwie nogi, by biegać i skakać.
Mogę śpiewać i pracować, mogę być zakochany.
Jestem w siódmym niebie".

Znaleźliśmy przepis na wszystko, co na ziemi,
oprócz recepty na szczęście. Gdyby można ją mieć
za naciśnięciem guzika,
wówczas już dawno bylibyśmy w jej posiadaniu.
Recepta na szczęście pochodzi prosto z serca.
Ale wyłącznie z serca, które wbrew temu,
do czego przywykliśmy,
jest proste i szczere, dobre i kochające pokój,
które nie stawia samych żądań, lecz zawsze jest gotowe dawać.
Zajrzyj do swego serca i zobacz,
co stoi na drodze do twego szczęścia.

14 STYCZNIA

WE DWOJE

Jeśli jesteś żonaty lub jesteś mężatką,
to wszystko robicie we dwoje.
Zawsze musisz zdawać sobie z tego sprawę: Jesteśmy we dwoje.
Musicie iść we dwoje przez wszystkie dobre i złe dni.

Jeśli chadzasz własnymi drogami,
jeśli snujesz własne plany
i nie zwracasz uwagi na innego człowieka,
jesteś utajonym kawalerem.
Jeśli dla własnej przyjemności
szukasz po kryjomu kogoś trzeciego,
to węzeł małżeński stanie się wkrótce nieznośnym łańcuchem.
Nie da się za pomocą żadnych pięknych słów
ukryć na dłuższą metę faktu,
że prowadzisz fałszywą i nikczemną grę.

Nie masz prawa żyć bez człowieka,
z którym zostałeś związany na całe życie
przed Bogiem i ludźmi.
Pomyśl o dniu ślubu,
gdy czuliście się razem jak w siódmym niebie.
Wtedy nie istniały dla ciebie żadne problemy,
ponieważ myślałeś, że wszystko jest jasne.

Ślub to przecież nie koniec, lecz wielki początek.
Będziecie szczęśliwi, jeśli wasza miłość jest wystarczająco silna,
by codziennie na nowo wiązać was ze sobą.

15 STYCZNIA

JESZCZE DZIŚ

Musisz być dziś szczęśliwy. Dziś,
nie jutro czy pojutrze ani w przyszłym roku.
Chcesz poznać niezawodną metodę na to,
by nigdy nie zaznać szczęścia?
Wspominaj ciągle pełen smutku i żałości
piękne dni, które minęły.
Czekaj wiecznie na szczęście,
które może kiedyś nadejdzie.
Nie łudź się, że będziesz szczęśliwy dopiero wówczas,
gdy kogoś poślubisz, będziesz miał dużo pieniędzy,
piękne mieszkanie i dobre stanowisko.

Jeśli nie potrafisz być szczęśliwy dziś,
nie sądź, że jutro zdarzy się cud.
Przestań przeżywać na nowo wczorajsze troski,
nie martw się niepotrzebnie tym, co zdarzy się jutro.
Szukasz szczęścia zbyt daleko,
tak jak czasami szukamy okularów,
które mamy na nosie.

Prawdziwe szczęście nie jest nierealnym snem,
nie jest ono drogie, nie jest daleko.
Szczęście leży całkiem blisko,
ale musisz je rozpoznać i znaleźć.
Także dziś w pobliżu ciebie
kwitnie wiele małych radości.
Sztuką jest jednak je odkryć
i być za to wdzięcznym.

16 STYCZNIA

LUDZIE, KTÓRZY PO PROSTU SĄ LUDŹMI

Spróbuj codziennie na nowo być dobrym człowiekiem.
Takim, który nie na pokaz, nie udając,
jest dobry, miły i serdeczny
dla wszystkich ludzi, z którymi się styka.
Takim, który zna swoje słabostki, swoją drażliwość,
swoją ograniczoność, nie tracąc z tego powodu pogody ducha.
Takim, który zapomina o sobie i potrafi znieść fakt,
że inni o nim zapomnieli.

Do współistnienia na świecie potrzebni są dziś
koniecznie właśnie tacy ludzie,
po prostu ludzie dobrzy, ludzie mili,
którzy z uśmiechem obsłużą cię w sklepie,
nie stracą cierpliwości pracując w okienku,
nie będą ci zagrażać w ruchu ulicznym,
nie wybuchną złością, gdy popełnisz błąd.
Nie tacy, którzy sądzą, że świat się zawali,
jeśli nie wszyscy będą tańczyć, jak oni im zagrają.
Nie tacy, dla których wszyscy myślący inaczej
nie są zupełnie normalni.

Boże, uchroń nas od ludzi jak czołg
niszczących wszystko po drodze,
od ludzi głośnych jak bęben, który wszystko zagłusza,
od ludzi gruboskórnych, których nic nie jest w stanie poruszyć.
Boże, podaruj nam więcej ludzi, którzy po prostu są ludźmi.

17 STYCZNIA

DAWAĆ I BRAĆ

Jak możesz zaznać kiedykolwiek szczęścia,
jeśli wciąż oczekujesz wszystkiego od innych
i zrzucasz na innych wszystkie winy?
Żyć to dawać i brać. Ale widocznie
ludziom wpaja się, by tylko brali: Weź,
możesz żądać, musisz to wykorzystać.
I można inkasować, czerpać zyski, żądać i brać.
Każdy, kto stanie ci na drodze, to wróg.
Nagle znajdziesz się pośród samych konfliktów,
zapanują kłótnie i złość. Poczujesz się zagrożony.
Wszędzie będziesz widział ludzi, którzy źle ci życzą.
I zapomnisz, że sam stworzyłeś sobie wrogów.

Szczęście to w zasadzie tylko inne słowo na pokój,
zadowolenie, przyjaźń, radość.
A te nie pojawiają się nagle.
Nie możesz ich tak po prostu żądać od innych.
Ale dostaniesz je za darmo, jeśli sam będziesz życzliwy,
jeśli masz zaufanie do ludzi, jeśli pełen miłości
troszczysz się o ludzi, jeśli także w wielkiej biedzie,
jakakolwiek by była, nie porzucasz wiary,
że kiedyś wszystko zmieni się na lepsze.

Musisz wciąż na nowo uczyć się, by nie brać dla siebie
i nie stawiać nowych żądań, lecz dawać, pomagać,
pocieszać innych i nie zapominać przy tym o sobie.
Wtedy pewnego dnia w twoim biednym ludzkim sercu
zaświeci gorące słońce i poczujesz się z tym dobrze.
I będziesz szczęśliwy.

18 STYCZNIA

BYĆ DOBRODZIEJSTWEM DLA INNYCH

Listy z jednego tygodnia. Pisze wdowa:
„Jestem u kresu sił. Miałam życie jak z tanich powieści.
A teraz? Opuszczona, samotna, niepotrzebna.
Pociesza mnie jedynie myśl o samobójstwie.
Nie mam nikogo. Ci, których mam, zajęci są,
jak mówi Biblia, szukaniem złotego runa".

Mężczyzna z trojgiem dzieci, porzucony przez żonę
dla dyrektora biura, w którym pracowała:
„Teraz mieszka u niego, zostawiła wszystko.
Minęły już cztery miesiące.
Nie mogę sobie z tym poradzić, sam, bezsilny.
I co najgorsze: wciąż ją jeszcze lubię".

Czy wiesz, że dla coraz więcej ludzi życie,
mimo całego dobrobytu, staje się golgotą?
Rozczarowani, oszukani, poniżeni, zdradzeni, odrzuceni
nie widzą już wyjścia.
Dlaczego ludzie często utrudniają sobie nawzajem życie,
dlaczego sprawiają sobie tyle zmartwień, zadają tyle cierpień?
Dlaczego ludzie nie zawsze potrafią stać się dla siebie
źródłem radości i łask?

Zastanów się nad tym i spróbuj dzięki swej dobroci
być dobrodziejstwem dla innych, którzy cierpią i są sami,
którzy w swej samotności szukają drugiego człowieka,
dłoni, serca.

NIESZCZĘŚLIWI NIKOGO NIE UCZYNIĄ SZCZĘŚLIWYM

Nie możesz być nieszczęśliwy. Nie podoba mi się to.
Jeśli jesteś nieszczęśliwy – unieszczęśliwiasz również innych.
Każdy człowiek ma czasami wszelkie powody, by być głęboko przygnębiony.
Człowiekowi, którego lubisz, przydarzyło się coś przykrego,
przeżył ciężkie rozczarowanie, zachorował, może umiera.
Jego cierpienie bardzo cię dotyka, cierpisz wraz z nim. Słusznie.

Całkiem inaczej jest jednak, gdy zatruwasz sobie życie
z powodu codziennych drobnych nieporozumień:
pociągu, na który nie zdążysz;
zbyt wysokiego rachunku; rysy na samochodzie;
braku uznania; mocnego słowa,
które cię zraniło; nieotrzymania zaproszenia;
męża, który nie kocha cię już miłością tak namiętną;
żony, która pozornie bez powodu często jest rozdrażniona; itd., itd.

Mogą ci ciążyć setki spraw.
Ale kto widzi tylko swoje zmartwienia,
nie dostrzega nic innego.
Kto żyje tylko swoimi kłopotami, utonie w nich.
Ściągniesz wtedy nieszczęście nie tylko na siebie,
lecz także na swych bliskich i wszystkich, których kochasz.
Na całe twoje otoczenie padnie obezwładniający cień.

Nie musi tak być. Nie wolno ci być nieszczęśliwym.
Bo wtedy już nikogo nie uczynisz szczęśliwym.
A jest to przecież twoje życiowe zadanie: Dawać szczęście.
Tylko szczęśliwi ludzie potrafią uczynić innych szczęśliwymi.

20 STYCZNIA

PONOWNIE STAĆ SIĘ UBOGIM

Mili, weseli, gościnni ludzie –
nie spotyka się ich już zbyt często.
Wśród bogatych, żyjących w przepychu prawie w ogóle.
Ci, którzy przesiadują w fotelach, jeżdżą luksusowymi limuzynami,
mieszkają w wymarzonych willach, podróżują do coraz bardziej
odległych miejscowości, którzy zarabiają tyle, ile chcą,
i mogą sobie kupić to, o czym marzą,
wyglądają czasem jakby byli wypaleni, zmęczeni życiem.
Młody człowiek, który zrobił karierę, ma sukcesy,
majątek, wszystko, czego zapragnie, mówi mi:
„Nie mogę żyć, skończę z tym, mam wszystkiego dość".
Dobrze sytuowany mężczyzna zaczyna w tym tygodniu
terapię snem.
Psychiatrzy są widocznie bezsilni.

Sądzę, że człowiek musi zrezygnować ze wszystkiego,
by móc ponownie się tym wszystkim cieszyć.
Serce staje się bezwładne, niszczeje i usycha,
gdy jest zakute w łańcuchy chciwości, bogactwa, luksusu.
Jeśli żyjesz w świecie pieniądza i korupcji,
to jesteś skuty tysiącem kajdan.
Tracisz swą spontaniczność, swą radość życia.

Stań się ponownie ubogim, wyrwij się z tego.
Bądź ponownie jak dziecko.
Wyzwól się z nałogu ciągłego zwiększania swego stanu posiadania.
Być ubogim znaczy:
Nie oczekiwać szczęścia z powodu tego, co posiadasz,
lecz z tego, co możesz dać,
z bogactwa twego serca.

21 STYCZNIA

U SZCZĘŚLIWYCH LUDZI

Często zadawałem sobie pytanie:
Dlaczego niektórzy ludzie są szczęśliwi,
a inni nieszczęśliwi?
Poszukując najgłębszych źródeł
szczęścia człowieka,
nigdy nie znalazłem go w pieniądzu,
rzeczach materialnych, luksusie, nieróbstwie,
chęci czerpania zysków, świętowaniu, używaniu.

U szczęśliwych ludzi zawsze znajdowałem
spontaniczną radość z rzeczy małych, prostotę.
Obce są im nietypowe żądze.
Żyją w przekonaniu, że mają powód do życia, że mają cel.

U szczęśliwych ludzi nie było
nigdy nieustannej gonitwy,
usilnej pogoni za złotym cielcem,
dążenia do bycia w centrum uwagi
i samouwielbienia.
Są oni nieprzeciętnie uczciwi,
otwarci i nieskomplikowani.

Szczęśliwi ludzie mają
odpowiednią dozę poczucia humoru.
Pozwala ono im się śmiać,
czasami nawet z własnej niedoli.

MYŚLI PEŁNE SŁOŃCA

Czy wiesz, że twoje szczęście w dużej mierze
zależy od tego, o czym myślisz?
Czy jeszcze nigdy nie zauważyłeś,
że tracisz apetyt,
borykając się ze smutnymi myślami?

Jeśli będziesz rozmyślać o nieszczęściach i ciosach losu,
które mogą ci się przytrafić,
to nie będziesz mógł zasnąć.
Oto skutki ciemnych myśli:
Jesteś smutny, przygnębiony, zmęczony życiem.
Nie myśl nigdy: Tak czy owak nie mam żadnej szansy.
Znów zachoruję.
Nic mi się nie udaje. Już nie mogę.
Jestem stary. Jestem biedny. Jestem przegrany.
Jeśli tak myślisz, to jak magnes przyciągasz
nieszczęścia i ciosy losu.

Zatroszcz się o myśli dobre, świeże, optymistyczne,
o myśli pełne słońca.
W każdej sytuacji pamiętaj o tym:
„A jednak świeci słońce!".
Myśli pełne słońca wzmocnią
twą wyrozumiałość i siłę woli,
czyniąc cię człowiekiem szczęśliwym.

---

23 STYCZNIA

NIGDY NIE TRAĆ OTUCHY

Nie wolno ci zbyt szybko tracić otuchy.
Wiem: Czasami trudności
tak bardzo przygniatają,
a niepowodzenia załamują,
że nie widzisz już wyjścia.
Nie widzisz już znikąd ratunku.
Masz wszystkiego dosyć, czujesz do wszystkiego niechęć.
Stajesz się wtedy przykry i nie do wytrzymania,
zwłaszcza dla ludzi żyjących blisko ciebie.

Widzisz wszystko w barwach o wiele czarniejszych,
niż jest to w rzeczywistości.
Stan przygnębienia to jakby rodzaj paraliżu
twojego umysłu i twojej siły woli.
Jest to nadzwyczaj niebezpieczne.
To ostatni przystanek przed rozpaczą.

Jeśli później znów zacznie się lepiej układać,
niech to będzie dla ciebie doświadczenie na przyszłość:
Nigdy nie trać pogody ducha,
bez względu na to, co się zdarzy!
Postrzegaj własne trudności
zawsze z pewnym dystansem,
jakby dotyczyły kogoś innego.
Wtedy wszystko zobaczysz w jaśniejszych barwach.
Wtedy odkryjesz ponownie przebłyski światła.
I nigdy nie zapominaj:
Za chmurami jest słońce.

24 STYCZNIA

WŁASNEJ ROBOTY

Wcale nie jest trudno być szczęśliwym.
Nawet gdy być może przeżywasz ciężkie chwile,
gdy wywierają na ciebie presję albo uginasz się
pod ciężarem kłopotów i problemów.
Szczęścia nigdzie nie kupisz.
Szczęście musisz zbudować sobie sam, sam wykuć.

Szczęście i nieszczęście są twoimi własnymi dziećmi,
dziećmi twojego serca
i dziećmi twojego umysłu.
Jeśli nieustannie myślisz o chorobach,
porażkach, rozczarowaniach, klęskach,
jeśli kilka razy dziennie wmawiasz sobie:
„Nic mi się nie udaje", „Nikt mnie nie lubi",
to stawiasz mur między szczęściem a sobą.

Napełnij umysł optymistycznymi myślami,
a serce szczerą miłością bliźniego.
Zrób listę tego,
co sprawia ci przyjemność, i poczuj wdzięczność.
Wyszukaj sobie paru ludzi
i bądź dziś dla nich szczególnie miły.
Twoje otoczenie: mąż, żona, dzieci,
sąsiedzi i koledzy powinni dziś
ujrzeć twoje szczere i przyjazne oblicze.
Nadejdzie moment, w którym odnajdziesz pokój i radość.
Jesteś na drodze do szczęścia.

25 STYCZNIA

TRZY RZECZY NIEOCENIONEJ WARTOŚCI

Nie żądaj zbyt wiele od życia.
Pohamuj swą chęć posiadania,
nałóg dążenia do przyjemności, uciech i luksusu.
Żyć nie znaczy: brać wszystko, z wszystkiego korzystać.
Jeśli chcesz mieć wszystko i z wszystkiego czerpać przyjemność,
to w końcu nie będziesz jej w ogóle odczuwał.
Egoista nigdy nie jest zadowolony, a zawsze nieszczęśliwy.

Poczujesz się szczęśliwy, jeśli zadowolisz się małym,
jeśli będziesz potrafił cieszyć się z promyka słońca,
kwiatów i uśmiechu dziecka,
jeśli o innych zatroszczysz się bardziej
niż o własne małe ego.

U niektórych wielkich ludzi podziwiamy
skromność, wesołość i serdeczność.
Tajemnica ich zaraźliwej radości
i oddziaływania na innych
tkwi w ich prostocie, skromności i dobroci.
Te trzy rzeczy nic nie kosztują,
a ich wartość jest nieoceniona.

Naucz się więc być prosty, skromny,
bez wymagań, zadowolony z tego, co masz,
naucz się być dobry,
ponieważ dobroć podbija wszystkie serca.
Wtedy także twoje serce wypełni pokój,
wtedy także ty będziesz szczęśliwy.

26 STYCZNIA

MIEJ SZACUNEK DLA SŁOWA

Codziennie przetacza się obok nas lawina słów.
Słowa atakują nas z plakatów i prospektów,
kolorowych czasopism i grubych książek.
Wypływają z radia i telewizji.
Żaden człowiek nie jest w stanie tego znieść.

Gdzie w tej dżungli odnajdziemy prawdę?
Kto uratuje nas z tego bezkresnego chaosu?
Tyle słów bez znaczenia: pustych, jałowych i bezsensownych.
Tyle słów bez miłości: twardych, raniących, szyderczych.
Tyle słów pochodzących z chorego umysłu ludzi,
którzy z niewiarygodną zarozumiałością chcą cię pouczać.

Żyjemy na krawędzi duchowego bankructwa.
Dokonuje się śmiertelnego zamachu na słowo,
ten cudowny instrument ludzkiego umysłu.
Słowo jest drogą, która wiedzie od człowieka do człowieka,
od serca do serca. Ale podkładane są pod nią miny.
Wbrew tej całej gadaninie o dialogu i komunikacji,
częściej niż niegdyś dochodzi między ludźmi do spięć.

Szanuj wartość słowa, obchodź się z nim z respektem.
Wypełnij najpierw swój umysł dobrymi myślami,
a dopiero potem zabierz głos. I nigdy nie przepuszczaj
okazji, by milczeć.

27 STYCZNIA

BEZDROŻE

Czymże jest życie, jeśli nie byciem dobrym i serdecznym
dla innych? Chyba że jesteś już do tego stopnia martwy,
że zapomniałeś, że masz żyć, że ze środka
do życia uczyniłeś jego cel?
Tak właśnie jest: Musisz pracować i zarabiać pieniądze,
by żyć. Cel to żyć. Żyć szczęśliwie.
Ale najboleśniejszą pomyłką naszych czasów jest fakt,
iż wielu ludzi uczyniło ze środka cel.
Żyją, by pracować, a przede wszystkim,
by zarabiać pieniądze, jak najwięcej pieniędzy.
I w ten sposób wikłają się w problemy nie do rozwiązania.
Podstawa ich życia jest z gruntu fałszywa.

Nie daj się omamić tym wszystkim pokusom,
które są ci oferowane niczym życie za gotówkę.
Życie jest przecież właściwie bardzo proste. Jeśli masz co jeść,
w co się ubrać i gdzie mieszkać – czego więcej chcesz.
Nie musisz przecież robić nic innego
jak być radosny i radować innych.
Nie zazdrość nigdy tym,
którzy flirtują ze złotym cielcem.
Są bowiem tak samo głupi jak ów złoty cielec.
Kto się z nim zada, siedzi w ciasnym więzieniu.

Pamiętaj, by żyć, żyć dziś.
Pomyśl o innych, których powinieneś lubić
i dawać im z siebie to, co najlepsze.
Pamiętaj, że każdy dzień jest ci dany
jak wieczność po to, abyś był szczęśliwy.

28 STYCZNIA

ŚWIATŁO I CIEPŁO

Dobrze wiem, że przesłanie Ewangelii
jawi się dziś wielu ludziom w ponurym świetle.
Zaciemnia się przesłanie Jezusa i rzuca na nie oszczerstwa,
czasami robią to nawet ci,
którzy właściwie powinni dla niego żyć i walczyć.
Wszelkie zło tego świata przypisują chrześcijaństwu.
Są jak kelnerzy w dużej restauracji.
Kucharz przygotował wspaniałe jedzenie,
ale oni podają tylko odpadki.
Wiele współczesnych teorii jest nierzadko
tworem umysłu fantasty.

Prawdziwe chrześcijaństwo pochodzi z serca Boga
i dotyczy całego człowieka.
Nie chodzi tu tylko o światło dla rozumu,
lecz o światło i ciepło dla całego człowieka.

Uwielbiam je, ponieważ jest w nim miejsce dla ludzi słabych.
Ewangelię uwielbiam ponad wszystko,
ponieważ pierwsze miejsce przysługuje tu
ubogim i żebrakom.
Dla mnie przesłanie Jezusa nie jest niczym innym,
jak pełnym rozwojem człowieka we wszystkich dziedzinach,
świętem dla ludzi, pod warunkiem że
nie świętuje się kosztem innych.
Poza Ewangelią, poza Jezusem, miłością Boga,
który stał się człowiekiem, nie widzę innego wyjścia
z ludzkiego odmętu – żadnego.

29 STYCZNIA

POGODZIĆ SIĘ

Aby choć trochę być szczęśliwym,
mieć trochę radości na ziemi,
musisz pogodzić się z życiem,
ze swoim własnym życiem, takim, jakie ono jest,
teraz, w tej chwili.

Musisz zaakceptować swą pracę,
ludzi cię otaczających,
ich błędy i wady.
Musisz się cieszyć ze swojego męża, swojej żony,
jeśli nawet przekonałeś się,
że nie znalazłeś prawdziwego ideału.

Musisz pogodzić się
z ograniczeniami swojego portfela,
ze swoją twarzą, której sobie nie wybrałeś,
swoimi zdolnościami i warunkami życia,
nawet jeśli u sąsiada wszystko jest lepsze.
Pojednaj się z życiem.
Tkwisz we własnej skórze.
W innej skórze nie czułbyś
się już bezpiecznie.

Zawrzyj pokój z samym sobą,
ze swoim losem, swoimi domownikami,
z wszystkimi ludźmi i z Bogiem.
A wtedy odnajdziesz spokój
i będziesz o wiele szczęśliwszy.

30 STYCZNIA

WIELKA SZTUKA

Czy to takie trudne być szczęśliwym?
Po co rozmyślać, narzekać, wzdychać, gniewać się, uskarżać
i robić grymasy jakby się wypiło litr octu?
Dlaczego zauważać tylko
złych ludzi i straszne rzeczy?
Życie jest jak pół kieliszka dobrego wina.
Pesymiści wpadają w rozpacz, bo kieliszek jest do połowy pusty,
podczas gdy optymiści są szczęśliwi, że jest do połowy pełny.

Czy jesteś szczęśliwy, czy nie,
zależy najczęściej od ciebie samego.
Czy nie uważasz, że to fantastyczne, że możesz żyć,
że potrafimy mówić, widzieć, śpiewać, słyszeć,
że mamy ręce, by dawać, by pomagać,
nogi, by chodzić, i serce, by kochać?
Mógłbyś być ślepy, głuchy, kaleki.
Mógłbyś być nieuleczalnie chory.
Tak, mogłoby się to przytrafić zarówno tobie, jak i innym.

Pomyśl o tym, gdy będziesz kiedyś w złym nastoju,
przygnębiony, zły i nie do zniesienia
z powodu drobnych codziennych przykrości.
To wielka sztuka być szczęśliwym!

31 STYCZNIA

LUTY

Zacznij się uśmiechać!
Przetrwają tylko optymiści

RADOSNA TWARZ

Zacznij się uśmiechać!
Gdy twoja twarz jest
smutna i nadąsana,
być może to twoja wina.
Komu wszystko wydaje się krzywe i brzydkie,
tego twarz staje się skrzywiona i brzydka.
Czy wiesz, że twoja twarz jest
przeznaczona przede wszystkim dla innych?
Ty sam nie musisz jej oglądać,
co najwyżej podczas czesania i golenia.

Zaczynaj każdy dzień z uśmiechem na twarzy!
Istnieje współzależność
między twoją twarzą i twoim sercem.
Wszystko się zmienia, gdy zmienia się twoja twarz.
Praca cię tak nie męczy,
jeśli przystępujesz do niej
z twarzą odprężoną i radosną.
O wiele łatwiej jest ci korzystać
z dobrych i pięknych stron życia.
Dla ludzi z twojego otoczenia wschodzi słońce.
A nawet jeśli coś się nie uda,
łatwiej ci będzie to znieść.

Szczera, uśmiechnięta twarz
jest dobrodziejstwem dla twoich bliskich.
Dlatego: Zacznij się uśmiechać!

1 LUTEGO

JESTEŚ CUDEM

Jesteś cudownym człowiekiem.
Nikt ci tego jeszcze nie powiedział?
W głębi duszy jesteś wyjątkowy, niepowtarzalny.
Nikt nigdy nie będzie taki jak ty.
Pod powłoką twojej świadomości natkniesz się
na cud, którym sam jesteś.

Bądź sobą! To konieczne,
by nawiązać owocny kontakt z innymi ludźmi.
Możesz ostatecznie nosić taką samą sukienkę, taką samą kurtkę.
Możesz mieć taką samą pracę i takie samo hobby.
Ale nie daj się zrównać społeczeństwu,
które myśli, że wszyscy ludzie powinni żyć w takim samym rytmie,
w rytmie produkcji i konsumpcji,
zarabiania i wydawania pieniędzy. Bądź sobą!

O to walczysz w życiu: uwolnić się od szarzyzny,
od bezbarwnej egzystencji pozbawionej radości.
Ludzie duszą się pod ciężarem
bezsensownych zmartwień o drobnostki
i gubią całą radość życia. Zajmij się tym, co istotne!
Dotrzyj do cudu, który drzemie w głębi twojej duszy.
Dziw się znów jak dziecko – sam sobie!

Zadaj sobie pytanie: Po co żyję?
Dla pieniędzy, pracy, poważania? Po co?
Stworzono cię, abyś niósł ludziom miłość i radość.
Musisz zmienić swój kawałek świata w mały raj.
Nie oczekuj za wiele od innych. Zrób to sam!
Jesteś cudownym człowiekiem. Potrafisz to.

2 LUTEGO

ZIMNE ALBO GORĄCE SERCE

Mroźna zima to coś złego.
Ludzi nawiedza wiele cierpień i przykrości.
Ale za pomocą ogrzewania na węgiel, olej lub gaz
da się wypędzić zimę z mieszkania.
Zimne serce to coś o wiele gorszego.
Mając w piersi zimne serce, jest się
nawet w najgorętszym piecu kaflowym jak niedźwiedź polarny.
Tam, gdzie mieszka i pracuje zimny człowiek,
powietrze staje się lodowate, a cała radość umyka.
Gdy serce jest zimne, nie ma się z czego cieszyć,
nie ma przyjaznych słów przepojonych pokojem,
nie ma ani trochę szczęścia.

Mężczyzna mający zimne serce nie zna czułości,
jest nieszczęściem dla żony, rodziny i bliźnich.
Kobieta mająca zimne serce jest surowa, zgorzkniała,
nieznośna i pełna pretensji do otoczenia.
Przy każdym ruchu barometr nastroju
od razu spada najniżej.
Zimne serca czynią z naszego świata lodową pustynię.
Żaden człowiek nie może tam żyć i znaleźć domu.
Czy nie mógłbyś tam, gdzie mieszkasz,
szerzyć trochę więcej ciepła i miłości,
szczególnie wśród ludzi małych i ubogich?

3 LUTEGO

STWORZONY DLA RADOŚCI

Każdy człowiek, także ty,
potrzebuje zdrowej filozofii życiowej.
Musisz nauczyć się żyć „z łatwością", tu i teraz.
Zdrowa filozofia życiowa powinna kojarzyć się
z radością i odrodzeniem,
a nie tak bardzo z ciemnymi stronami tego padołu łez.
Śmierć w rodzinie, strata majątku,
myślenie o wydatkach, domach i hipotekach,
o samotności i wszystkich możliwych problemach życiowych
sprowadziło na wielu ludzi choroby,
a niektórych przedwcześnie zabiło.

Optymiści żyją dłużej niż pesymiści.
Pesymiści to nie ci,
którzy przez jakiś czas są smutni i mają zmartwienia,
lecz tacy, którzy są smutni zawsze i z byle powodu.
Tacy ludzie rzadko dożywają starości.
Zacznij wyznawać filozofię, która mówi,
że człowiek żyjący na świecie nie jest ani wołem roboczym,
ani elementem kosztów, lecz dzieckiem Boga.
Spróbuj uwierzyć w Boga, który jest dla ciebie ojcem.
Nie chce, byś wciąż żył swoimi nieszczęściami,
pielęgnował stare i nowe zmartwienia.
Stworzył cię dla radości.
Szukaj we właściwym kierunku, a znajdziesz.

4 LUTEGO

WŚRÓD LUDZI

Ludzie mnie fascynują, i to coraz bardziej.
Co dnia są jak przygoda,
jeśli ktoś umie podejść do nich z sympatią.
Jeśli potrafisz się dziwić, nie tylko swojemu ciału,
które można zobaczyć i dotknąć,
lecz przede wszystkim niezgłębionej tajemnicy,
która w tym cudownym opakowaniu wydaje się ci tak bliska
i jest jednocześnie nieskończenie daleka i nieosiągalna.

Z pewnością istnieją ludzie o szklanych twarzach,
w których wszystko sprawia wrażenie pustki,
i ludzie bez twarzy,
którzy przebiegają pośpiesznie obok ciebie, jakby jakaś niewidzialna siła
przyciągała ich jak magnes, nie dawała spokoju.
Nie rozumiem ludzi... A mimo to ich lubię.
Nie mogę z nich zrezygnować.
Z ludzi, którzy mnie potrzebują,
i z ludzi, których sam potrzebuję.

Ludzie o pytających spojrzeniach, napiętych twarzach.
Ludzie, którzy cierpią, są zgorzkniali i zrozpaczeni.
Ludzie nie potrafiący się cieszyć z czegokolwiek.
Próbuję uwolnić ich z tego więzienia, które sami sobie stworzyli.
A poza tym są jeszcze ludzie,
którzy skłonią cię do refleksji i śmiechu,
którzy cieszą się, że cię widzą i mówią ci o tym.
Wielu dobrych prostych ludzi, mających w sercu
ukryte niepojęte bogactwo.
Przebywać wśród ludzi to nierzadko święto.

---

5 LUTEGO

NASTROJE I CHARAKTER

Większość ludzi przypomina pogodę:
są niestali, mają zmienne nastroje i kaprysy.
Nie mów: Takie są kobiety – nieobliczalne,
nie wiedzą, czego chcą.
Mężczyźni są tak samo zależni od nastrojów,
w dzisiejszych czasach może nawet bardziej niż kiedyś.

Jeśli żyjesz emocjami,
kierując się miarą swych uczuć, tak jak ci to właśnie pasuje,
to już dziś nie panujesz nad sobą,
a jutro będziesz głęboko nieszczęśliwy.
Drobnostka, nieporozumienie,
nierozważne słowo, nieprzemyślana uwaga
mogą rozpętać burze i orkany,
stać się nieszczęściem dla ludzkiego współistnienia.

Życie będzie o wiele łatwiejsze, piękniejsze
i szczęśliwsze, jeśli masz charakter.
Mieć charakter to mieć siłę,
aby czasami powiedzieć sobie „nie"
i nie poddawać się własnym humorom,
życzeniom i żądzom.
Codziennie musisz się w tym ćwiczyć.
A więc porzuć wszelkie kapryśne nastroje.
Niech twoja twarz stanie się jasna.
Niech u ciebie zawsze panuje ładna pogoda.

PIELĘGNACJA TWARZY

Czy przeglądałeś się dziś rano w lustrze?
Jak wyglądała twoja twarz: świeżo, beznamiętnie, arogancko?
Pamiętaj, że twoja twarz przeznaczona jest właściwie dla innych.
Inni muszą ją oglądać. Nie ma nic gorszego, niż oglądać codziennie niezadowoloną twarz.
Twoja twarz jest czymś więcej niż piękną fasadą.
Czymś więcej niż pokrywką, wizytówką.
Dbaj o swoją twarz nie tylko dla siebie,
by podobać się sobie w lustrze,
lecz przede wszystkim dla innych.

Najlepszym sposobem pielęgnacji nie są różne kremy,
pudry, tusz do rzęs czy cienie do powiek.
Dbaj o swoją twarz przede wszystkim od wewnątrz.
Dodaj oczom światła i radości.
Odpręż usta w uśmiechu.
Nadaj swej twarzy serdeczny wyraz.
Ale będzie to możliwe tylko wówczas, gdy trochę głębiej,
w swym sercu, zrobisz generalny porządek.

Pozbądź się rozgoryczenia i złych humorów,
nie dręcz się z powodu codziennych trosk.
Pokaż się z najlepszej strony,
prezentując serdeczną, uśmiechniętą twarz.
Wtedy nie będzie trudno cię polubić.

7 LUTEGO

GDZIE ZACZYNA SIĘ POKÓJ

Czyżbyśmy chcieli ludzi doprowadzić do szaleństwa?
Czasami zadaję sobie to pytanie. Mówi się tyle głupstw,
kupuje tyle niepotrzebnych rzeczy,
dochodzi do tylu nonsensów,
że można zwątpić w istnienie lepszego świata.
Ludzie pragną miłości. Pragną miłości. Pragną szczęścia.
I pędzą dokładnie w odwrotnym kierunku.

Czytam czasopismo o pokoju i nawet ono pełne jest przemocy,
przemocy wyrażającej się w słowach.
Przemoc w postaci ciężkich oskarżeń przeciw garstce ludzi,
którą obarcza się odpowiedzialnością za całe zło tego świata.
Dlaczego mamy wciąż ciskać kamienie oskarżeń?
By ich ukamienować?
Ten, kto oskarża i osądza innych, mówi jednocześnie:
„Jestem lepszy" i udaje nieomylnego sędziego.
Kto rzuca kamieniem, sam ma brudne ręce.

Powiem ci, gdzie zaczyna się pokój:
Pokój zaczyna się w tobie.
Nie na polu bitwy, gdzie trzeba kogoś pokonać,
lecz w twych własnych słowach i czynach.
Pokój nie zaczyna się przy stole konferencyjnym,
lecz w twoim własnym życiu, w chwili, gdy zrezygnujesz
z wszelkiej władzy, która może posłużyć do gnębienia innych,
i chęci posiadania, która skończy się na wyzysku innych.
Unikaj w życiu i sercu jakiejkolwiek formy
przemocy. Jest tam miejsce
na pokój, miłość i prawdziwe szczęście.

8 LUTEGO

LEKARSTWO NA ZŁY HUMOR

Musisz być miły.
Nie tylko wieczorem, po skończonej pracy
i gdy nikt nie może cię już zdenerwować.
Nie tylko wtedy, kiedy jesteś z przyjaciółmi
lub masz gości.
Musisz być miły przede wszystkim w domu,
wobec współmałżonka, ojca, matki,
wobec wszystkich, z którymi przebywasz.

Musisz być miły wszędzie,
jeśli nawet ktoś nastąpi ci na odcisk.
Nie rób takiej nieszczęśliwej miny,
zwłaszcza rano, bo zachorujesz
na smutną chorobę porannych mruków.
Idź zawczasu spać,
bo rano musisz być miły.

Złego humoru nie da się wyleczyć za pomocą pigułki.
Nie rób ze swego wypoczynku
jednej wielkiej nerwówki.
Nie bądź niewolnikiem telewizji,
lecz raz idź wcześniej do łóżka.
Przekonasz się, że dobry, zdrowy, nocny sen
jest bardzo skutecznym lekarstwem na zły humor
i wiele innych modnych dolegliwości.
Gdy jesteś wyspany i miły,
wszystko układa się o wiele lepiej,
a ty czujesz się bardziej szczęśliwy.

9 LUTEGO

MOSTY ZAMIAST MURÓW

Co stoi między tobą i twoimi bliźnimi:
mur czy most?
Mieszkasz z nimi w jednym domu, na jednej ulicy.
Pracujesz w jednym biurze, w jednym zakładzie.
Uczęszczasz do jednej szkoły,
chodzicie na te same kursy, odbywacie te same podróże,
jecie ten sam chleb...
a jesteście sobie tacy obcy.
Między wami stoją mury obojętności,
braku zrozumienia, nieufności, niechęci.
Zburz te mury. Zacznij budować mosty!

Jeżeli jesteś młody, zbuduj most wiodący do twoich rodziców.
Martwią się o ciebie. Spróbuj ich zrozumieć.
Jeżeli jesteś rodzicem,
zbuduj most łączący cię z twoim trudnym dzieckiem.
Bądź dla niego dobry i przede wszystkim cierpliwy.
Jeżeli pracujesz w szkole, polub swych uczniów.
Są oni czymś więcej niż zbiorowiskiem głów,
w które należy wtłoczyć wiedzę.

Kimkolwiek jesteś, zacznij jeszcze dziś
burzyć mury i budować mosty.
Najlepszym mostem wiodącym do twoich bliźnich
jest przyjazna twarz, uśmiech.

JESZCZE DZIŚ POWIEDZ COŚ DOBREGO

Nie zachowuj się jak niedźwiedź w ciemnych okularach,
który potrafi tylko warczeć i mruczeć,
który nie wie nic dobrego o innych,
nigdy nie docenia czyichś osiągnięć,
lecz przy najmniejszym potknięciu wyszczerza zęby
i tyranizuje całe otoczenie.

Nie bądź niedźwiedziem polarnym, zimnym i obojętnym,
który gasi całą radość
i którego nie roztopi żaden uśmiech, żaden dobry uczynek
czy przyjazne słowo.
Bądź człowiekiem i okaż swe serce!

Spróbuj jeszcze dziś powiedzieć coś dobrego
o swoim mężu, swojej żonie, sąsiadach
lub teściowej.
Nie jest to takie trudne, jak myślisz,
a ich reakcja będzie fantastyczna.
Staną się nagle inni, bardziej przystępni.
Będą się śmiać, a wszystko ułoży się w sposób naturalny.

Powiedz na przykład po prostu „dziękuję" za wszystko,
co inni dla ciebie robią, podziękuj za każdy gest,
którego doświadczysz w domu, na ulicy, w biurze, wszędzie.
W ten sposób dzięki odrobinie dobrej woli
świat stanie się trochę lepszy i piękniejszy.
Na co jeszcze czekasz?

11 LUTEGO

NIE BĄDŹ NIGDY SUROWY

Bądź łagodny! Wiesz, jacy mali, biedni i samotni
są ludzie, jacy delikatni i wrażliwi.
Wiesz, że płyną łzy i nikt nie potrafi dodać otuchy.
Wiesz, że nie ma większego smutku
niż w sercu, które czuje się nie rozumiane.
Wiesz, że życie jest dla niektórych ludzi
męką nie do zniesienia. Bądź łagodny!

Uczyń wszystko, co w twojej mocy, by zrozumieć ludzi,
by im pomóc. Wczuj się w ich cierpienie, w ich osamotnienie.
Zejdź z wyżyn samozadowolenia,
zejdź na dół do ludzi, którzy są sami, którzy cierpią,
do ludzi pozbawionych ochrony, bezpieczeństwa.
Nie bądź nigdy surowy, zwłaszcza wydając sądy.

Bądź łagodny!
Spróbuj zauważyć w ich być może bezsensownych dążeniach
niewyobrażalną tęsknotę za szczęściem.
Wtedy sam staniesz się szczęśliwy.
Wtedy w twojej własnej samotności i słabości
pojawią się cudowne chwile, które wyrwą cię
z jednostajnej szarzyzny życia.

Miej miękkie serce, które jest w stanie współczuć,
ale także wielkie, pojemne serce,
dzięki któremu weźmiesz wszystkich ludzi w ramiona.
Bądź łagodny! W łagodności kryje się nieskończona pociecha
dla wszystkich ludzi, którzy cierpią wskutek chłodu
naszego nieczułego, bezdusznego współistnienia.

---

12 LUTEGO

KOCHAĆ CODZIENNĄ PRACĘ

Twoje szczęście tkwi w dużej mierze w radości,
którą daje ci twoja codzienna praca.
Jeśli niechętnie idziesz do biura,
niechętnie wykonujesz prace domowe,
jeśli niechętnie się uczysz i niechętnie pracujesz,
jeśli żyjesz tylko dlatego,
że nadejdzie weekend, że dostaniesz urlop,
że mecz piłki nożnej jest taki interesujący,
że gwiazdy filmu i telewizji są takie wspaniałe,
że latem kusi cię nadmorska plaża,
że dzięki podróżom można tyle zobaczyć i przeżyć,
że możesz wreszcie na parę dni czy tygodni
uciec od powszednich trosk...
Jeśli pracujesz wyłącznie z takich pobudek,
sprawiasz mi przykrość,
ponieważ tracisz tysiące okazji,
by być szczęśliwym.

Pomyśl o tym, posłuchaj głosu serca
i pokochaj swą codzienną pracę,
ponieważ łączy cię ona z wieloma ludźmi,
którzy cię potrzebują, jeśli nawet
jeszcze się z tym kryją.
Wykonuj swą pracę z miłością,
a nie musisz czekać na weekend,
by przybrać szczęśliwy wyraz twarzy.

13 LUTEGO

ĆWICZENIE PORANNE

Nie, twoja twarz nie jest brzydka.
Ja tak nie myślę. Wszystkie twarze są piękne,
jeśli kryje się za nimi dobre serce.
Dlatego stań rano spokojnie przed lustrem
i zacznij dzień, wykonując następujące ćwiczenie.
Spójrz sobie w twarz
i powiedz z pełnym przekonaniem:

Człowieku, ciesz się, że żyjesz.
Dziś nie będę się skarżyć i narzekać.
Smutna twarz nikomu nic nie da.
Nadchodzi cudowny dzień.
Bądź wdzięczny Bogu i po prostu żyj.
Nie pal tyle,
nie jedz i nie pij tyle.
Podziel się – obok ciebie żyją
głodni i spragnieni.
Nie daj się kłopotom
i idź zawczasu spać.
Chroń swoje serce przed nienawiścią i zazdrością.
Czyń wszystko z miłością.

Jeżeli wykonasz to drobne ćwiczenie,
ciało i dusza nabiorą rozmachu.
Poczujesz się odprężony i radosny. Uwierz mi,
po miesiącu będziesz innym człowiekiem,
człowiekiem szczęśliwym.

14 LUTEGO

TO, CO JEDYNIE LICZY SIĘ NA ŚWIECIE

To wspaniałe: być człowiekiem, żyć.
Po prostu być człowiekiem, patrzeć w powietrze, słońce,
kwiaty, a nocą w gwiazdy.
Po prostu żyć, być dobrym, nie chcieć mieć wszystkiego,
nie być zazdrosnym, nie narzekać i nie skarżyć się, pomagać,
współdziałać, pocieszać, odwiedzać chorego,
być, gdy ktoś cię potrzebuje, troszczyć się o niego,
a wszystko to nie dlatego, że musisz,
lecz dlatego, że ci się to podoba,
że jesteś człowiekiem, bliźnim, dlatego że żyjesz.

Czy znasz niebezpieczeństwo, które nam obecnie zagraża?
Żyjemy w czasach efektywności i opłacalności.
Ludzie pytają się: Do czego to służy, jak to działa,
jak szybko się to uda, co to da?
Żyjemy pod presją. Jesteśmy przemęczeni. Liczymy.
Muszą być z tego pieniądze. I zapominamy,
że piękno życia zawiera się w chwilach,
ponieważ nie liczymy, ponieważ jesteśmy po prostu ludźmi,
zwyczajnie żyjemy i jesteśmy zadowoleni.

Ludzie żyją coraz dłużej, ale nie coraz radośniej.
Wciąż myślą, że szczęściem człowieka jest:
dużo mieć, móc sobie na wiele pozwolić, mieć zapewniony
dobry byt, żyć długo.
Broń się. Nie jesteś maszyną, jesteś czymś więcej
niż funkcją, stanowiskiem, zadaniem, pracą.
Jesteś przede wszystkim człowiekiem, który ma żyć, śmiać się,
kochać, po prostu być dobrym człowiekiem.
I to jedynie liczy się na tym świecie.

15 LUTEGO

WOLNY, BY MÓC SIĘ CIESZYĆ

*B*y móc żyć, musisz przede wszystkim umieć się cieszyć.
Cieszyć w spokoju. Nie mam tu na myśli
zgubnej, czasami chorobliwej żądzy uciech,
która opętała tak wielu ludzi
i tak wielu wpędza w nieszczęście.
Dążenie do wszelkich możliwych i niemożliwych rzeczy,
którymi nęci społeczeństwo żyjące w zbytku,
wciąga cię w odmęt zwierzęcych instynktów,
z którego trudno jest się wyrwać.

*B*y móc żyć, musisz nauczyć się cieszyć.
By móc się cieszyć, musisz być wolny,
wolny od pogoni za rzeczami materialnymi,
od wszelkiej żądzy,
wolny od nienawiści i zazdrości, wolny od wszelkiej namiętności,
która niszczy i rozrywa cię od środka.
By móc się cieszyć, potrzebujesz zdrowej harmonii
między twoimi uczuciami i wyobrażeniami
a twoim stosunkiem do ludzi i rzeczy.

*J*eżeli potrafisz się cieszyć, potrafisz się śmiać i być radosny.
Jesteś wtedy wdzięczny, że codziennie rano wschodzi słońce.
Jesteś szczęśliwy, że łóżko jest miękkie, mieszkanie ciepłe.
Spotykasz wtedy przyjaznych ludzi.
Przychodzi wtedy do ciebie miłość Boga
z każdym uśmiechem, każdym kwiatem, każdym dobrym słowem,
każdym serdecznym uściskiem dłoni,
każdym objęciem ramieniem.
Jeżeli potrafisz w spokoju cieszyć się małymi rzeczami,
mieszkasz w ogrodzie pełnym szczęśliwości.

16 LUTEGO

TO NIE ŚCIANA PŁACZU

Przyznaję, że jest wiele rzeczy,
na które można się skarżyć. Ale pytam też:
Czy uskarżanie się w czymś komukolwiek pomogło?

Uskarżanie się niszczy wszelką aktywność, wszelki postęp.
Dni, które wypełnisz skargami,
to twoje najgorsze dni.
Nie posuwasz się naprzód, nogi masz ciężkie jak ołów.
I tylko zatruwasz życie także rodzinie,
przyjaciołom i znajomym.

Z pewnością każdy człowiek ma swe cierpienia i troski.
Ale czy trzeba innym wciąż o tym opowiadać?
Twój bliźni to nie ściana płaczu.
Dlaczego mamy bezustannie narzekać na złe czasy,
na złych ludzi, pogodę,
na prawdziwe i wydumane choroby?

Jest jeszcze tyle pięknych i dobrych rzeczy,
za które powinniśmy być wdzięczni
i z których możemy się razem cieszyć.

17 LUTEGO

HUMORY I BŁAHOSTKI

Masz zły humor?
Czy zastanowiłeś się, jaki jest tego powód?
Twój szef miał krzywą minę?
W domu ktoś powiedział coś nie tak?
Zignorowano cię, coś się nie udało?
Ktoś cię skrytykował?
Guzik się urwał, zabrakło soli?
Doszło do kłótni o sprzątanie, zmywanie naczyń
czy o program telewizyjny?

W chwilach naprawdę poważnego cierpienia –
któż tego nie doświadcza –
takie sprawy wydają się nam strasznie dziecinne.
Nie pojmujemy, jak coś takiego mogło
niegdyś zburzyć naszą wewnętrzną równowagę.

Czy jest sens denerwować się błahostkami,
jeśli życie może przynieść zupełnie inne cierpienie?
Otwórz gazetę, posłuchaj wiadomości
w telewizji lub radiu, a dowiesz się,
jak straszny los spotyka twoich bliźnich.
W porównaniu z nim twoje małe problemy są niczym.

Zły humor nie prowadzi do żadnego rozwiązania.
Gromadź lepiej swoją energię,
by rozwiązywać problemy, które są naprawdę ważne.

18 LUTEGO

NIE CZYŃ Z ŻYCIA TEATRU

Jaką masz twarz?
Czy to naprawdę twoja twarz,
czy rodzaj maski codziennego użytku,
do codziennego obcowania z ludźmi?

To całkiem zrozumiałe, gdy podczas karnawału
przybierasz zupełnie inne oblicze.
Zapewne każdy odczuwa czasem potrzebę
udawania głupca i uważa, że to zabawne
chodzić z czerwonym, perkatym nosem
lub skrywać się za maską klowna,
wielkiego czarodzieja, egzotycznej księżniczki
lub rozbójnika z czarną brodą.

Udawaj spokojnie przez jeden dzień klowna,
to może być nawet zdrowe.
Ale nie czyń z życia teatru.
Nie zmieniaj swej twarzy,
tak jak zmieniasz koszulę:
rozmowny i szarmancki w towarzystwie przyjaciół,
małomówny i nadęty w domu,
nieugięty, gdy wydajesz rozkazy,
przymilny, gdy jesteś podwładnym.
Twoja twarz jest zawsze zwierciadłem serca,
zadbaj jednak najpierw o to, by twoje serce było dobre.

19 LUTEGO

NIE POZWÓL SIĘ ZNIEWOLIĆ

Gdy twoje serce i głowa są pełne rzeczy,
które cię zniewalają, umyka wiele radości życia.
Możesz stać się niewolnikiem pieniądza lub telewizora.
Zniewolić może cię jedzenie, picie, palenie.
Możesz stać się nawet niewolnikiem swojego hobby.
Są to dobre rzeczy, są częścią życia.
Ale gdy stają się dla ciebie bożkami,
przed którymi padasz ze czcią na kolana,
wtedy umyka radość życia i wolność.
Jesteś przywiązany do łańcucha. Stajesz się niewolnikiem.

Korzystaj ze wszystkiego, ale nie stawaj się nigdy niewolnikiem.
Korzystaj z pieniędzy, by żyć i pozwolić żyć,
ale nie daj się udusić chciwości.
Korzystaj z samochodu, telewizora, ale tak,
by nie ucierpiały na tym twoje kontakty z innymi.
Miej umiar w jedzeniu, piciu i paleniu.
Twój brzuch nie może stać się twoim bożkiem.
Nawet twoje hobby może stać się tyranem,
który nie zostawi ci w życiu miejsca dla innych.

Co trzyma cię na uwięzi? Uwolnij się!
Uwolni cię tylko prawdziwa miłość do bliźniego.
Dlatego kochaj, angażuj się, zapomnij o sobie,
a mnóstwo nieoczekiwanych radości spadnie
na ciebie jak gwiazdy z nieba.

GOTÓW DO KOMPROMISU

Nie bądź uparty!
Upór jest przekleństwem,
które może zatruć całe życie.
Upór jest dowodem krótkowzroczności,
zawziętości i egoizmu.
W przypadku uparciucha na pierwszy plan
wysuwa się pan Ja, pani Ja.
Taka osoba nie znosi żadnego sprzeciwu.
Nigdy się nie myli, ma zawsze rację i nigdy nie ustępuje.

W małżeństwie i rodzinie dochodzi przez to
do poważnych napięć i problemów,
bo w przypadku ludzi upartych
znika wszelka radość, wszelkie szczęście.
Są oni zawsze nieustępliwi, rozdrażnieni, nie do zniesienia.
Są nieszczęściem dla wspólnego życia.

Pójdź na ustępstwa, bądź gotów do kompromisu.
Może przez swój upór
straciłeś dobrego przyjaciela
lub zdeptałeś sporo szczęścia,
które jest człowiekowi niezbędne do życia jak powietrze.
Ale wszystko znów się ułoży,
jeśli każdego dnia będziesz walczyć ze swoim uporem.
W dobroci, przyjaźni i zwykłej miłości bliźniego
jest nieskończenie więcej radości niż w uporze.

21 LUTEGO

KAŻDY CHCE WIĘCEJ

Dobrobyt niszczy nas wszystkich.
Nie wiemy, ile idealizmu
już w nas zgasił,
ile gotowości do niesienia pomocy unicestwił,
jak bardzo nas koncentruje
tylko na rzeczach materialnych.

Współczesny człowiek nie jest tak szczęśliwy,
jakby mogło się wydawać, sądząc po dobrobycie.
Wręcz przeciwnie! Prawie nikt
nie sprawia wrażenia zadowolonego z kawałka tortu,
który przypadł mu w udziale. Każdy chce więcej.
Robotnicy chcą więcej, urzędnicy chcą więcej,
banki chcą więcej, lekarze chcą więcej,
dobrze prosperujące przedsiębiorstwa chcą więcej,
państwo chce więcej, wszyscy chcą więcej.
I w ten sposób powoli, ale skutecznie,
niszczą nasz dobrobyt.

Tam, gdzie każdy chce brać, a nikt nie chce dawać,
niemożliwe jest zdrowe współżycie społeczne.
Jesteśmy chorzy, partie i urzędy publiczne
naszego społeczeństwa są chore,
chore na własny interes, krótkowzroczność i egoizm.
Kryzysy to tylko pęknięcie wrzodu,
który już od dawna rozrósł się w naszych
instytucjach i w mentalności nas, ludzi.

„WIELKI BRZUCH”

Nasz wiek przejdzie do historii
jako wiek chciwości – stwierdził ostatnio pewien profesor,
mówiąc o społeczeństwie przyszłości.
Gdy mówi się o postępie,
chodzi praktycznie wyłącznie
o pieniądze, władzę i używanie.

Wszystko kręci się wokół zaspokojenia potrzeb materialnych.
Nieustannie rozbudza się publicznie
niezaspokojone żądze człowieka.
Wszędzie, z zachowaniem wszelkich reguł gry,
wznieca się żądzę zwiększania stanu swego posiadania.
Gdyby trzeba było postawić pomnik tych czasów,
najbardziej odpowiedni byłby „Wielki brzuch”.
Na brzuchu znajdowałaby się głowa pełna elektroniki,
ale gdzie byłoby miejsce na serce, tego sam nie wiem.

Najwyższy czas
docenić znaczenie wartości duchowych.
Nasze nieszczęście nie polega na braku dobrobytu,
bezpieczeństwa, wygody i blichtru,
lecz na tym, że brak nam prostoty, umiarkowania,
dobroci i dobrych myśli.

23 LUTEGO

POCZUCIE HUMORU ODPRĘŻA

Gdy się widzi, z jaką śmiertelną powagą
ludzie budują własny posąg,
jak bardzo są zarozumiali,
jak bardzo troszczą się o swą opinię i swój wizerunek,
to naprawdę trzeba im współczuć.
Porzucili prawdziwe wartości życiowe,
by udać się do labiryntu,
gdzie uprawiają swój egoizm w sposób wręcz naukowy,
metodycznie i ze śmiertelną powagą.

Chciałbym się modlić: Panie, daj nam poczucie humoru.
Daj nam siłę śmiać się z zabawnych błahostek,
z uporu i tępoty ludzi gruboskórnych,
których zsyła nam czasami świat,
aby zabrać nam pokój i radość.

Tak, musimy się więcej śmiać. Śmiech to zdrowie!
Czy pomyślałeś o tym aspekcie swojego zdrowia?
Śmiech wyzwala, poczucie humoru odpręża, rozluźnia,
daje świadomość, że wszystko jest względne.
Humor może żartować nawet sam z siebie
i sprawia, że znów jesteś jak dziecko.
Śmiech i humor uwolnią cię od przesadnych trosk
i nudy, którą niekiedy się dusisz.
Śmiech i humor zrobią w twym sercu
nowe miejsce dla ludzi żyjących wokół ciebie.

24 LUTEGO

WIĘCEJ RADOŚCI Z ZABAWY

Widzę ludzi idących świętować karnawał.
Jest okres karnawału, czas szalonej zabawy,
czas, by przywdziawszy maskę, stać się raz kimś innym.
Możesz udawać, kogo chcesz,
im bardziej jesteś szalony, tym lepiej.

Dlaczego jednak tyle zabaw musi kończyć się
pijaństwem i innymi ekscesami? Dlaczego czujemy się potem
tacy zmęczeni, na wpół żywi? Każda zabawa powinna przecież
dać ludziom odczuć radość życia.
Jeśli zabawa jest tylko zaspokajaniem chęci użycia
i rozrywki, w niczym nam nie pomoże.
Zabawy, które trzeba potem wspominać z obrzydzeniem,
są szkodliwe dla zdrowia i zatykają pory,
przez które możemy wdychać radość życia.

Musimy postawić sobie pytanie,
czy nie zatraciliśmy sensu zabawy.
Jestem przekonany, że mielibyśmy większą radość z zabawy,
gdybyśmy poznali sens postu i umiaru
i nie odczuwali takiego przesytu.

Można żyć na dwa sposoby:
Jeden to zacząć od wstrzemięźliwości i skończyć na zabawie.
Drugi to zacząć od zabawy i skończyć
na bólu głowy, przesycie i wszelkiego rodzaju nerwicach.

25 LUTEGO

MASKA NA TWARZ, NIE NA SERCE

Człowiekowi jest trudno
zachować ciągłą równowagę
i twarz.
Pomyśl o karnawale, przyjrzyj się ludziom,
jak nakładają maski i przy dzikiej muzyce
tracą rozum
wśród papierowych łańcuchów i konfetti.
Karnawał jest niegodny człowieka,
jeśli staje się przykrywką dla najprymitywniejszych uciech.

Baw się w karnawale, pofolguj sobie,
nie zachowuj się jednak jak spuszczony z łańcucha.
Nałóż maskę na twarz,
nie na serce.
Stań się na jeden dzień klownem z dzwoneczkiem i trąbką,
ale nie popadnij w pijaństwo i hulanki,
abyś po skończonej zabawie
nie obudził się nieszczęśliwy na gruzach
zniszczonego małżeństwa i rodziny.

Uważaj na nieznajomych,
którzy w przebraniu dołączają się do zabawy,
by łapczywie szukać zdobyczy.
Spokojnie baw się w karnawale, ale nie zapominaj,
że potem nadchodzi czas postu:
czas dzielenia się swym chlebem i bogactwem
z milionami ludzi umierającymi z głodu.

26 LUTEGO

ODPRĘŻYĆ SIĘ

Nie żyj w takim napięciu!
Ciągle pod presją: gdy stoisz i chodzisz,
gdy jesz i pracujesz, nawet gdy śpisz.
Nie myśl bezustannie o swoich kłopotach, o jutrze,
o nie rozwiązanych problemach i problemach, na które może
nie ma rady.
Ciągła presja prowadzi do niepotrzebnego wyczerpania,
a ciągłe napięcie obciąża system nerwowy.
Znika energia, ulatuje chęć działania.
Człowiek jest bez życia, wypalony, wykończony.

Jeśli musisz sam przed sobą przyznać: „Jestem wciąż zmęczony
i nie rozumiem dlaczego",
jest to znak, że żyjesz w zbyt dużym napięciu.
Naucz się żyć i pracować odprężony.
Rozluźnij skurczone barki, odetchnij głęboko,
odpręż mięśnie, żyj bardziej wyluzowany.

Patrz częściej na dzieci,
a rzadziej na tysiące drogich rzeczy,
które podsuwają ci w sklepach.
Patrz częściej na swoich bliźnich,
a rzadziej oglądaj telewizję.
Odpręż się od wewnątrz, częściej się śmiej.
Wtedy na pewno będziesz żył dłużej i bardziej szczęśliwie.

27 LUTEGO

GŁÓD WIECZNEGO SZCZĘŚCIA

Nasze czasy wypełnia pogoń za pieniędzmi i przyjemnościami,
zabawą, rozrywką i przygodą.
Jest to przyczyną nerwowości i pośpiechu wielu ludzi.
Nigdy nie spoczną.
Nie zaznają już wewnętrznego spokoju.
Czasem sprawiają wręcz wrażenie, jakby trawiła ich
nieomal nienasycona żądza
ciągłego poszukiwania czegoś nowego, zdobywania więcej.

Ale w ten sposób nigdy nie zapewnimy
naszemu sercu na dłużej spokoju.
Przypomnij sobie wszystkie kuszące przyjemności,
na które natknąłeś się w życiu.
Czy nie byłeś przypadkiem na końcu zawsze trochę
rozczarowany?
W czasie największego szaleństwa, a zwłaszcza potem,
można poczuć się śmiertelnie nieszczęśliwym.
Po krótkiej chwili przyjemności
okaże się, że nic nie zyskaliśmy,
a nasz niepokój jest jeszcze większy.

Nasze serce nie znosi żadnych namiastek!
Nasze serce odnajdzie spokój
w bezbrzeżnej dobroci, w Bogu,
który jest „ojcem" i „miłością". Jeśli się tego nie wie,
serce odczuwa głód wiecznego szczęścia.
Nie możemy zadowolić się czymś gorszym.

28 LUTEGO

BŁAZEN WŚRÓD BŁAZNÓW

Gdy spotykamy ludzi w karnawale,
nie wiemy, z kim mamy do czynienia.
Biegnie taki przebieraniec czy błazen
ulicami i nie wiemy,
czy jest to ktoś bardzo ważny, czy zwykły zjadacz chleba,
który jeden dzień chciałby pożyć w innym świecie.
Podczas karnawału jesteśmy błaznami wśród błaznów
i śmiejemy się razem z nimi.

Jeśli jednak zapomnimy
zdjąć maski po skończonym karnawale,
nie będzie to już takie zabawne.
Zadbaj więc o to, abyś nigdy
nie mamił i nie oszukiwał ludzi,
których spotykasz na swej drodze!
Zachowuj się zawsze i wszędzie wobec swoich bliźnich
do cna uczciwie.

Karnawał jest dobry na kilka dni,
ale kto czyni maskaradę z całego życia,
ten niszczy wspólnotę ludzką,
bo nie ma dla innych szacunku,
do którego każdy człowiek ma prawo.
Pomóż zbudować świat bez masek.
Polub ludzi żyjących wokół ciebie,
wtedy będzie ci szkoda ich
okłamywać i oszukiwać.

29 LUTEGO

MARZEC

Powstań z mroków zniechęcenia
na powitanie nowej wiosny

WKRÓTCE NADEJDZIE WIOSNA

Bądź wdzięczny każdego ranka za nowy dzień!
Przychodzi ci to z trudem? A może boisz się życia?
Czy kładąc się spać, wzdychasz:
„Bogu dzięki, znów skończył się dzień"?
Może śmiertelnie się nudzisz,
wszystko wydaje ci się bezużyteczne i bezsensowne.
Może telewizja odebrała ci całą fantazję,
całą chęć działania i towarzyskość.
Może chciałbyś bezustannie się bawić,
korzystać z rozrywek, które cię nie rozweselą.

Nie jesteś już człowiekiem, jeśli pod naciskiem
powszechnej mentalności i warunków
skurczyłeś się do istoty, która jeszcze tylko
produkuje, zarabia i wydaje pieniądze.
Nie kwitną dla ciebie już kwiaty, bo ich nie widzisz.
Nie bawią się już dzieci, ponieważ tego nie dostrzegasz.
Ludzie nie śmieją się już z tobą, bo jesteś dla nich martwy.
Nie ma już ciszy, spokoju, radości,
ponieważ w twoim sercu zgasła jakakolwiek miłość.

Szukasz szczęścia tam, gdzie nie można go znaleźć:
w martwych, bezsensownych przedmiotach,
które nigdy cię nie zadowolą.
Zmień się od środka, zawróć!
Stań się ponownie człowiekiem. Bo każdego ranka
wschodzi słońce, wkrótce nadejdzie wiosna.
I miałbyś tego w ogóle nie zauważyć?

1 MARCA

PRZEOBRAŻONY WEWNĘTRZNIE

Jesteś zmęczony i bez radości?
Dałeś się przygnieść
licznym kłopotom i trudnościom,
tak że uciekła z ciebie cała energia,
zapał, chęć życia?
Czyżby nie zależało ci już specjalnie na życiu,
czyżby cała radość uleciała
z powodu głębokich ran w twoim sercu?

Nie traktuj tego aż tak poważnie,
spróbuj znów wziąć się w garść!
Nie za pomocą alkoholu i środków odurzających,
które tylko potęgują ból.
Poszukuj w spokoju światła, prawdy, pokoju.
Poszukuj Boga. Jeśli będziesz Go szukać,
wszystko będzie dobrze.

Każdego wieczora opróżniaj swoją głowę,
tak jak byś musiał wykonywać codzienne obowiązki.
Wyrzuć wszystkie czarne myśli,
wszelką zgorzkniałość, wszelki pesymizm,
i poproś Boga, by w ciszy nocy
przeobraził cię wewnętrznie,
by napełnił cię nową energią,
optymizmem i ochotą do życia.
I zdziwisz się, że wkrótce znów będziesz się
rano budzić jako nowy człowiek.

ZUPEŁNY CHAOS

Bywają w naszym życiu ponure, czarne dni.
Wszystko wiruje nam przed oczyma.
Tracimy wszelkie oparcie i przejmuje nas lęk,
lęk przed nami samymi.
W naszych uczuciach panuje zupełny chaos.
Jesteśmy do głębi wzburzeni, ogarnia nas panika.
Wtedy wychodzą na jaw szaleństwa,
które inaczej nigdy nie miałyby okazji zaistnieć.
Wyobrażamy sobie wszelkie rzeczy możliwe i niemożliwe
i sądzimy, że Bóg jeden wie, co tu jest grane.
Nie poznajemy sami siebie
i narażamy się na niebezpieczeństwo, że bezmyślnie wszystko stracimy.
Czasami wystarczy drobnostka,
by doprowadzić nas do rozpaczy,
by nas wykończyć.

Mimo wszystkiego, co może się zdarzyć,
spróbuj nie nadawać takim ponurym, czarnym dniom
większego znaczenia, niż na to zasługują.
Nie powinny nas za bardzo wyprowadzać z równowagi.
Trzymajmy się następującej zasady:
Niezależnie od tego, co zdarzy się w naszym życiu –
Bóg jest ojcem. On jako jedyny
wszystko rozumie, wszystko przebacza,
a jego miłość towarzyszy nam niestrudzenie
przez cały czas.

3 MARCA

OBUDZIĆ SIĘ

Wraz z wciąż rosnącym dobrobytem
rośnie wśród ludzi rodzaj
nudy, duchowej gnuśności.
Wszędzie można spotkać bezwolnych, zmęczonych ludzi,
ale zmęczenie to nie ma nic wspólnego z ciałem.
Jest to duchowe obumarcie i pustka.
Chodzi tu o utajony, głęboko w nas tkwiący
pesymizm wobec życia.

Nie pozwól swojej głowie i swojemu sercu utonąć w brzuchu.
Jeśli nie masz większego ideału niż jedzenie i picie,
niż zarabianie i wydawanie pieniędzy,
to praca staje się złem koniecznym,
a wszelkie twoje czyny tracą sens.
Wstajesz rano, wzdychając pod nosem,
i uciekasz od wszystkiego, co wiąże się z wysiłkiem.
Siedzisz też do późnej nocy przed telewizorem
jak bezmyślna mumia.

Możesz sam siebie wyleczyć, musisz się tylko obudzić,
otworzyć okna na światło i słońce,
uwierzyć ponownie w dobro i w Boga,
opróżnić i napełnić na nowo serce
prawdziwą miłością i zdrowym optymizmem.
Nie jesteś numerem w bezbarwnej masie,
bezdusznym trybikiem wielkiej maszyny.
Jesteś człowiekiem stworzonym dla radości i szczęścia.

4 MARCA

DWA SPOSOBY NA ŻYCIE

Uczysz się jeździć samochodem. Nadążasz za modą.
Znasz się na nowoczesnej technice. Uczysz się tysiąca rzeczy.
A mimo to pewnego dnia dalej się tak nie da,
nie pójdziesz ani w przód, ani w tył.
Dostałem list, w którym napisano:
„Jestem jeszcze młody, ale już martwy. Nie potrafię żyć".

Ludzi nauczono już wszystkiego, ale nie tego, jak żyć.
Teraz już wielu z nich beznadziejnie ugrzęzło.
Mają całkowicie błędne wyobrażenie o życiu.
Nauczono ich: Musisz posuwać się naprzód,
zarabiać jak najwięcej pieniędzy, jak najwięcej mieć.
Tak jakby szczęście zależało od chciwości!
Ludzie rzucają się jak sępy na „chleb i igrzyska".
Myślą, że są wolni. Myślą, że będą szczęśliwi.
Ale uwięzieni są na łańcuchu swej szaleńczej chciwości.

Istnieją dwa sposoby na życie.
Jeden zaczyna się od wyrzeczeń,
wykonywania swych codziennych obowiązków,
a kończy świętem.
Drugi zaczyna się od świętowania, a kończy uczuciem mdłości,
wstrętu do życia, frustracjami i depresjami.
Musisz podejmować decyzje codziennie na nowo.
Obawiam się jednak, że sam temu nie podołasz.
Dlatego ważne jest wierzyć:
Te wszystkie rozczarowania pozwalają mi
znaleźć oparcie w wyższej sile duchowej,
która mnie lubi i pozostaje mi wierna.
Bóg zapali w twym życiu wiele nowych światełek.

5 MARCA

POWRÓĆ DO ZWYCZAJNEGO ŻYCIA

Z dnia na dzień rośnie wewnętrzne bankructwo.
„Ostatniej nocy poważnie myślałem o samobójstwie” –
powiedział mi pewien młody człowiek. Inny napisał:
„Nie potrafię sobie w ogóle poradzić.
Po raz pierwszy mogę
z kimś porozmawiać.
Duchowo jestem skończony”.

Listy, telefony, liczne rozmowy
przenoszą mnie do dżungli,
gdzie ludzie nawzajem się poniżają, niszczą,
dręczą i doprowadzają do rozpaczy.
Do dżungli, gdzie triumfy święci człowiecza bestia,
gdzie daje się upust dzikim instynktom:
żądzy, przemocy, arogancji, nadużywaniu władzy, korupcji.

Jeśli zatem bezsilny siedzę przy wielu ofiarach,
które będąc u kresu sił, chcą pożegnać się z życiem,
chciałbym krzyknąć w stronę naszej duchowej pustyni:
Ludzie, z powrotem! Powróćcie do zwyczajnego życia,
do najzwyklejszych rzeczy, z których składa się życie:
do zadowolenia, dobroci, przyjaźni.
Nauczcie się ponownie żyć!

6 MARCA

POWSTAŃ NA POWITANIE NOWEGO PORANKA

Potrzebujemy nowej wiosny, wiosny duchowej.
Pisze do mnie dziewczyna, która chciałaby umrzeć,
ponieważ nie ma już ochoty żyć.
Mężczyzna, który nie potrafi pogodzić się ze swoją żoną.
Kobieta, która myśli o samobójstwie, gdyż nie ma nikogo,
komu byłaby potrzebna i dla kogo mogłaby żyć.
Narkoman, który nie widzi już wyjścia...
Ludzie o pustych sercach i poplątanych umysłach,
wciągnięci w tryby modnych trendów i zabójczych żądz.

Skosztowaliśmy dobrobytu i syci leżymy na ziemi.
Musimy powstać. Musimy się podnieść,
odnowić się dzięki nowym myślom i nowemu sercu.
Jest to możliwe. Ale nie z pomocą apteki pełnej pigułek
i proszków, lecz owych tajemniczych sił
drzemiących w każdym ludzkim sercu.

Drogi człowieku, jeśli umarłeś dla wszelkiej radości,
wszelkiej miłości, wszelkiego szczęścia, jeśli nie potrafisz już
uwierzyć w siebie i w ludzi:
Spróbuj odsunąć na bok wszystko, co brzydkie, gorzkie,
ciemne, ponure, i oczyścić siebie z tego wszystkiego.
Powstań z mroków zniechęcenia i znużenia życiem!
Na powitanie nowego poranka pełnego słońca, ptaków
i kwiatów!
Na powitanie nowej wiosny, nowego światła,
nowych możliwości!
Powstań! W każdym listku drzewa
Bóg zapisał zmartwychwstanie,
na pewno też w twym biednym ludzkim sercu.

NIGDY NIE UPADAJ NA DUCHU

Bez względu na to, co ci się zdarzy, nie upadaj na duchu!
Gdy opuszczą cię ludzie,
gdy własne dzieci zniszczą twoje marzenia,
gdy z twego życia zniknie słońce,
poszukaj gwiazdy, którą Bóg zapalił specjalnie dla ciebie.
Gdy stoisz z pustymi rękoma i nie masz już
nic do zaoferowania, wiedz,
że Bóg nie żąda od ciebie plonów, pełnej stodoły.

Gdy serca w twoim domu są twarde jak kamień,
gdy stoisz przed zamkniętymi drzwiami,
gdy nikt ci nie otwiera, choć głośno pukasz,
nie odwracaj się w bezbrzeżnym zgorzknieniu.
Zajrzyj do własnego serca i przygotuj je do święta.
Bóg cię lubi. Poruszy gdzieś jakieś
ludzkie serce, abyś się o tym dowiedział.
Ustanie deszcz. Minie chłód.
W promieniach uśmiechu i w delikatnej dłoni
poczujesz wiosnę i odżyjesz.

Gdy masz przekazać swe przesłanie na pustyni,
gdzie nikogo nie ma, kto słucha, wiedz,
że Bóg ustawił w ukryciu anteny, które wychwytują
i przekazują dalej z twego serca każde słowo
ponad wszystkimi wysuszonymi, nieurodzajnymi polami
aż do skrawka ziemi, gdzie narodzi się nowy świat.
Nigdy nie upadaj na duchu! Bez względu na to, co się zdarzy,
Bóg cię lubi.

8 MARCA

NIE WIDZISZ TAK WIELU BŁĘDÓW

Jak patrzysz na błędy swojego męża,
swojej żony, swoich najbliższych?
Błędy pracowników, koleżanek,
przełożonych, kolegów z klasy, sąsiadów?
Nie mam na myśli błędów ludzi,
których bliżej nie znasz, błędów, które nie sprawiają ci bólu.
Lecz błędy ludzi, z którymi
codziennie przebywasz i współpracujesz.
Jeśli ich błędy urastają w twoich oczach do tego stopnia,
że nie potrafisz już dostrzec nic innego,
jeśli co chwilę dochodzi z tego powodu do kłótni,
to zajrzyj do swego serca. Wtedy miłość jest słaba.
Nie musisz być ślepy na błędy innych.
Ale jeśli naprawdę kochasz, to nie widzisz tak wielu błędów.

Miłość jest pod tym względem zawsze trochę ślepa.
Jeśli miłość i przyjaźń zaczynają więdnąć,
znika także ta sympatyczna ślepota.
Nieuniknione błędy i wady innych
dokuczają coraz bardziej, z dnia na dzień stają się większe.
Psuje ci się wzrok i w końcu
nie widzisz nic innego oprócz błędów i wad.
Niech miarą stanie się twoje serce, przetestuj swoją miłość.
Wzmocnij ponownie miłość, a osłabnie waga błędów.
Dadzą się o wiele łatwiej znieść,
a życie z innymi stanie się znów świętem.

9 MARCA

NIKT NIE JEST DOSKONAŁY

Jeśli nawet każdy musi pracować nad tym, by stać się lepszy,
nikt nie ma prawa żądać od innych,
aby byli doskonali i perfekcyjni.
W naszym świecie opanowanym przez technikę istnieje duże niebezpieczeństwo,
że będziemy patrzeć na ludzi jak na roboty,
od których oczekuje się perfekcyjnego działania.
Ale człowiek nie jest maszyną.
Nie da się ująć w sztywne wzory.
1 + 1 = 2. Tak może być w matematyce,
ale nie w przypadku człowieka.

Nawet najlepszym wyjdzie w życiu najczęściej 1,8 lub 1,9.
Ale także ten, kto osiągnie jeszcze mniej, nie musi się skrywać,
milknąć czerwony ze wstydu lub zacząć narzekać.
Jeśli ktoś zrobił, co w jego mocy, trzeba umieć
to docenić, bez względu na wynik.
Jeśli społeczeństwo wywiera na ludzi presję,
by zawsze i wszędzie byli w stu procentach doskonali,
ludzie muszą chronić siebie nawzajem.

Dlatego lubię ludzi takimi, jacy są.
Nie ma innych. Powiedz mężowi, żonie,
przyjacielowi, przyjaciółce, koledze z pracy:
„Dla mnie nie musisz być doskonały czy doskonała".
Stworzy to atmosferę zaufania,
ciepła i bezpieczeństwa. Bądź człowiekiem,
który jest bardzo szczęśliwy, będąc z bliźnim,
jeśli nawet jest to człowiek z podciętymi skrzydłami.

NIEWYGODNE CHRZEŚCIJAŃSTWO

Otacza nas żądza i przemoc,
brak poczucia sensu, nadziei i odwagi.
Na światowych rynkach biedne kraje
są w dalszym ciągu grabione przez kraje bogate.
W telewizji i prasie roi się od
morderstw, przestępstw i skandali.

Zwiemy się ludźmi wykształconymi i kulturalnymi,
może nawet chrześcijanami, ale marzymy
o chrześcijaństwie bez niewygodnego krzyża.
Nie przepadamy za wysiłkiem, ofiarą i wyrzeczeniem.
Kochamy chrześcijaństwo w miękkim fotelu,
z ciepłym łóżkiem, z bogato nakrytym stołem
i pięknie brzmiącymi modnymi słowami,
które przesłaniają nasz ukryty egoizm.

W slumsach Paryża spotkałem księdza,
który żył wśród ubogich. Powiedział:
„Znamy z historii
czasy rozumu i czasy uczucia,
czasy heroiczne i romantyczne.
Dziś triumfują instynkty:
Przemoc, żądza, konsumpcja, seks".

W tych czasach pełnych zamętu, instynktów,
bezsensu i pustki powróćmy
do prostego, zwyczajnego życia
pełnego nadziei, panowania nad sobą, uczynności.

---

11 MARCA

WYSTARCZY MI

Gdy słyszę wielkich tenorów polityki i ekonomii,
gdy przez te wszystkie lata widzę targi o lepsze zarobki
i obserwuję, jak potem rosną podatki i ceny,
mogę się tylko zapytać: Dlaczego? Po co więcej zarabiać,
więcej pieniędzy, więcej zysku, więcej kupować,
więcej konsumować?
Dlaczego, po co i dla kogo?
Z pewnością nie dla osób niewydajnych,
ubogich, bo one stoją coraz bardziej na uboczu,
nigdy nie dostaną więcej niż paru okruchów.

Czyż jestem tylko wielkim głupcem, jeśli zadaję pytanie,
jakie to niewidzialne siły tym rządzą?
Czy są to ponure siły ludzkiej chciwości
i żądzy, czy też może zwą się inaczej?
Najchętniej bym się modlił, tego nikt nie będzie miał mi za złe:
„Panie, wyzwól nas z chęci posiadania, która nas opętała.
Wybaw z chorobliwej chciwości.
Wybaw z pożądania rzeczy,
które nas nie zadowalają i tylko jeszcze bardziej potęgują
naszą zachłanność".

Najbardziej chciałbym, by każdy mógł powiedzieć:
„Wystarczy mi.
Mam dwoje oczu cennych jak diamenty,
usta, by nucić,
i zdrowie, które jest bezcenne.
Wystarczy mi. Mam słońce na niebie.
Mam dach nad głową. Mam co robić.
Wystarczy mi jedzenia i mam ludzi,
by ich kochać. Tak, wystarczy mi".

12 MARCA

ŁAZARZ U NASZYCH DRZWI

Gdy myślę o głodzie panującym na świecie,
mam przed oczyma miliony ludzi jak szkielety
smutno i groźnie na mnie patrzących.
I słyszę ich bezsilny głos,
który mnie przeszywa:

Zwiemy się łazarzami i leżymy przed waszymi drzwiami.
Jesteśmy głodni.
Zwiemy się łazarzami i od lat miliony nas
leżą przed waszymi drzwiami.
Nie widzicie nas, ale wiecie, że jesteśmy,
że mieszkamy w tej samej wiosce zwanej ziemią.
Mówi się, że jesteście wykształceni.
Mówi się, że jesteście postępowi.
My jesteśmy niewykształceni i zacofani.
Jesteście chrześcijanami.
Mówicie, że jesteśmy waszymi braćmi i siostrami.
Mówicie: Pokój z wami.
Ale pokojem jest dla nas chleb.
Dlaczego pozwalacie nam umierać z głodu?
Dlaczego dostajemy tylko okruchy?
Zwiemy się łazarzami
i umieramy u waszych drzwi,
u drzwi was, bogatych.

13 MARCA

PANOWANIE NAD SOBĄ

*T*y również tego potrzebujesz: od czasu do czasu
z czegoś zrezygnować.
Wiesz o tym i zapewne sam już tego doświadczyłeś:
Większość trudności we wspólnym życiu
ludzi bierze się stąd, że ktoś
nie potrafi zrezygnować z czegoś na rzecz innego człowieka.
W czasie karnawału nie żałuję ci rozrywki,
ale w okresie postu staraj się panować nad sobą.
Nie tylko chrześcijanie potrzebują wyrzeczenia i rezygnacji,
lecz dotyczy to każdego człowieka.

*T*ak wielu ludzi odczuwa przesyt, ale i znużenie.
Nie mów o postępie i wolności,
jeśli twoja dusza jest uwięziona,
ugina się pod batogiem tyranów: „pieniądza" i „przyjemności".
W ten sposób ludzie coraz bardziej tracą człowieczeństwo.
Ich myśli stają się ociężałe i jałowe,
omija ich wiele prawdziwych radości.

W czasach, gdy każdy żyje, jak mu się podoba,
stawiaj opór: Naucz się wyrzeczeń! Rób to dobrowolnie.
Co trzyma cię na uwięzi? Uwolnij się od tego.
Szczęście nie jest zabawną maską na jeden dzień.
Szczęście dojrzewa na gruncie rezygnacji,
prostoty i panowania nad sobą.

14 MARCA

UMIEĆ ZREZYGNOWAĆ

Czego sobie odmawiasz,
jeśli chodzi o twoje własne drogie Ja?
Założę się, że pościsz,
jeśli zależy ci na linii.
Nie ruszysz słodyczy,
jeśli pomyślisz o wątrobie lub ciśnieniu.
Ale czego sobie odmawiasz,
jeśli chodzi o innych?
Pomyśl o tym poważnie!

Co jesteś w stanie zrobić z miłości
do swojego męża, swojej żony, swoich bliźnich?
Czy możesz wieczorem nie wychodzić
lub mniej pić, dlatego że chce tego twoja żona?
Czy możesz zrezygnować z jakiejś kosztowności,
jaką być może ma sąsiadka lub koleżanka,
aby więcej zostało dla twoich bliskich?

A z czego zrezygnujesz dla kogoś,
kogo w ogóle nie znasz, ale o kim wiesz,
że jeszcze dziś może umrzeć z głodu?
W razie potrzeby dałbyś setki i tysiące,
dałbyś wszystko, by ratować swoje życie.
A miałbyś nie zrezygnować
dla bliźniego zaledwie
z piwka czy paru smakołyków?
Niech miarą będzie twoje serce!

15 MARCA

POLUB LUDZI TAKIMI, JACY SĄ

Spójrz wokół siebie, popatrz na ludzi,
z którymi musisz codziennie przebywać.
Musisz z nimi wytrzymywać,
żyć w zgodzie i budować swoje szczęście.
Nie ty stworzyłeś ludzi,
być może nie są w twoim guście.
Nie możesz zrozumieć,
że są tacy, jacy są, zupełnie inni niż ty.

Gdy codziennie z nimi przebywasz,
coraz bardziej cię denerwuje,
że mają tyle wad i słabostek.
Z czasem nie dostrzegasz nic innego i myślisz:
Gdybym ożenił się z inną lub wyszła za mąż za innego,
wówczas wszystko byłoby inaczej.
Lub myślisz: Gdybym miał innych rodziców,
gdyby dzieci były inne,
mógłbym być o wiele szczęśliwszy.

Bardzo wielu ludzi jest przez całe życie nieszczęśliwych,
ponieważ nie potrafią lub nie chcą się dostosować.
W gruncie rzeczy nie jest to nic innego
jak ukryty egoizm.
Nie myśl tyle o własnym Ja,
żyj w miłości ze swoimi bliźnimi.
Polub ich takimi, jacy są.
Jest to najlepsza droga do twego szczęścia.

POZNAJ TROCHĘ SAMEGO SIEBIE

Każdy człowiek może stać się lepszy – także ty!
Gdy w domu, w pracy lub gdziekolwiek
pojawiają się trudności, kłótnie i niesnaski,
nie mów: „Moja żona jest nie do wytrzymania",
„Mój mąż jest nieznośny",
„Mój szef jest nieudolny", „Mój kolega wszystko zepsuje",
„Moi sąsiedzi są niemożliwi" i tak dalej.

Zajrzyj najpierw do własnego serca,
poszukaj błędów u siebie.
Ośmieszasz się,
mówiąc wciąż źle o innych,
gdy inni są często świadkami
twoich własnych głupstw.
Jeśli myślisz, że sam nie masz żadnych wad,
to po prostu dlatego,
że ich jeszcze nie odkryłeś.
Najwyższy czas,
byś poznał trochę samego siebie.

Gdy człowiek zna siebie, swoje błędy,
wady i niedoskonałości,
gdy widzi, jaki jest mały,
staje się wówczas o wiele łagodniejszy w stosunku do innych,
sam staje się zupełnie innym człowiekiem,
bardziej zrównoważonym, przede wszystkim staje się bardziej bliźnim.
Dlatego poznaj samego siebie i stań się lepszy!
Zabierz się do tego jeszcze dziś.

17 MARCA

POWIEDZ CZASEM COŚ DOBREGO

Nie zachowuj się nigdy jak mruk,
który potrafi tylko zrzędzić i narzekać,
który nie umie o innych powiedzieć niczego dobrego
i nigdy nie uważa za dobre tego, co robi ktoś inny,
przy najmniejszych błędach zgrzyta zębami
i tyranizuje całe otoczenie.

Bądź człowiekiem i okaż swe serce!
To również oznacza „dzielić się jak bracia".
Powiedz jeszcze dziś coś dobrego
o swoim mężu, swojej żonie, swoich dzieciach,
rodzicach, sąsiadach, kolegach z pracy.
Ci wszyscy ludzie staną się nagle
zupełnie inni, o wiele bardziej przystępni.
Przybiorą przyjazny wyraz twarzy,
a wszystko pójdzie jak z płatka.

I jest jeszcze coś bardzo ważnego.
Wypowiedz bez oporu słowo „dziękuję"
za wszystko, co ktoś inny dla ciebie robi,
za jedzenie, które trafia na stół,
za każdą uprzejmość, która spotka cię w domu,
na ulicy, w autobusie czy pociągu.
Przy odrobinie dobrej woli możesz codziennie, co godzinę
naprawiać i upiększać świat.
Zacznij to robić od razu i nie czekaj
na gwiazdkę z nieba.

NIEBEZPIECZNA CHOROBA

Gdy twoje serce jest pełne tylko ciebie,
twojego ubóstwianego Ja,
możesz doświadczyć wszelkich zupełnie zbędnych kłopotów.
Wiele stracisz, zapewniam cię,
jeśli nie jesteś w stanie
opanować swoich namiętności
i okiełznać swoich żądz.

Egoizm jest niebezpieczną chorobą.
Jak śmiertelny wirus niszczy
wszystkie twoje siły duszy i umysłu.
Stajesz się niespokojny i nerwowy.
Stajesz się zazdrosny i zawistny –
jest to najgłupsza przywara, jaka istnieje.
Jesteś zły, porywczy, wybuchowy.
Pragniesz – bez względu na cenę –
raju tylko dla siebie, ale co wieczór
siedzisz rozczarowany na stercie gruzów.
Bo raj nie jest wyłącznie dla ciebie.

Posłuchaj! Tu również będziesz szczęśliwy, ale dopiero wtedy,
kiedy zapomnisz o sobie,
kiedy zaczniesz żyć bardziej dla innych
i lepiej się o nich zatroszczysz.

19 MARCA

ZAZDROŚĆ I ZAWIŚĆ

Nie możesz być zazdrosny.
Zazdrość cię zniekształca i oszpeca.
Kobieta, która jest zazdrosna o swojego męża,
traci cały urok i staje się nie do zniesienia.
Mężczyzna, który jest zazdrosny o swoją żonę,
staje się tyranem i czyni życie nie do wytrzymania.

Zazdrość jest uczuciem niszczącym,
które nie tylko w małżeństwie wyrządza tak wiele krzywd.
Także w codziennych kontaktach z otoczeniem
zawiść niszczy wszelką radość i przyjaźń.
Nie możesz być zawistny!
Nie wdawaj się w tę niebezpieczną grę,
w którą chciałaby cię wciągnąć zawiść:
Ty samochód – ja samochód,
ty dom – ja dom,
ty w gazecie – ja w gazecie,
ty na Haiti – ja na Haiti.

Nie rujnuj siebie!
Nie gap się na to, co mają inni.
Ciesz się z tego, co masz,
i nie czyń siebie ubogim – z zazdrości.

MAMY GORĄCZKĘ

Dlaczego jesteś taki zły, gdy czasem
nie zdążysz na autobus i musisz iść piechotą?
Przecież wiesz: Na Dalekim Wschodzie ludzie za garść ryżu
cały dzień biegają między dwoma dyszlami wozu.
Dlaczego skarżysz się na drobne niedomagania,
zamartwiasz się zmarszczkami na twarzy?
Przecież wiesz: Tysiące ludzi musi całymi latami
żyć z nieuleczalnym cierpieniem swego ciała.
Tysiące torturuje się ze względu na przekonania,
kolor skóry lub zupełnie bez powodu.

Dlaczego narzekasz, gdy czasem zmokniesz na deszczu,
gdy musisz przejść kawałek piechotą lub poczekać na jedzenie?
Czy nie myślisz nigdy o tych, którzy nie mają nóg,
którzy muszą leżeć w łóżku i byliby nadzwyczaj szczęśliwi,
gdyby mogli ponownie stać lub chodzić?
Gdy posiłek się opóźnia, czyżbyś zapomniał,
że miliony ludzi nigdy nie siedziało przy nakrytym stole?

Ależ jesteśmy dziwnymi, śmiesznymi, obłąkanymi istotami!
Zatruwamy sobie i innym życie błahostkami,
a powinniśmy co dnia radować się i być wdzięczni
za tak wiele dobra, na które nawet nie zasługujemy.
Mamy gorączkę, a nasza gorączka
to chorobliwy egoizm.

21 MARCA

URAŻONE JA

Awantury i kłótnie nie są w gruncie rzeczy
warte wysiłku i do tego wpływają ujemnie
na zdrowie fizyczne i psychiczne.
Powodem tego w 99 na 100 przypadków jest błahostka.
Drobne rozczarowanie, brak rozwagi,
nieostrożne słowo – i drogie ci Ja
jest w fatalnym humorze, urażone i złe.
Teraz nic mu się nie podoba,
wszystko rozumie opacznie.
I wtedy droga żona płacze bez powodu,
a drogi mąż trzaska drzwiami.
To takie ludzkie.

Kto ma jeszcze trochę rozumu,
wyda się sobie samemu dziecinny i głupi.
Ale ustąpić – nie, to nie wchodzi w rachubę.
Od czego nasza duma...
Wielki egoista tkwiący w każdym człowieku
nie dopuści, byś poszedł na ustępstwa.
Gdy nikt nie przyzna ci racji,
pozostanie ci jeszcze
rola uciśnionej niewinności.
Wtedy drogie Ja może jeszcze pobawić się w teatr.
Jeśli rozpoczniesz awanturę czy kłótnię,
wystąp przeciw swemu drogiemu Ja –
w twym własnym sercu.

22 MARCA

WYBUCH ZŁOŚCI

Jeśli szybko wpadasz w złość
i łatwo się denerwujesz, to posłuchaj:
Nie masz prawa szaleć ze złości,
bo złość tylko wszystko pogarsza,
podnosi napięcie w twoim małżeństwie, w twojej rodzinie,
w kręgu twoich przyjaciół i wśród kolegów z pracy.
Złość jest nadzwyczaj niezdrową reakcją uczuciową.
Bo gdy wpadasz w złość,
mimowolnie zaciskasz pięści.
Twój głos staje się bardziej głośny i ostry,
serce bije szybciej, mięśnie się napinają.
Z psychologicznego punktu widzenia gotujesz się do boju.
Złość jest pozostałością człowieka pierwotnego
w naszym systemie nerwowym.
Podczas wybuchu złości w ciele podnosi się
z nadnerczy poziom adrenaliny.
Podwyższa to ciśnienie krwi i pociąga za sobą
dalsze żałosne skutki.

Nie bądź taki nierozsądny!
Złość to najgłupsza i najgorsza reakcja,
gdy coś nas denerwuje, gdy ktoś nas obraża.
Gdy zauważysz, jak bardzo jesteś zły,
najpierw usiądź spokojnie
lub, jeszcze lepiej, połóż się.
Bardzo trudno jest się złościć,
gdy się leży.

23 MARCA

NIESZCZĘŚLIWY

Nie zniechęcaj się tak łatwo, nie upadaj na duchu,
bo w stanie zniechęcenia
widzisz wszystko w barwach o wiele ciemniejszych,
niż to jest naprawdę.
Czujesz się bardzo nieszczęśliwy
i czasami nawet nie wiesz dlaczego.
Wyobrażasz sobie, że nikt cię nie lubi
i godzinami byś płakał.
Stałeś się nadwrażliwy
i wszystko nastraja cię pesymistycznie i bardzo smuci.
Nie masz ochoty dalej pracować.
Każdy ruch sprawia ci wysiłek,
nie możesz nawet jeść.
Myślisz – święcie przekonany –
że jesteś najbardziej nieszczęśliwą istotą na świecie.
Ale... to po prostu nieprawda.

Jesteś swoim własnym więźniem.
Beznadziejnie tkwisz myślami, całą wyobraźnią
we własnej niedoli.
Istnieje tylko jedno rozwiązanie: Nie zamykaj się
w swej skorupie ślimaka. Wyjdź z niej!
Zapomnij o sobie, a dostrzeż nieszczęście innych.
Inni cię potrzebują. Zrób coś! Pomóż ludziom w potrzebie.
Zrób to w miarę możliwości po cichu i dyskretnie.
W uśmiechu innych także ty
odkryjesz ponownie pogodę ducha i radość.

NIE MA PROBLEMU

Problemem dzisiejszych czasów jest to,
że ludzie mają mnóstwo problemów.
Robią problem ze wszystkiego.
Gdy coś nie udaje się w małżeństwie: wielki problem.
Gdy młodzież sprawia kłopot: wiele problemów.
Gdy pojawiają się trudności dnia powszedniego: wszędzie problemy.
Problem za problemem: prawdziwa choroba.
Uwolnij się z sideł problemów.

Bądź rozsądny.
Nie wszystkie trudności są problemami.
Problem to coś, co potrafisz i musisz rozwiązać.
Dodaj sobie odwagi i powiedz: Nie ma problemu!
Ale istnieje mnóstwo trudności
nie do rozwiązania.
Musisz się z tym pogodzić, bo stanowią one
część życia.

Nie musisz uciekać
od trudnych dni w małżeństwie,
trzeba je wspólnie przejść.
Nie wolno kapitulować przed
trudnościami w młodym wieku,
trzeba je przebrnąć.
Kto sądzi, że ma problem,
gdy czuje na barkach ciężar krzyża,
popada w beznadziejne położenie
i w końcu sam staje się problemem.

25 MARCA

WIELKIE PORZĄDKI

Najgorsze, co może ci się przytrafić,
to wyrzuty sumienia.
Są jak wrzód w tobie.
Możesz je wprawdzie jakoś ukryć i przesłonić,
zachowując pozory,
nie dając nic po sobie poznać lub udając wesołość.
Będą cię one jednak powoli, ale systematycznie zżerać.
Staniesz się niespokojny, będziesz się rzadziej śmiał,
miał zły humor, będziesz bardziej skory do kłótni.
Wyrzuty sumienia są dla twej duszy tym,
czym dla ciała jest nieprawidłowe trawienie:
początkiem mnóstwa kłopotów i nieszczęść.

Gdy masz czyste sumienie,
słońce świeci dla ciebie o wiele piękniej,
ludzie są o wiele milsi,
wieczory spokojniejsze, a noce pełne pokoju.
Mając czyste sumienie, pozostajesz młody i wesoły,
codziennie jesteś w siódmym niebie.

Nie martw się zatem o jedzenie, mieszkanie, ubranie,
lecz zajrzyj do komory swego serca.
Zabierz się za wielkie porządki.
Zrób miejsce dla Boga.
On cię kocha od dziecka.
Stoi przy twoich drzwiach
i czeka ze swoim pokojem.

JEDYNA ODPOWIEDŹ

Jeśli jesteś człowiekiem myślącym, to nadejdzie kiedyś
taka chwila, gdy będziesz szukać odpowiedzi na pytania,
których przeważnie nie stawia się publicznie,
ze strachu, że mogłoby nie być na nie odpowiedzi.
Nie zadowalasz się wtedy pięknymi teoriami,
które głosi nauka i filozofia.
Oburzasz się w głębi duszy na cierpienie i śmierć.
Wcale nie z powodu cierpienia i śmierci jako takich,
lecz z powodu niekiedy nieludzkiego cierpienia,
niszczącego konkretnego człowieka,
którego znasz i kochasz. Nie potrafisz się z tym pogodzić.

Musi istnieć jakaś odpowiedź.
Ale zadowoli cię ona tylko wówczas,
gdy będzie dostatecznie głęboka, by objąć wszystkich ludzi.
Musi nadać sens życiu człowieka poruszającego się na wózku inwalidzkim,
życiu kaleki, nieuleczalnie chorego,
życiu matki wychowującej ciężko upośledzone dziecko,
życiu starca, którego nic już nie czeka.

Takiej odpowiedzi nie da mi żadna filozofia ani ideologia.
Gdy z powodu absurdu cierpienia i śmierci
w żyłach zastyga mi krew,
jedyną odpowiedzią jest dla mnie Bóg.
Jest jedynym światłem i jedyną siłą,
która pozwoli ponownie krążyć krwi w żyłach.
Wszystko, co potrafię powiedzieć, to Bóg. Jest miłością.
I opłaca się wyjść Mu na spotkanie lub przynajmniej
ku Niemu wyruszyć.

27 MARCA

PO CO TYLE CIERPIENIA

Czy wiesz, że istnieją ludzie,
dla których życie w naszym dobrobycie
jest pasmem udręk, prawdziwą drogą krzyżową?
Czy wiesz, jak wielu doświadcza straszliwego cierpienia
ciała i duszy wskutek różnego rodzaju bólu, tortur,
obaw, rozczarowań, poniżeń?
Czy wiesz, ciała ilu ludzi naznaczone są
chorobą lub kalectwem?
Serca ilu ludzi zraniła
nieszczera i zdradzona miłość?
Czują się odrzuceni, osamotnieni.
Czasami woleliby nie żyć,
niż dzień i noc nieść swoje cierpienie.

Po co tyle cierpienia, nieuleczalnego cierpienia tylu ludzi?
Czy w tym wszystkim jest jakiś sens?
Czy nie pozostaje nic innego niż buntownicze wołanie
o sprawiedliwość, odwet i zemstę?
A może jest to dla nas właśnie wezwanie
do większej miłości, większego poświęcenia?
A dla nich zaproszeniem w dalekie strony,
by przez łzy odkrywali nowy świat, świat Boga,
świat prawdziwej radości, świat prawdziwego szczęścia.

DZIWNE ŻYCIE LUDZKIE

Życie ludzkie jest takie dziwne, takie niepojęte.
Są dni, gdy świeci słońce. Nie wiesz dlaczego.
Jesteś zadowolony. Dostrzegasz piękne strony życia.
Cieszysz się, jesteś wdzięczny. Praca dobrze ci idzie.
Wszyscy są dla ciebie mili. Nie wiesz dlaczego.
Może dobrze spałeś, doceniono cię,
osiągnąłeś sukces, czujesz się bezpiecznie.
Gdyby to mogło tak trwać!

Ale nagle wszystko się zmienia.
Jakby ogromne słońce przyciągnęło chmury.
Nachodzi cię niejasny smutek.
Wszystko przychodzi ci z trudem,
wszystko widzisz w czarnych barwach.
Uważasz, że inni cię już nie lubią.
Uskarżasz się na drobnostki, czynisz wyrzuty.
Myślisz, że tak już zostanie i nie będzie inaczej.
I znów nie wiesz, dlaczego tak się dzieje.
Być może jesteś zmęczony? Nie wiesz. Dlaczego tak się dzieje?

Dlatego że człowiek jest częścią natury: tak jak wiosna i jesień,
jak ciepło lata i chłód zimy,
jak przypływ i odpływ, jak rytm morza.
Dlatego że nasz byt to ciągłe życie i umieranie.
Jeśli to zrozumiesz, będziesz mógł iść dalej
pełen odwagi i ufności, bo uświadomisz sobie:
Po każdej nocy nadchodzi znów nowy dzień.
Jeśli jest w tobie wiara, sam doświadczysz,
że to regularne umieranie jest konieczne,
by żyć na nowo, prawdziwie i w pełni radości.

POGÓDŹ SIĘ Z ŻYCIEM

Znów spotkałem człowieka, który straszliwie cierpiał
z powodu nieodwracalnej utraty żony.
Przypominał mi kogoś innego, kto jakiś czas temu
siedział u mnie ze skamieniałą twarzą, jak blok z granitu.
Słowa, które wypowiadał, brzmiały jak przekleństwa:
„To nie może być prawda: moja żona nie żyje. Miała wypadek.
Nie umiem bez niej żyć. Nie potrafię. Skończę ze sobą".
„Spróbuj się z tym pogodzić" – powiedziałem cicho.
„Nie chcę, nie potrafię, to koniec".

Czasami życie może ludzi przerażać.
Arthur Miller pisze w jednym ze swoich utworów:
„Śniło mi się, że moje życie było moim dzieckiem.
Ale było ono oszpecone,
cierpiało na chorobę Downa i uciekałem od niego.
Ciągle wchodziło mi na kolana, aż pomyślałem:
Jeśli będę w stanie je pocałować, to może zasnę.
I schyliłem głowę nad jego zniekształconą twarzą,
była straszna... ale pocałowałem je".

Oto co myślę: Musisz wreszcie wziąć swe życie w ramiona
takie, jakie jest, i musisz na nie przystać,
nawet jeśli jest twarde i ciężkie. Ale gdy je już pocałujesz,
stanie się ono inne, łatwiejsze do zniesienia. Nie łudź się,
szczęście nie jest nieustannym przedstawieniem w teatrze życia.
Prawdziwe szczęście przychodzi i odchodzi,
najczęściej nie trwa zbyt długo.
Resztę czasu trzeba poświęcić na czekanie i myślenie o nim.
Pogódź się z życiem takim, jakie jest. Dzisiaj. Teraz.
Aby nie przegapić tej odrobiny szczęścia, która na ciebie czeka.

30 MARCA

STRACIĆ I WYPUŚCIĆ Z RĄK

Kto rozmyśla o życiu, natknie się niechybnie
na ową fundamentalną bezsilność człowieka.
Codziennie zdarzają się sytuacje, na które nie masz wpływu,
których nie zmienisz, którym nie potrafisz zapobiec,
niezależnie od tego, czy masz mało czy dużo pieniędzy,
czy jesteś samotny i przygnębiony
lub pozornie nie masz trosk i odnosisz same sukcesy.

Jako człowiek jesteś i pozostaniesz tym, kto traci.
Niczego nie potrafisz zatrzymać.
Wszystko przepływa między palcami.
Marzysz, budujesz, święcisz triumfy
i nagle pojawia się cierpienie, starość, noc.
Czasem jak grom z jasnego nieba.
Wypadek to – jak mówią – straszne nieszczęście.
Znasz ludzi w kwiecie wieku, młodych i starych,
którzy wypadają, znikają, nigdy nie wrócą,
są to być może bliscy, ukochani ludzie.
Chciałbyś ich zatrzymać, tak jak siebie samego.
Chciałbyś, by szczęśliwa chwila nigdy nie minęła,
by nigdy się nie skończył piękny dzień.
I każdego wieczoru musisz jednak wypuścić z rąk kolejny dzień.

Jako ten, kto traci, nie możesz wiecznie opłakiwać strat.
Bo dopiero gdy staniesz się zupełnie bezsilny,
dojrzejesz do przyjęcia Boga, a wszystko będzie miało sens i cel:
twój strach, twoje cierpienie, twoje zdrowie,
twoja choroba, twoje życie i twoja śmierć.
Gdyby na drugim brzegu nie było Boga,
nieśmiertelnej miłości, wówczas wszystko nie miałoby sensu,
byłoby absurdem.

31 MARCA

KWIECIEŃ

Z każdym dobrym człowiekiem
na świecie wschodzi słońce

LUBIĘ CIĘ

„Człowieku, lubię cię!”.
Czy nigdy nie czułeś potrzeby, by z radości
wziąć wszystkich ludzi w ramiona i uczynić ich szczęśliwymi?
Drzemie w nas wieczne poszukiwanie tego, co niezmienne,
co wypełni nas całkowicie i na zawsze.
Ale wszystko, nawet najpiękniejsze spotkanie,
jest takie tymczasowe, że może zadać ogromny ból.

Człowieku, lubię cię!
Jesteś tak samo wrażliwy i samotny jak ja.
Podążasz tą samą drogą do tego samego celu i tej samej mety.
Zagoniony, spokojny, szczęśliwy, bojaźliwy – sam nie wiem.
Ale podążamy tą drogą wspólnie. Jeszcze nie dotarliśmy do celu.
Biegamy po tym świecie jak po supermarkecie:
zobaczyć, wyszukać, wziąć, kupić, dać, wyrzucić.
Z czasem staje się to przerażająco nudne i bezsensowne,
jeśli drzemiące w nas pragnienie
brania i dawania miłości
zagłuszamy rzeczami, za które można zapłacić pieniędzmi.

Musimy zgromadzić nowy kapitał,
jeśli jako ludzie nie chcemy, by obumarły nasze korzenie.
Bajeczny kapitał ludzkiej dobroci,
ludzkiego wsparcia i przyjaźni.
Mamy dwa światy, w których możemy żyć:
świat pieniądza i świat serca.
Zdecyduj się ze mną na świat serca,
w którym możesz jak dziecko cieszyć się życiem.

1 KWIETNIA

SMUTNY PRZYPADEK

Czy wiesz, co to znaczy być człowiekiem? Być bliźnim!
Dlatego dobrze jest zadać sobie czasem pytanie:
Czyż jestem jeszcze w wystarczającym stopniu człowiekiem?
Jeśli zasklepisz się w swoim Ja,
będziesz myślał wyłącznie o tym, jaki jesteś ważny,
i troszczył się jedynie o własny wyjątkowy byt,
inni uznają cię za smutny przypadek.
Na tej drodze nigdy nie staniesz się szczęśliwy.
Bycie egoistą to rodzaj samobójstwa:
Zabija w tobie człowieczeństwo.

Rozum i serce odróżniają cię od zwierzęcia.
Masz rozum, by myśleć,
a serce, by kochać innych.
Jeśli moi bliźni są mi zupełnie obojętni,
to jako człowiek już umarłem.
Mogę być bogaty, inteligentny, wysoko urodzony,
mogę być ekspertem, być utytułowany
i piastować zaszczytne urzędy –
w istocie jestem martwy,
nieużyteczny dla ogółu, bezwartościowy.
Wiele z tych suchych, mroźnych czynników
prowadzi do skostnienia wspólnoty ludzkiej.
Powodują one, że w wielu domach,
gdzie wspólnie żyją i pracują ludzie,
panuje taka nieprzytulna atmosfera, lodowata i nie do zniesienia.

2 KWIETNIA

MODLITWA PORANNA

„Panie, podaruj mi słońce, kwiat, uśmiech,
oczy dziecka. Panie, podaruj mi radość".

Codziennie rano wstawaj z łóżka z tą modlitwą.
Nie rób tak poważnej, zatroskanej miny.
Wiem, że masz mnóstwo problemów.
Ale nie rozdmuchuj ich jeszcze bardziej,
czyniąc z nich ogromne, złowieszcze, czarne chmury,
które przesłonią ci całe niebo.
Nie musisz być wielkim optymistą,
ale dla kogoś, kto widzi wszystko w czarnych barwach,
słońce zachodzi już rano.
Kto ma za dużo rzeczy materialnych,
ten ginie w sensie duchowym.
Kto stale znajduje się w stanie wysokiego napięcia,
kto wciąż się spieszy i żyje na wysokich obrotach,
temu nie pomoże żadna komercjalna rozrywka.
Wręcz przeciwnie, wszystko tylko pogorszy.

Poproś o oczy i serce dziecka,
które biegnie przez trawnik po kwiat, wydając radosne okrzyki,
które podziwia w wodzie małą rybkę
i może zapytać, kto zapala gwiazdy na niebie.
Musisz ponownie nauczyć się dziwić, zachwycać się
tysiącem dobrych rzeczy, które cię otaczają na co dzień.
Wtedy radość pojawi się w tobie sama z siebie
i zostanie ci oszczędzonych wiele modnych chorób.

3 KWIETNIA

JEŚLI SIĘ TYLKO OTWORZYSZ

Wnieś radość do życia.
Wyrzuć z siebie wszystkie troski, bo troski o jutro
pojawiają się zawsze o dzień za wcześnie.
Bądź optymistą.
Jest na świecie jeszcze miłość i światło,
także w twoim świecie, jeśli się tylko otworzysz
i odemkniesz oczy.

Są ludzie, którzy twierdzą,
że życie jest mroczne, zimne, smutne i ponure.
Ale okna ich serc
są zawsze szczelnie zamknięte przed ciepłem
i każdym promykiem słońca.
Świadomie skrywają się w cieniu
ponurych myśli i mrocznych uczuć.
Żyją za murem, który sami sobie zbudowali.

Życie jest drogą, która prowadzi ku przestworzom.
Życie jest czymś otwartym, wschodzącym, co ma przyszłość.
Tak jak wznoszącymi się liniami rysuje się góry.
Dlatego wnieś radość do życia.
I jeśli zdarzy się, że niebo będzie pełne chmur,
a świat pełen nieszczęść i kłótni,
nie trać pogody ducha, lecz pozostań ufny.
Jeśli na dworze nie będzie słońca,
zachowaj słońce w swoim sercu,
a wszystko, wszystko znów się jakoś ułoży.

4 KWIETNIA

UMIEJĘTNOŚĆ, KTÓRA PROCENTUJE

Czy nie uważasz, podobnie jak ja, że ludzie za mało się śmieją.
Dlatego w wielu miejscach jest tak smutno.
Czy ty również wyglądasz zawsze tak śmiertelnie poważnie?
Musisz więc się zdystansować
i spróbować uśmiechać.
Z uśmiechem na twarzy staniesz się atrakcyjniejszy.

Wielu ludzi wydaje dużo pieniędzy na urodę.
Cały przemysł żyje z marzeń o byciu atrakcyjnym.
Na farmach piękności nadaje się blasku
ludzkim twarzom. Sztuka droga i ulotna.
Na co tyle pieniędzy i starań,
jeśli możesz całe swoje otoczenie
oczarować uśmiechem?

Gdy się śmiejesz, wszystko idzie sprawniej,
mniej się kłócisz, jesteś w stanie więcej znieść
i więcej zdziałać.
Gdy się śmiejesz, inni także zaczynają się
śmiać, u ciebie w domu, biurze, sklepie,
podczas narady, w twoim miejscu pracy.
Wszędzie zaczyna wtedy rozkwitać miłość.

Przywołać uśmiech
to umiejętność, która procentuje.
Nic nie kosztuje, a daje tak wiele.
Uśmiechnij się czasem!

5 KWIETNIA

COŚ ZARAŹLIWEGO

Dobroć jest czymś zaraźliwym.
Jeżeli w twoim sercu mieszka dobroć,
z łatwością znajdziesz przyjaciół,
jesteś często jak przystań, prawdziwy port
dla osób nieszczęśliwych, samotnych i cierpiących biedę.
Dobroć to nie potok słów czy wielki wysiłek.
Dobroć wyraża się w wyrozumiałości, uprzejmości, delikatności,
serdeczności i czułości, gotowości wysłuchania innych,
przebaczenia, krótko mówiąc – gotowości niesienia pomocy.

Dobroć jest zwiastunem miłości. Bez niej miłość byłaby zakłamana.
Być dobrym to sens, podstawa i cel twojego istnienia.
Kto jest dobry dla innych, ten nigdy nie nadużyje swojej władzy.
Siła nigdy nie będzie argumentem decydującym.
Za mało jest na tym świecie miłości. Dlatego zdarza się,
że niektórzy ludzie idą po trupach
do władzy i sławy. Dlatego zdarza się, że spadają bomby.
Dlatego nie ma pokoju, nie może być pokoju.

Dobrzy ludzie zazwyczaj nie rzucają się w oczy, nigdzie.
A są jedynymi, którzy czynią życie znośniejszym.
Dzięki dobrym ludziom istnieje radość i przyjaźń.
W tych mrocznych czasach wszelka dobroć
jest niczym łagodne światło, co rozświetla świat.
Kto jest chrześcijaninem, ten wie,
że chrześcijańskim posłannictwem
nie jest posłannictwo Bożej wszechmocy i sprawiedliwości,
lecz przede wszystkim posłannictwo Jego łaski,
miłości do człowieka i gotowości przebaczania,
posłannictwo Bożej dobroci.

6 KWIETNIA

UPRZEJMOŚĆ

Musisz uważać.
Kiedy jesteś niemiły, patrzysz przed siebie z ponurą miną,
jesteś nie do zniesienia i opryskliwy,
wtedy odczuwają to wszyscy ludzie,
przede wszystkim ci, z którymi żyjesz.
Dochodzi wówczas do kłótni: dziś, bo zupa jest za zimna,
a jutro, bo – za gorąca.

Jeśli jesteś kierownikiem w biurze, sklepie,
w zakładzie, nie unoś się
nad swoimi ludźmi jak czarna chmura.
Jeśli siedzisz w okienku pocztowym, w kasie bankowej
lub biletowej
lub jeśli gdzie indziej zwracają się do ciebie ludzie,
nie przybieraj grobowej miny
i nie warcz na ludzi,
którzy potrzebują twojej pomocy.

Życie jest dla wielu wystarczająco smutne.
Pomyśl o tym: Uprzejmość czyni cuda.
Uprzejmość zmienia ludzi.
Uprzejmość zmienia świat.
Inni potrzebują cię do szczęścia.
Zaprowadź swoich bliźnich ku słońcu.
Podaruj im swój najpiękniejszy uśmiech!

7 KWIETNIA

NAUCZYĆ SIĘ ŻYĆ I UMIERAĆ

Wielu ludzi znasz mniej lub bardziej powierzchownie.
Ale jednego człowieka musisz znać dokładnie,
a nawet wtedy nie zawsze przenikniesz,
dlaczego tak czuje i dlaczego jego namiętności
wybuchają czasami jak wulkan.
Jest jeden człowiek, z którym musisz codziennie żyć
i od którego niełatwo jest ci się uwolnić.
Ten człowiek siedzi w twojej skórze.
Tym człowiekiem jesteś ty.

A teraz powiem coś osobliwego:
Aby nauczyć się żyć, musisz nauczyć się umierać.
Aby być szczęśliwym, musisz pozbyć się masy rzeczy:
między innymi uwolnić się od własnego egoizmu,
od chorobliwego uporu, od swojej zachłanności.

Ale jak? Nie musisz zaraz szaleć.
Najlepszym nauczycielem jest zwykłe codzienne życie.
Ciągle to samo, te same twarze, te same zajęcia.
Te same codzienne kłótnie, nieuchronne zatargi.
Ciągłe życzenia, które nie są spełniane.
Ciągłe nieporozumienia i porażki.
Wszystko to szlifuje cię, jak szlifuje się diament.
Boli, wiem, a czasami się nie udaje.
Ale nie ma innej drogi do wewnętrznego pokoju
jak ta, która przebiega w cieniu krzyża.
Jest to wielkanocna droga do zmartwychwstania, do radości.

TO, CZEGO POTRZEBUJESZ

Masz jedno ciało, ale także rozum, serce i duszę.
Jeśli za dużo myślisz o swoim ciele,
stajesz się egoistą, istotą aspołeczną.
Wtedy jedzenie nigdy nie jest dla ciebie dość dobre.
Boisz się ciężkiej pracy,
poszukujesz wygody i luksusu.
A jeśli gdzieś coś sprawia ci ból,
stajesz się najbardziej nieznośnym stworzeniem świata.

Dbaj odpowiednio o swoje ciało.
Ale troszcz się przede wszystkim
o swoje serce i swój umysł.
Tym, czego potrzebujesz, jest dobroć.
Dobroć i miłość do innych ludzi,
przyjaźń, przychylność, serdeczność.

Duch, który daje ci natchnienie,
zamieszka także w twoim domu.
Od ciebie zależy, czy twój dom jest cząstką nieba,
czy zimnym pomieszczeniem pośród martwych kamieni.
Jeśli czujesz, że w tym twardym świecie nie jesteś w stanie
nieść dobroci, przyjaźni i miłości,
nie zachowuj swego nieszczęścia dla siebie.
Spróbuj się modlić. Zwróć się do Boga,
który potrafi ożywić martwe serca,
odmrażając zamarznięte serce
i upodabniając je troszeczkę do swojego serca,
które jest miłością.

9 KWIETNIA

KAŻDE ŻYCIE JEST POD ZNAKIEM KRZYŻA

Dlaczego jest tyle cierpienia, tyle niepojętego cierpienia?
Być może także u ciebie w domu, w twoim sercu.
Cierpienia, o którym nie lubisz mówić,
ponieważ dręczy ci duszę już od lat.
Cierpienia niezawinionego.
Nieszczęść, które cię prześladują,
ciosów losu, które cię trafiają.
Nieudane lub oziębłe małżeństwo.
Przewlekła choroba bez większych widoków na wyzdrowienie.
Kłopoty, rozczarowania, brak zrozumienia,
niewdzięczność, długoletni spór w rodzinie.
Obraza, złe słowo, nikczemność,
z powodu których nie możesz w nocy spać.
Być może wielka samotność na starość.

Każde życie jest pod znakiem krzyża.
U każdych drzwi czeka cierpienie i śmierć.
Jeśli się buntujesz, w twym sercu jak przerażający wrzód
rośnie zgorzknienie.
A krzyż staje się jeszcze cięższy.
Nie mamy wyboru. Musimy się ugiąć
przed tajemnicą cierpienia,
przed Bogiem, jedynym,
który nawet podczas naszych ciemnych nocy
potrafi sprawić, by świeciły gwiazdy.

10 KWIETNIA

OCZYMA, KTÓRE PŁAKAŁY

Prędzej czy później napotkasz upiorną przeszkodę,
która stanie się twoim utrapieniem. Zachorujesz.
Stracisz pracę. Ulegniesz wypadkowi. Zostaniesz oszukany.
Umrze ukochany człowiek. Zestarzejesz się. Opadniesz z sił.
Przeszkoda ta może przybierać różne formy i rozmiary.
Wszystko tak dobrze się układało. I nagle: okropna przeszkoda.
Może sprawić ci tyle bólu, że chciałbyś umrzeć –
jesteś taki rozczarowany, zniechęcony, zrozpaczony.

Tym krzyżem jest rzeczywistość każdego ludzkiego życia.
Ale coraz mniej ludzi sobie z nim radzi.
Nie akceptują go, już nie wytrzymują.
Nie masz jednak wyboru. Albo będziesz niósł swój krzyż,
albo ten krzyż cię przygniecie.
Ale będziesz potrafił go nieść, jeśli pojmiesz
sens i misję krzyża.

Ten krzyż zaprowadzi cię z powrotem ku twojej prawdzie,
do prawdziwego wymiaru ubogiej, słabej
wrażliwej, małej istoty ludzkiej.
Jest niczym antena,
za pomocą której możesz odbierać posłannictwo Boga.
Spójrz na krzyż wielkopiątkowy.
Nie uwolni cię od twojego cierpienia,
ale nada mu sens.
Oczyma, które płakały,
zobaczysz wszystko inne i o wiele lepsze.

11 KWIETNIA

ZAPARKOWAĆ W SŁOŃCU

Nie jesteś wieczny na tym świecie.
Dany jest ci czas między wiecznością przed twoimi narodzinami
a wiecznością, która nastąpi po twojej śmierci,
abyś mógł zaparkować na naszej małej planecie.
Nastaw zegar parkingowy. Nie możesz go cofnąć
ani za pieniędze wydłużyć jego działania.
Twój czas na tym świecie jest nieubłaganie ograniczony.
Nie istnieje żadna instancja,
która mogłaby dla ciebie coś zrobić.
Twoje życie można porównać do pisania na piasku.
Lekki wiatr, a wszystko zmiecie.
Co teraz? Nie pogrążaj się z tego powodu w smutku.
Nie dręcz się.
Spróbuj częściej parkować swoje życie w słońcu,
a nie w gnieździe os pełnym złości, kłopotów i problemów.

Spraw, aby dni były piękne! Zachwyć się światłem,
miłością, dobrymi ludźmi i pięknymi przedmiotami.
Bądź miły i serdeczny dla starego człowieka,
który wie, że minął czas jego parkowania, dla chorego,
niepełnosprawnego, cierpiącego biedę, zawiedzionego,
oszukanego i wielu nieszczęśliwych ludzi,
którzy nie znaleźli już dla siebie miejsca w słońcu.

Spraw, aby dni były piękne dla nich
i wszystkich ludzi wokół ciebie!
Właściwie nie potrzebujesz niczego więcej,
aby samemu być szczęśliwym.
Napełnij umysł radosnymi myślami,
serce miłością, a usta uśmiechem.
Zaparkuj w słońcu i nastaw zegar parkingowy!

12 KWIETNIA

CZAS DO NAMYSŁU

Czy masz jeszcze czas do namysłu?
Czy są jeszcze w twoim życiu
chwile ciszy, byś mógł o wszystkim pomyśleć,
o sensie, przyczynie i celu wszystkiego?
A może z wygody dajesz sobie co wieczór
zalewać głowę informacjami z telewizji?
Naprawdę potrzebujesz tyle czasu na sport i rozrywkę,
na modę, makijaż i najnowsze trendy?

Bądź sobą! Postaraj się żyć własnym życiem.
Nie pozwól obcym sterować twoimi myślami,
nie dopuść do tego, by twój umysł opanowały
media, filmy telewizyjne i sensacyjna prasa.
Rusz głową,
uaktywnij swoje komórki mózgowe.

Dwa tysiące lat temu przez ulice pewnego miasta
szedł mężczyzna dźwigający krzyż,
skazany na śmierć, wyszydzony i pobity.
A mimo to udawało mu się we wszystkich czasach,
także dziś, skłonić ludzi do namysłu,
do rozmyślań o głębokim sensie ich istnienia.
Spróbuj w tym okresie wielkopostnym
znaleźć codziennie czas na chwilę ciszy i zastanowienia.
Zobaczysz, jak to pomaga.
Poczujesz się kimś więcej niż człowiekiem.

13 KWIETNIA

KTO WCIĄŻ ZAJMUJE SIĘ SOBĄ

Czy jesteś naprawdę szczęśliwy? Tak w głębi serca?
Jeśli tak, to dawaj codziennie
trochę swojego szczęścia innym.
Inaczej stracisz także swoje szczęście.
Nie jesteś szczęśliwy? Śmiejesz się rzadko lub wcale?
Jesteś przygnębiony i niezadowolony?
Zapewne myślisz za dużo
o swoim drażliwym Ja,
o swoich pieniądzach, swoim zdrowiu,
własnych drobnych kłopotach.
Za dużo myślisz o sobie,
a za mało o innych.

Kto wciąż zajmuje się sobą,
ten nie może być szczęśliwy,
ponieważ nie potrafi już kochać.
A nie potrafić kochać,
to koniec wszelkiej radości
i początek piekła.

Postaraj się być miły i dobry.
Spróbuj zapomnieć o sobie
i okaż serce, przede wszystkim w domu.
Pomagajcie sobie, wspierając się wzajemnie, bądźcie dla siebie dobrzy.
Nie pozwólcie zajść słońcu z powodu kłótni.
Bo wrogość, która zagnieżdża się w sercu,
przedwcześnie postarza i oszpeca.

14 KWIETNIA

ZAJRZYJ DO SWEGO SERCA

*B*yłeś już choć raz w swym wnętrzu?
Zajrzałeś choć raz do swego serca?
Jeśli ciągle żyjesz tylko na pokaz
i ważne są dla ciebie jedynie pozory,
wygląd zewnętrzny i dobra opinia,
to twoje szczęście uczepione jest na wahadle powierzchowności.
Jesteś dziś szczęśliwy, a jutro nieszczęśliwy,
dziś w dobrym humorze, a jutro zupełnie przybity.

*Z*ajrzyj do swego serca, uczyń coś dla swego wnętrza,
dla wnętrza swego serca.
Możesz godzinami oddawać się swemu hobby.
Tyle czasu spędzasz na wyszukiwaniu ubrań.
Nie denerwujesz się, gdy siedzisz pod suszarką u fryzjera.
Dlaczego więc masz zbyt mało czasu,
by zatroszczyć się o swe serce?
Przecież wiesz, że ukryte tam uczucia
decydują o całym twoim życiu.
Jeśli twe serce jest puste, ciemne, zaniedbane
i panuje w nim chaos,
to wyrastają tam uczucia rozczarowania,
zgorzknienia, zawiści, braku poczucia sensu, wstrętu, rozpaczy.

*Z*ajrzyj do wnętrza swego serca.
Uczyń to w godzinie spokoju,
skupienia, modlitwy.
Będziesz zaskoczony rezultatami.

---

15 KWIETNIA

BIEDNI BOGACI LUDZIE

W bogatych krajach mieszkają najbiedniejsi ludzie.
Zbyt dużo jedzą, piją zbyt dużo, nieustannie gdzieś pędzą.
Nie znają ciszy i spokoju.
Gdy nie mają nic do zrobienia, gdy nic się nie dzieje,
nie dzieje się nic sensacyjnego, śmiertelnie się nudzą.
Mają wszystko, korzystają ze wszystkiego i z niczego nie rezygnują.
Ale w niczym nie znajdują już przyjemności.
Nie potrafią już cieszyć się bez powodu.
Wszystko, co robią, kręci się wokół pieniądza.
Płacą za wszystko, nawet za dobre stosunki.
Zanieczyszczają powietrze, którym oddychają.
Zanieczyszczają wodę, którą piją.
Zanieczyszczają własne gniazdo.

Najbogatsi ludzie to często ludzie najbiedniejsi.
Nie potrafią już być szczęśliwi. Zobojętnieli
na najprostsze radości życia.
Pozorna żywotność produkowana przez przemysł rozrywkowy
stanowi tylko przykrywkę dla całkowitej niemocy ludzi
o pełnym brzuchu, pustym sercu i pogmatwanym umyśle.

Biedni bogaci ludzie! Potrzeba nam wolności,
wyzwolenia z nudy, chaosu i rozpaczy.
Nie kupi się go w aptece.
Tkwi ono w powrocie do prostoty i ubóstwa,
w uwolnieniu się od zniewolenia przez władzę
i rzeczy materialne.
Kto ma szczęście wierzyć w Boga,
dla tego droga ku Wielkanocy jest drogą ku wolności.

ŻYCIE JEST WARTE WYSIŁKU

Powiedz, ty również nie masz ochoty do życia?
Gdy tak patrzę na ludzi,
odnoszę czasami wrażenie,
iż wielu jest wręcz przykro, że żyją.
Spoglądają zawsze na wypaczoną stronę życia,
nie potrafią już dostrzec dobra i piękna.
Widzą brudy, a zapominają o gwiazdach.
Są więźniami swych trosk
i ślepi na wiele drobnych radości życia,
które przecież także istnieją, które spotykamy co dnia.

Jeżeli jesteś szczęśliwy w małżeństwie,
jeżeli panuje u ciebie w domu pokój,
bądź za to wdzięczny i nie mów:
„Gdybyśmy to mieli...!
Gdybyśmy tam byli...!".
Jeżeli świeci słońce, nie mów:
„Jutro będzie padał deszcz".
Ciesz się tym, co masz teraz, i bądź szczęśliwy.
Żyj i pracuj z zapałem.
Jest tyle dobrego do zrobienia. Wzbudź w sobie entuzjazm.
Życie jest warte wysiłku.

17 KWIETNIA

PRZYWOŁAJ WIOSNĘ

Wielu ludzi jest chorych z nudy,
nudzą się śmiertelnie, bo odczuwają przesyt.
W domu mają wszystko. Stół jest obficie zastawiony.
Nie nadejdzie nowy dzień. Wszystkie dni są takie same:
Konsumpcja.
Grube mury zatrzymają wszystko, w środku zawsze jest zimno.
Nigdy nie wniknie tu nowe życie.
Nie widzą już kwiatów ani ptaków.
Ich papuga i pies są tak samo martwe jak oni.
Wychodzą wieczorem i bawią się do późnej nocy,
by spać, gdy świeci słońce.
Chodzą do lekarza, do neurologa, do psychiatry.
Nigdy nie czują się naprawdę dobrze.

Przy stołach konferencyjnych, w luksusowych budynkach
ze szkła i betonu siedzą ważni ludzie.
Śmiertelnie poważni. Niekończące się narady na temat wielkich
i małych problemów.
Papiery się piętrzą. Rosną niczym ogromne grzyby:
pełne szafy, pełne biura, pełny świat,
aż zrobi się zupełnie ciemno.
Do czego dojdziemy z takim światem?

Przywołaj wiosnę, przywołaj słońce!
Daj się zauroczyć cudowi światła i życia.
Więcej radości, więcej ochoty do życia,
a liczne problemy same znikną.
Dlaczego skowronek śpiewa? Nie musi płacić czynszu.
Spójrz w niebo i śpiewaj,
bo słońce świeci dla ciebie za darmo.

18 KWIETNIA

BEZ UPADKU NIE MA ZMARTWYCHWSTANIA

Znasz choć jedno życie, które nigdy
nie zostało naznaczone krzyżem i cierpieniem?
Człowieka, który nigdy nie doświadczył bólu?
W każdym życiu zdarzają się czasy brzemienia i trosk,
nocy i ciemności, strachu i rozpaczy,
ale także czasy pełne radości i promyków słońca,
pełne pokoju i ciszy, chwil pełnych błogości.
W każdym ludzkim życiu są dni ponure, Wielkie Piątki,
dni krzyża, niezależnie od tego, czy jesteś wierzący, czy nie.

Jeśli podczas takich dni nie pogrążysz się w zgorzknieniu,
w złości i rozpaczy, doznasz światła Wielkanocy.
Dni zmartwychwstania, nowe życie,
bardziej spełnione, bardziej wolne.
Jestem przekonany, że krzyż i cierpienie mają głębszy sens.
Czynią dojrzalszym, uszlachetniają, uwalniają od tego,
co bezwartościowe.
Najczęściej jest tak: To, co początkowo wyglądało tragicznie,
okazywało się później, czasem dużo później, dobrodziejstwem.

Z człowiekiem jest jak z przyrodą: ciągłe zmiany,
dzień i noc, wiosna i jesień, przypływ i odpływ.
Kto nie zazna trosk, ten nigdy nie odczuje prawdziwej radości.
Być zdruzgotanym, być u kresu – kto tego nie zna,
ten nie wie nic o powstaniu,
bez upadku nie ma zmartwychwstania.
Jeśli jesteś wierzący, powiem ci coś jeszcze:
Wszystko zyskuje swój głębszy sens przez to,
iż Jezus z Nazaretu sam przeszedł tę drogę:
drogę od Wielkiego Piątku ku Wielkiej Nocy.

19 KWIETNIA

UMRZESZ I OŻYJESZ NA NOWO

Zmartwychwstaniesz! Wielkanoc.
Niewiarygodna wieść, niezwykła radość.
Współcześni filozofowie powiadają: „Umrzesz".
Twoje ciało ulegnie zniszczeniu. Śmierć jest
absolutnym kresem, dlatego życie nie ma sensu, jest absurdem.
Wstawać, jeść, autobus, cztery godziny pracy, jeść,
cztery godziny pracy, autobus, jeść, spać,
od poniedziałku do piątku, ciągle w tym samym rytmie.
Bezbarwne życie, bez radości, bez nadziei. W końcu
jedynym problemem życiowym byłoby samobójstwo.

A przecież w głębi duszy nie godzimy się
na okrutną bezsensowność ostatecznej śmierci.
Z biologicznego punktu widzenia śmierć jest naturalnym
kresem naturalnego procesu życia.
Czujesz jednak, że w głębi twojego życia istnieje coś,
co jest ci bliskie inaczej i bardziej niż twoje ciało.

Umrzesz, ale znów będziesz żyć.
Zmartwychwstaniesz.
Jeśli w to uwierzysz,
myśl ta tak cię porwie,
że będziesz chciał tańczyć i skakać z radości.
Twoje dni ożyją na nowo.
Zaświeci słońce.
Ludzie będą się śmiać i będą weseli.
Odnalazłeś kawałek
utraconego raju.

20 KWIETNIA

PRAWDZIWA MIŁOŚĆ

Każdy człowiek stawia sobie pytanie:
Czym jest naprawdę miłość?
Bo szczęście każdego człowieka zależy od miłości,
którą zna, której szuka, którą przeżywa i której doświadcza.
Nie szukaj miłości tam, gdzie jest wystawiana na pokaz
w formie seksu,
gdzie widać na niej odciski palców ludzi interesu
pozbawionych sumienia.
Wrzucili oni miłość, jakby wrzucili diament do kloaki.

Prawdziwa miłość wiąże się z ofiarą i oddaniem.
Czerpie radość z tego, że przekazuje ją się sobie nawzajem,
że ma się dla siebie nawzajem serce. Wiąże się z delikatnością,
przyjaźnią i gotowością przebaczania.
Daleko jej do władzy, przemocy i rzeczy materialnych,
jest nawet w stanie dystansować się od siebie samej.
Dwa tysiące lat temu pewien Paweł,
znany dobrze przede wszystkim wśród chrześcijan,
spisał Wielką Kartę Miłości, która także dziś jest aktualna.

Jeśli chciałbyś wiedzieć, ile masz tej miłości,
musisz tylko w miejsce słowa miłość
wstawić własne imię. Zabrzmi to wówczas tak:
„Miłość wszędzie szuka dobra. Miłość nie jest zazdrosna.
Miłość niczego sobie nie wmawia. Miłość nie szuka siebie samej.
Miłość nie pozwala się zatruć i wybacza zło.
Miłość nie cieszy się z błędów innych.
Cieszy się dobrem, które ktoś czyni. Zniesie wszystko.
Wierzy we wszystko. Ma na wszystko nadzieję.
Wszystko wytrzyma".
Wierz mi, to jedyna miłość, która przetrwa.
Taka miłość nigdy się nie załamie.

---

21 KWIETNIA

KTO WIERZY W ZMARTWYCHWSTANIE

Wielkanoc jest świętem zmartwychwstania,
świętem młodości, świętem życia wiecznego.
Kto wierzy w zmartwychwstanie,
nigdy się nie zestarzeje, może wciąż zaczynać na nowo,
po najciemniejszej nocy zawsze
zastanie promienny poranek.
Kto wierzy w zmartwychwstanie,
nie musi się bać życia,
nie musi wpadać w rozpacz z powodu cierpienia i śmierci.

Kto wierzy w zmartwychwstanie,
nie będzie obrzydzał i zatruwał sobie życia
i nie zaplącze się w misterną sieć
problemów nie do rozwiązania, które stają się jeszcze bardziej skomplikowane,
jeśli chce się człowieka całkowicie pogrzebać,
z duszą i duchem, ze wszystkim.

Wierzę w zmartwychwstanie.
Wierzę w życie.
Wierzę w odpuszczenie grzechów
i że źli ludzie, jeśli tacy są,
staną się ponownie dobrymi ludźmi.
Wierzę w miłość jako siłę absolutną,
która kieruje wszystkimi ludźmi,
światem i całym kosmosem.
Wierzę w Boga, który jest miłością.

ŚWIĘTO RADOŚCI

Wielkanoc! Chodź ze mną ku słońcu.
Nie czujesz wiosny w sercu?
Nastał teraz czas odnowy,
nowej nadziei w śmiertelnie zmęczonym świecie.
Wierzę w zmartwychwstanie, ponieważ wierzę w miłość
i nie mogę pogodzić się z bezsensem istnienia.

Wielkanoc! Chodź ze mną ku słońcu.
Powstań z mroków i beznadziei
materializmu i egoizmu,
z troski o pełne brzuchy i konta.
Odnów siebie i oczyść swe serce.
Każde serce potrzebuje czasem gruntownych porządków,
by pozbyć się pleśni i brudu,
by być gotowe na przyjęcie radości.

Zapomnij o porażkach, zacznij się na nowo
angażować, nie pytając, ile cię to kosztuje,
a znów odnajdziesz radość.
Nie możesz żyć bez radości.
Ale radość umrze, jeśli utoniesz w zbytku
i będziesz próbował zapomnieć o swej pustce
i rzeczach niespełnionych
za pomocą namiastek, alkoholu i pigułek.

Zdecyduj się zmartwychwstać!
Zdecyduj się na wiosnę. Odpadną suche gałęzie.
Tylko we wszystkim, co nowe i świeże,
święcimy święto Wielkanocy, święto radości.

23 KWIETNIA

ŻYCIE MA ZNOWU SENS

Chrześcijaństwo jest religią,
którą poznaje się po miłości.
Jeśli chcesz być chrześcijaninem,
nie zachowuj się jak gruboskórny egoista,
który całą miłość płynącą od Boga
chciałby zachować dla siebie:
„Mój Bóg", „Mój Zbawiciel", „Moja dusza",
„Moje zbawienie". Pamiętaj: Kto chce mieć niebo
tylko dla siebie, nigdy tam nie trafi.

Przede wszystkim nie bądź faryzeuszem,
który patrzy na wszystkich niechrześcijan jak na czarne owce,
a wszystkich, którzy nie chodzą do kościoła,
uważa za bezbożnych i godnych potępienia.
Nie bądź świętoszkowaty, lecz uczciwy i szczery,
pozwól, aby wzrastała w tobie radość Boga.

Chrystus zmartwychwstał. Naprawdę.
Ciesz się, bo życie znów ma sens.
Nie jesteśmy skazani na to,
by skończyć w ciemnym lochu.
Wielkanoc! Z milionami innych ludzi
podążasz ku świetlanej przyszłości
zwanej niebem.

24 KWIETNIA

STAĆ SIĘ NOWYM CZŁOWIEKIEM

Wielkanoc! Czas odnowy.
Czas na nowe życie, nowych ludzi w nowym świecie.
Najwyższy czas, by powstać z mroków i nocy
egoizmu nie do zniesienia.

Wielkanoc! Otwieram okno i wyglądam przez nie.
Nic się nie zmieniło. Słońce, chmury, powietrze.
Drzewa, domy, ulice. Ludzie i rzeczy.
To, co widzę, nie uległo zmianie. A jednak!
Jest możliwe, by stać się nowym człowiekiem.
Człowiekiem na drodze ku światłu.
Człowiekiem, który porzuci zachłanność,
pójdzie nowymi drogami.

Wielkanoc! Zmartwychwstanie. Konieczność dla wszystkich,
którzy umarli uduszeni przez własny egoizm.
Możliwe jest jednak tylko wówczas, gdy jesteśmy skłonni
ukrzyżować najpierw swoją zachłanność i swoje samolubstwo.
Lekarstwa nie stworzą nowego człowieka.
Nowe życie nie przyjdzie z zewnątrz dzięki zastosowaniu
przeróżnych środków,
wprawią cię one co najwyżej na jakiś czas w euforię,
po czym strącą jeszcze głębiej do ciemnego lochu.
Nowe życie rodzi się wewnątrz,
w spokoju i refleksji, w prostocie i modlitwie.
Wielkanoc wzywa cię do głębszego życia duchowego.

Wielkanoc! Raduj się życiem. Chrystus zmartwychwstał.
Śmierć została przezwyciężona, koniec wszelkiego pesymizmu.

25 KWIETNIA

POSZUKAJ SŁOŃCA I PRZYNIEŚ JE

Dobrze ci się wiedzie? Jesteś szczęśliwy?
Siedzisz w słońcu?
Jeśli tak, to pomyśl o innych i nie odmawiaj im
miejsca w słońcu.
Bo nie wolno nam zapominać,
że także nasi sąsiedzi, konkurenci,
nawet nasi wrogowie mają prawo
do kawałka słońca, radości
i odrobiny szczęścia w życiu.

Wszyscy ludzie potrzebują słońca.
Nie róbmy więc nigdy innym trudności,
nie rzucajmy im kłód pod nogi,
jeśli poszukują odrobiny słońca.
W sercach wielu ludzi jest o wiele za ciemno.

Przynieś słońce swojej rodzinie,
na swoją ulicę, do swojej wsi lub swojego miasta.
Przynieś słońce ludziom słabym, chorym,
ubogim i podupadłym,
którzy ciągle siedzą w cieniu.
Słońce będziesz mógł jednak przynieść tylko wówczas,
gdy kochasz. Wraz z miłością
słońce w twym sercu wschodzi,
bez miłości – zachodzi.

26 KWIETNIA

MIŁOŚĆ W POLITYCE

Czy słyszałeś kiedykolwiek o miłości w polityce?
Powiadają, że miłość w polityce jest utopią,
czymś dla naiwnych i szalonych fantastów.
Nie ma miłości w polityce.
Jest tylko kalkulacja sił.
Ciągła walka o wpływy, o więcej wpływów.
Nigdy nie rezygnować z własnych interesów
czy interesów swej partii.
Nigdy nie ustąpić przeciwnikowi.

Powiadają, że miłość w polityce jest słabością.
I dlatego nie ma pokoju,
minimum egzystencji dla cierpiących biedę,
przestrzeni życiowej dla mniejszości,
pożywienia, mieszkania, szkoły, szpitala,
dobrobytu dla milionów głodujących na świecie.
Dlatego jest tyle broni, amunicji,
tyle armat, czołgów, bomb i rakiet.
Dlatego jest tylu żołnierzy, zbyt wielu żołnierzy,
za dużo martwych, za dużo rannych, zbyt wiele ofiar.
Dlatego oczy tak wielu matek są zmęczone od płaczu.

Chciałbym usłyszeć o miłości w polityce,
o zwyczajnej, prawdziwej miłości,
która świeża jak wiosna odnowi politykę.
Życzę wszystkim politykom czegoś więcej niż diet,
życzę im serca.

27 KWIETNIA

NA CZYM POLEGA RÓŻNICA

Życie jest jak los na loterii.
Nigdy nie wiadomo, co się wyciągnie.
Wielu sądzi, że wyciągnęło zły los
i, co gorsze, są przekonani,
że ich wesoły sąsiad wyciągnął los szczęśliwy.
Jednakże losy te wcale się tak od siebie nie różnią.
Niektórzy mogą sobie pozwolić na parę rzeczy więcej
niż inni, ale to w zasadzie wszystko.
Różnica polega na tym, jak się na to patrzy,
co się o tym myśli i jak do tego podchodzi.
A wszystko zależy od ciebie samego.

Spotkałem wielu różnych ludzi,
wysłuchałem ich głębokich tajemnic.
Ale nigdy nie spotkałem człowieka,
który wyciągnął najcenniejszy, doskonały los.
Wszyscy mieli coś, co ich gnębiło i dręczyło.
Wierzący nazywają to krzyżem.
Inni mówią: Nie mam szczęścia.

Byli wśród nich ludzie, którzy mimo trosk i cierpienia
pozostali weseli i zadowoleni. Inni,
przygnieceni swymi problemami, byli zrozpaczeni.
Często przeszli przez to samo,
ale różne były rezultaty.
Życie jest jak los na loterii,
ale wiele zależy od ciebie.

NARZEKANIE ZATRUWA ŻYCIE

Zrzędzenie, narzekanie,
krytykowanie jest zarówno cechą mężczyzn, jak i kobiet.
Istnieją nie tylko panie narzekalskie, lecz także zrzędliwi panowie.
A przy tym byłoby przecież tyle pięknych rzeczy do opowiedzenia, panie Zrzędliwy!
I tyle miłych rzeczy do powtórzenia, pani Narzekalska!

Czy ty również jesteś tak samo skory do narzekań,
gdy coś się nie udaje, tak pełen żałości,
gdy nie dostaniesz tego, czego chcesz,
gdy ktoś nie zrobi dokładnie tego, co mówisz?
Może to się przerodzić w prawdziwą chorobę.

Ton twego głosu staje się śmiertelnie nudny.
Narzekaniem na setki drobnostek
można zupełnie zatruć sobie życie.
Zrzęda już widzi deszcz, gdy świeci słońce.
A beksie jest zawsze śmiertelnie smutno.
Malkontenci wszędzie znajdą rzeczy zepsute
i ludzi, którzy im nie pasują.
Czasami mam wrażenie, że bardzo to lubią,
inni natomiast mają ich serdecznie dosyć.

Pogrzebmy szybko malkontenta,
przynajmniej tego, który tkwi w naszej skórze.
Zapal światło w swoim sercu,
wtedy światło samo pojawi się w twoich oczach:
Widzisz piękne rzeczy i miłych ludzi.
I wtedy naprawdę nie jest sztuką powiedzieć coś dobrego.
Już czuję, jak na świecie robi się cieplej.

29 KWIETNIA

JAK BIAŁY RDZEŃ PŁOMIENIA

Życzę ci radości.
Życzę ci, byś mógł doświadczyć radości,
istoty wszelkiego szczęścia doznanego w życiu.

Ale pamiętaj: Radować się
to nie to samo, co się bawić.
Rozrywka jest czymś dla ciała i zmysłów
i dlatego taka nietrwała.
Wieczór przy alkoholu pozwoli ci być może
na parę godzin o wszystkim zapomnieć.
Ale następnego dnia pozostanie ci z tego niewiele więcej
niż potężny ból głowy.

Radość tkwi o wiele głębiej, w twym sercu.
Radość jest jak biały rdzeń płomienia,
który przenika cię na wskroś.
Nikt nie może tak naprawdę powiedzieć, czym jest radość.
Radości musisz doświadczyć sam.

Radość przychodzi do ciebie nagle
niczym cudowne uczucie,
gdy zapominasz o sobie,
gdy stajesz się dobrym człowiekiem,
gdy wreszcie sobie uświadamiasz,
że Bóg jest naprawdę blisko – jak ojciec,
który wszystko rozumie i zna wszystkie twoje troski.
Życzę ci radości.

MAJ

Już sama miłość jest domem,
w którym możesz
na zawsze zamieszkać

RADOŚĆ Z PRACY

Pierwszy Maja – Święto Pracy.
Święto, a także dzień rozmyślań.
Dlatego postawię proste pytanie: Lubisz pracować?
A może uważasz: Źle jest nie mieć pracy,
ale pracować to też nieszczęście.

Nasz standard życia bardzo wzrósł,
a długość życia jeszcze nigdy nie była tak wysoka.
Kto dziś, gdy jest spragniony, pije zwykłą wodę?
Kto uważa, że to cudownie jeść po prostu chleb?
Większość woli w miarę możliwości piękno i wygodę,
a niewielu ma ochotę pracować.
Pracują tylko wtedy, kiedy potrzebują pieniędzy na życie.
Pytam się zatem, czy taki postęp nie doprowadzi do tego,
że ludzie zrujnują się wewnętrznie?

Całe życie jest planowane elektronicznie,
nic nie jest dziełem przypadku. Wszystko odbywa się w pełni
automatycznie.
Wygląda to tak, jakby ludzie byli potrzebni tylko dlatego,
że maszyny nie są jeszcze dostatecznie rozwinięte.
Nie wolno nam przeklinać tego świata,
ale musimy go na nowo ożywić
radością z wartości pracy
i z najzwyczajniejszego dnia pracy.
Radość z pracy jest dziś wspólną radością.
Bardziej niż kiedykolwiek nasza praca zależy
od tysiąca innych ludzi. Pracujemy z nimi
na godne życie i nowy świat.

1 MAJA

SERCE KAŻDEJ RODZINY

Maj jest miesiącem wszystkich matek.
Sklepy zachęcają nas do kupienia czegoś na Dzień Matki.
Ale nigdy nie zapominajmy: Najpiękniejszym prezentem
jest nasz szacunek, troska i dziecięca miłość do niej.

Noś swą matkę na rękach.
Prawdziwe matki są czymś cudownym.
Rozumieją nas, pracują dla nas,
troszczą się o nas, kochają nas, modlą się za nas.
Jedynym złem, jakie nam wyrządzają, jest to, że umierają
i opuszczają nas.
Jeśli masz jeszcze matkę, szanuj ją.
Nie czekaj, aż umrze, by przynieść jej kwiaty.
Bądź dla niej dobry, i to nie tylko w Dzień Matki.

Kiedy twoja matka jest stara i ma kłopoty
ze zdrowiem, troszcz się o nią w dwójnasób.
Przeprawiła cię przez poranek życia,
ty przepraw ją pełen miłości przez wieczór życia.
Matka jest sercem każdej rodziny,
węzłem, który wszystko trzyma,
ogniem w sercu, który wszystko ogrzewa.
Nieważne, ile masz lat
i jak narozrabiałeś,
dla matki na zawsze pozostaniesz jej dzieckiem.
Prawdziwe matki są zdolne z miłości do najbardziej
nieprawdopodobnych i najcudowniejszych rzeczy.
Matki są jedyne, niezastąpione.

SPONTANICZNA MIŁOŚĆ

Nie kładź swej miłości na szali.
Nie zaczynaj od razu odważać, ile możesz dać,
i odmierzać, jak daleko możesz się posunąć.
Twoja miłość ma być spontaniczna.
Wyważona, odmierzona miłość nie jest miłością.
To wyrachowanie. Nie sprawia radości.
Nie da ci szczęścia.
Żyjesz bezwiedny i zobojętniały,
dni ciągną się niczym znużona ciuchcia.
W twoim wnętrzu nigdy nie zrobi się ciepło.
Nigdy nie masz ochoty, by śpiewać i skakać.

Spontaniczna miłość jest czymś wspaniałym.
Spontaniczna miłość do męża, żony,
do ludzi żyjących blisko ciebie, w twoim otoczeniu.
Do kogoś, kto cierpi; do kogoś, kto znalazł się na krawędzi.
Spontaniczna miłość: dopiero dzięki niej stajesz się
człowiekiem.

To, co masz, co posiadasz z rzeczy materialnych,
nie jest twoim bogactwem, lecz to, czym umiesz się cieszyć.
Jeśli potrafisz cieszyć się kwiatem,
uśmiechem, zabawą dziecka,
jesteś bogatszy i szczęśliwszy od milionera.
Spontaniczna miłość do ludzi i tego,
co cię otacza, jest twoim największym bogactwem.
Wtedy możesz zrezygnować z wielu innych rzeczy.

3 MAJA

CO ROBIĄ MATKI

Z żadnym człowiekiem nie stanowiłeś nigdy takiej jedności,
z nikim nie byłeś nigdy tak zżyty
jak z własną matką.
Nosiła cię, karmiła, ukształtowała –
ciało z jej ciała, krew z jej krwi.
Piłeś życie
z kielicha jej miłości.
Twoje narodziny były dla niej, po ustąpieniu bólu,
cudowną radością.
I byłoby to żałosne, gdybyś dziś
przestał być dla swej matki radością.

*P*rawdziwe matki są fantastyczne, zarówno starsze,
jak i młodsze, które dopiero co zostały matkami.
Z reguły nie dokonują wynalazków,
nie kierują katedrą,
nie budują dróg, mostów i miast.
Robią nieskończenie więcej.
Wychowują przyszłego człowieka.
Matki wydają na świat to,
co jest najważniejsze: miłość.

*B*óg kocha każde dziecko sercem jego matki.
Tam, gdzie matki poddają się, umiera miłość.
A tam, gdzie miłość jest martwa, żaden człowiek
nie uwierzy już w Boga ani w życie.

POCZUCIE BEZPIECZEŃSTWA

Każdy człowiek, który przychodzi na świat,
przez całe swoje życie poszukuje bezpieczeństwa.
Chce znaleźć dom, pewność, ludzkie ciepło.
Kto nie czuje się bezpieczny, jest przybity.
Nie jest mu dobrze we własnej skórze.
Dziecko musi znaleźć u matki lub ojca
czułość i poczucie bezpieczeństwa.
Chłopcy szukają poczucia bezpieczeństwa u dziewcząt,
i na odwrót.
Ludzie szukają poczucia bezpieczeństwa w małżeństwie
i przyjaźni.

Podstawą wszelkiego poczucia bezpieczeństwa jest miłość.
Tam, gdzie zamiast miłości panuje egoizm,
niszczy się poczucie bezpieczeństwa. Ludzie stają się samotni,
nie wiedzą już, gdzie jest ich miejsce.
Tracą wszelkie oparcie, nie mają ojczyzny,
wciąż się śpieszą i nigdy nie są zadowoleni.
Dramatem naszych czasów jest to, że już nie potrafimy
zapewnić sobie nawzajem poczucia bezpieczeństwa.
Nie potrafimy już stworzyć sobie nawzajem
ogniska domowego,
ponieważ sami nie czujemy się już bezpiecznie,
ponieważ przestaliśmy umieć kochać,
ponieważ opuściliśmy Boga, źródło wszelkiej miłości.

Chciałbym ci powiedzieć po prostu: Spróbuj
odnaleźć miłość w cichej rozmowie z Bogiem.
Gdy znajdziesz w Bogu poczucie bezpieczeństwa,
będziesz potrafił dać swoim bliźnim ciepło, bezpieczeństwo,
stworzyć im dom. I dzięki temu staniesz się szczęśliwy.

5 MAJA

POŻĄDAĆ MNIEJ

By być szczęśliwym, musisz przede wszystkim
nie tyle pomnażać swój stan posiadania,
ile zmniejszać swe pragnienia.
Wielu postępuje wręcz odwrotnie.
Nie są zadowoleni z tego, co mają,
i próbują zdobyć rzeczy,
których właściwie wcale nie potrzebują.
Chcą je mieć, bo inni także je mają,
bo zachwala je reklama,
i, co nie mniej ważne, by móc zaimponować ludziom,
których nie znoszą.

Nie daj się w to wciągnąć!
Nie staniesz się bardziej zadowolony,
a może nawet się zadłużysz.
Masz jedną zbędną rzecz więcej.
Jutro będziesz miał znów ochotę na coś innego.
Prędzej czy później stwierdzisz jednak,
że ten nadmiar rzeczy
nie uczynił cię szczęśliwszym.

Jesteś bogaty i szczęśliwy
nie wtedy, kiedy masz wiele,
lecz wtedy, kiedy możesz się bez wielu rzeczy obejść.
Nie próbuj dążyć do bogactwa,
lecz spróbuj być bogactwem
dla innych.

GDZIE PODZIAŁY SIĘ KWIATY

Powiedz, gdzie podziały się kwiaty?
Kwiaty dobrych, radosnych, pięknych rzeczy
w gazetach i telewizji,
w codziennych rozmowach?
Udusiły się i umarły
pod lawiną wiadomości o przemocy,
morderstwach, katastrofach, wielkich i małych skandalach.
Nikt ich nie widział, nikt o nich nie słyszał.
Udusiły się i umarły
na giełdzie spekulantów sensacjami,
na ustach złowieszczych proroków.

Powiedz, gdzie podziały się kwiaty?
Gdzie są kwiaty drobnych gestów?
Kwiaty świadczące o tym,
że jesteśmy dla siebie nawzajem darem:
mężczyzna dla kobiety, kobieta dla mężczyzny.
Wszyscy ludzie dla siebie nawzajem.
Zginęły w małych wojnach domowych,
w kryzysach i kłótniach, dlatego że jesteśmy tacy uparci,
że nie potrafimy pokonać naszej śmiesznej drażliwości,
naszej porywczości.

Powiedz, gdzie podziały się kwiaty?
Kwiaty poczucia bezpieczeństwa,
które możemy sobie nawzajem dawać?
Masz serce, a tam jest człowiek,
który cię potrzebuje.
Czyżbyś był ślepy albo głuchy?

7 MAJA

DROGI DO SERCA

Możemy wysyłać rakiety na odległe planety,
satelity błyskawicznie przekazują wiadomości
z jednego krańca Ziemi na drugi.
Ale coraz trudniej jest nam znaleźć drogę
do duszy i serca tych, których kochamy.

Kobieta powiada: „Przeważnie nie da się z nim rozmawiać".
„Straciłem z nią kontakt" – mówi mężczyzna.
„Mogę strzępić sobie język,
ale dziecko w ogóle nie słucha" – mówią rodzice.
Jak dawno temu spacerowałeś czy spacerowałaś pod rękę
ze swoją żoną czy z mężem?
Czy umiesz jeszcze bawić się z dziećmi?

Uściśnięcie dłoni, pieszczota, delikatne dotknięcie,
a już rodzi się atmosfera zaufania
i sympatii głębsza niż osiągana za pomocą słów.
Bliskość, kontakt, delikatność to rzeczy,
których często są pozbawieni właśnie ludzie
najbardziej ich potrzebujący: chorzy, samotni, cierpiący.

Czuły dotyk zdziała czasem o wiele więcej
niż cały potok pięknych słów.
Uważaj jednak, by z dotyku
nie powstała chęć całkowitego zagarnięcia kogoś.
Darz sympatią, ale nie rękami, by posiadać,
lecz sercem, by dawać.

WSPÓLNIE ŻYĆ

To pięknie brać ślub, ale życie w małżeństwie
jest czymś zupełnie innym.
Dziś wiele małżeństw się rozstaje.
Wciąż zadaję sobie pytanie:
Dlaczego ludzie nie potrafią wytrwać w miłości?
Przecież tak usilnie się pragnęli,
zdecydowali się na siebie.
Dlaczego staje się to takie trudne,
gdy muszą ze sobą żyć na co dzień?

Zazwyczaj oczekujemy zbyt wiele od siebie nawzajem.
To ktoś inny ma być miły.
To ktoś inny ma mnie nosić na rękach.
To komuś innemu nie wolno być w złym humorze.
To komuś innemu nie wolno robić wyrzutów.

Dlatego to niezmiernie ważne, by wzajemny szacunek i miłość
wzrastały nieustannie.
Już drobiazgi mogą wpłynąć na poprawę atmosfery:
słowo uznania, komplement,
starannie wyszukany prezent.
Wciąż próbujcie spokojnie ze sobą rozmawiać.
Szczera rozmowa, dzielona z kimś radość
i wspólnie znoszone cierpienie
odnowią i wzmocnią więzi.
Droga kobieto, bądź miła i wyrozumiała.
Drogi mężczyzno, nie bądź zimny i obojętny.
Miejcie czas dla siebie nawzajem.
Przetrwa tylko prawdziwa miłość.

9 MAJA

NIE CZEKAĆ, AŻ BĘDZIE ZA PÓŹNO

Być może masz jeszcze matkę i ojca,
jesteś może żonaty lub jesteś mężatką.
Bądź zatem przede wszystkim w domu miły,
uczynny i pełen dobroci dla innych.
Bo gdy umiera ojciec lub matka, mąż lub żona,
często się zdarza, że krewni, których pozostawili,
dzieci czy małżonkowie żałują,
że byli czasami dla nich tak mało serdeczni.

Pomyślisz wtedy najpierw o chwilach,
w których byłeś w stosunku do starego ojca lub starej matki
niecierpliwy, nieczuły i niewyrozumiały,
gdy zdarzyły się może poważne problemy.
Jako mąż przypomnisz sobie wtedy przede wszystkim,
jak mało szacunku i zrozumienia okazywałeś niekiedy żonie.
I jako żona uświadomisz sobie być może,
jak bardzo rozczarowany był z pewnością twój mąż
z powodu twoich humorów i twojej zazdrości,
z powodu braku wsparcia z twojej strony.

Dopiero wtedy zdacie sobie sprawę,
jak bardzo druga osoba cierpiała w milczeniu.
Załkacie wtedy, skrywając to przed innymi:
„Ach, gdybym miał jeszcze pięć minut,
aby wszystko powiedzieć
i wszystko naprawić, tylko pięć minut!".
Ale na żal jest zawsze zbyt późno,
gdy się czeka dopiero, aż ktoś umrze.

10 MAJA

JEDYNA SZANSA

Gdy spotka cię cierpienie, nie buntuj się.
Nie mów: „To niemożliwe! Wszystko, tylko nie to.
Nie mogę się z tym pogodzić.
To zbyt trudne i niesprawiedliwe.
Nie zasłużyłem na to".

Cierpienie jest tajemnicą.
Atakuje nagle, brutalnie i bez litości:
wypadek, choroba, kalectwo,
manowce, na które schodzi dziecko,
śmierć ukochanego człowieka...
Niemal dusisz się zmartwieniami
i chciałbyś wszystko rzucić, poddać się.
Ale to rozpacz,
a ta tylko wszystko pogarsza.

Spróbuj się pogodzić.
Może staniesz się przez to nowym człowiekiem,
bogatszym i głębszym wewnętrznie, wyrozumiałym,
potrafiącym wczuć się w czyjeś położenie.
Spróbuj się pogodzić.
To twoja jedyna szansa.
Cierpienie czyni twoje serce większym i bardziej pojemnym
i otwiera je na przyjęcie nieznanych radości.
Doświadczony przez własne cierpienie
możesz się stać awaryjnym portem
dla ludzi w ciężkiej potrzebie.

11 MAJA

SPEŁNIA SIĘ BAJKA

Bądź dobry dla ludzi, miły, uczynny.
Przede wszystkim dla chorych, kalekich, starych,
dla ludzi, których życie zepchnęło na margines.
Przynoś ludziom kwiaty, dopóki żyją.
Nie czekaj, aż umrą,
by wzruszony westchnąć: „Niewiele mieli z życia".

Dlaczego tylu ludzi nic nie ma z życia?
Dlatego że nie mają przyjaciół, ludzi, którzy ich lubią.
Dlatego że nie znajdują nigdzie oznak sympatii.
Dlatego że nigdy nie kwitną dla nich kwiaty.
A przecież kwiaty mogą czasami czynić cuda.
Nie muszą to być drogie, kosztowne kwiaty.
Zwyczajne, zwykłe kwiaty: uśmiech,
dobre słowo, drobny gest. To także kwiaty!

Najmniejszy kwiat podarowany z całego serca
opowiada tym, którzy go otrzymują, piękną historię.
Cudowną bajkę o kawałku nieba na ziemi,
gdzie ludzie są dla siebie nawzajem aniołami,
gdzie dla każdej obawy,
każdego cierpienia i każdej łzy jest czuła pociecha,
gdzie ludzie kwitną dla siebie jak kwiaty.
Słyszę ten sam krzyk dochodzący z ust
tysięcy chorych, kalekich, starych i samotnych:
„Przynieś mi kwiaty, zanim umrę".
Zrób coś, by spełniła się bajka. Dziś!

BADANIE SUMIENIA

Dzień Matki! Matki to nieustannie zajęte,
pracujące w cieniu kobiety,
nie mają ośmiogodzinnego dnia pracy, dodatku urlopowego
i prawa do strajku.
To grupa najczęściej zapominanych kobiet,
która jest najważniejsza i ponosi największą odpowiedzialność.

Handlowcy wołają wprawdzie: „Na cześć ukochanej matki",
ale nie jest to takie bezinteresowne.
W skomercjalizowanym życiu publicznym
nadużywa się dla pieniędzy nawet najwyższych wartości.
Dominujący nad wszystkim przemysł reklamowy używa kobiety
wyłącznie jako przynęty, by móc więcej sprzedać.
Dla filmu i telewizji kobieta jest
nierzadko tylko obiektem seksualnym wzmagającym sprzedaż.

Dzień Matki powinien skłonić do zastanowienia się,
na czym polega prawdziwe piękno kobiety,
na czym polega wielka tajemnica macierzyństwa.
Dzień Matki nie powinien tak bardzo zachęcać do kupowania
prezentów, lecz raczej do zbadania sumienia.
Każdy człowiek jest dzieckiem swej matki.
Co uczyniłeś dla swej matki?
Dla człowieka, który cię urodził i wychował,
który dla ciebie pracował i cierpiał.
Biada tobie, jeśli jesteś w stosunku do niej
obojętny, zimny i surowy!
Nieczułość w rodzinie jest złem,
ale nieczułość wobec własnej matki:
czymś odrażającym!

DZIEŃ MATKI

Kobiety to cudowne istoty.
Kobieta jest pierwszym domem każdego człowieka.
Jej łono jako pierwsze zapewnia mu poczucie bezpieczeństwa.
Gdy człowiek nie będzie już bezpieczny w łonie matki,
stanie się mimo całej zewnętrznej kultury barbarzyńcą.
„Prawo do własnego brzucha" – barbarzyńskie hasło.
Dlaczego nie mówi się o „prawie do własnego serca",
„prawie do własnej głowy"? Dlaczego milczy się
na temat wielkiej odpowiedzialności ludzi,
którzy seksualność wykorzystują do niszczenia wszelkiej miłości?

Słychać skargi, że na świecie nie ma serca, ciepła,
ludzkiej atmosfery, poczucia bezpieczeństwa.
Czyż nie jest do tego potrzebna właśnie kobieta?
Tyle się mówi o emancypacji kobiet. Słusznie.
Kobieta nie jest ani niewolnicą, ani wabikiem,
ani obiektem pożądania.
Ale nie jest również maszyną produkcyjną,
która przestaje działać na skutek awarii.

Na naszym zimnym świecie potrzebne są kobiety,
które do życia ludzkiego wniosą ciepło, ufność,
zrozumienie, przyjaźń, czułość, bezpieczeństwo,
wszystko, co czyni życie wartym starania i miłości.
Pilnie potrzebujemy matek.
Świętując Dzień Matki, świętujemy naszą pierwszą miłość
i radość z istnienia,
a także naszą wiarę w przyszłość.

PODŁOŻE CZŁOWIEKA

*W*idzę, że roślina, drzewo mogą rosnąć i dojrzewać
tylko na zdrowym, dobrym gruncie.
Tak samo jest z ludźmi, szczególnie z ludźmi młodymi.
Mogą rosnąć, dojrzewać i stać się szczęśliwi,
jeśli rozwijają się na zdrowym gruncie.

*T*ym gruntem jest rodzina. Tym gruntem jest szkoła.
Tym gruntem jest społeczeństwo, opinia publiczna.
Od składników odżywczych zależy, czy ktoś jako człowiek
dojrzeje, czy zmarnieje i obumrze.
Człowiek przez korzenie głowy i serca
pobiera pożywienie dla rozwoju i dojrzewania duchowego.
Jednakże podłoże człowieka jest bardzo obciążone.
Rodzina i szkoła często nie są już w stanie
ukształtować całego człowieka,
nie tylko jego umysł,
lecz także poczucie odpowiedzialności i serce.

*G*dy widzę, jak młodzi ludzie nie wiedzą, czym się zająć,
ich usta pełne odrażających słów,
ich ponure serca skłonne do przemocy,
czuję, jak bardzo zatrute jest owo podłoże.
Tak jak potrzebujemy czystego powietrza i czystej wody,
potrzebne są nam jasne myśli: zaufanie, przyjaźń,
odwaga, poświęcenie, odpowiedzialna miłość.
Dzięki nim wszyscy ludzie, a szczególnie ludzie młodzi,
odnajdą drogę do radości życia i szczęścia.
To źle, gdy na zatrutym gruncie umierają drzewa.
To tragedia, gdy umierają ludzie
z braku zdrowego środowiska życiowego.

DARMOWY PRZEPIS

Moje pragnienie: Wszyscy ludzie powinni być szczęśliwi.
Także ty! Stąd moja prośba:
Trzymaj swe serce z dala od nienawiści i zazdrości
i tych wszystkich ciemnych uczuć,
które cię wykańczają i poniżają.

Uwolnij swój umysł od wszystkich zbędnych trosk,
rozmyślań o rzeczach,
na które przecież nie możesz mieć wpływu.
Żyj w prostocie, skromnie i z umiarem,
bo przesyt i rozpasanie
niszczą najpiękniejsze dary twego serca
i pogrążają cię w bezmiernym chaosie duchowym.

Pracuj ciężko i nie oczekuj rzeczy niemożliwych.
Zatroszcz się o zdrowy sen.
Śmiej się często. Przybierz słoneczny wyraz twarzy.
Zapomnij o sobie, myśl częściej o innych.
Rozmawiaj regularnie z Bogiem
i traktuj swych bliźnich tak,
jak sam chciałbyś być traktowany.

I tyle. Darmowy, ale wypróbowany przepis.
Spróbuj stosować się do niego przez tydzień.
Niepomiernie się zdziwisz.
Przekaż ten przepis przyjaciołom i znajomym.
Stworzymy nowy świat.

---

16 MAJA

ŁYŻKA MIODU

Gdy dziś rano wkładałem do ust łyżkę miodu,
zdumiałem się nagle i zadałem sobie pytanie:
Ileż to godzin lotu ilu pszczół
zawartych jest w jednej łyżce miodu?
Poczułem radość i wdzięczność, bo bardzo lubię miód.
Ktoś wysłał pszczoły w drogę,
kazał kwitnąć kwiatom dla pszczół i świecić słońcu,
bo gdy pada deszcz, pszczoły nie latają.
Ktoś poprosił pszczoły, by pracowały za darmo
i przekonał kwiaty, by za darmo kwitły.
Ktoś z pewnością bardzo mnie lubi,
skoro to wszystko zorganizował dla jednej porannej łyżki
wspaniałego złocistego miodu.
Włożył w to mnóstwo głębokiej miłości.
I martwi mnie, że tak mało o tym myślimy.
Uświadamiam sobie, jak bardzo powierzchowni i obojętni
staliśmy się w naszym świecie opanowanym przez technikę.

Żyjemy w świecie pełnym cudów,
a niczemu się już nie dziwimy.
Mamy pieniądze, ale cudu nie da się kupić.
To tak, jak możesz wprawdzie za pieniądze kupić sobie psa,
ale nigdy nie kupisz wesołego machania jego ogona.
Rozumiesz? Może nic z tego nie rozumiesz.
Musisz rozmawiać z drzewami. Są gościnne.
Dają cień i pozwalają ptakom mieszkać wśród gałęzi.
I słuchaj kwiatów. Opowiedzą ci o pszczołach.
Cudowną historię, tak prostą i piękną.
Możesz być szczęśliwy, trzymając w ręce łyżkę miodu,
i pełen radości podziękować Bogu za cały wszechświat.

17 MAJA

CZŁOWIEK POTRZEBUJE SPOKOJU

Jeśli nieustannie dręczysz się ponurymi myślami,
jeśli wciąż się kłócisz lub litujesz nad sobą,
jakbyś był najnieszczęśliwszym stworzeniem na świecie,
to już przez to możesz się rozchorować.
Rozboli cię głowa, stracisz apetyt
i nie będziesz już mógł spokojnie spać.
Całemu swemu otoczeniu będziesz działać na nerwy,
aż i twoi bliźni się na wpół rozchorują
i zarażą z kolei swoje otoczenie.

Dlatego nigdy nie ciągnij za sobą trosk, gniewu, złości i awantur
do następnego dnia lub pojutrza.
Rozstają się małżeństwa, rozpadają rodziny,
kończą przyjaźnie, ponieważ karzemy się nawzajem
milczącą pogardą
lub maltretujemy uszy głośnymi wyrzutami.

Postaraj się szybko o nich zapomnieć.
Przestań wysiadywać w fotelu
i przeżuwać wszystko po raz setny.
Weź prysznic lub kąpiel, zadbaj trochę o siebie,
poświęć się swemu hobby lub idź na spacer.
Odprężenie fizyczne przyniesie ci spokój,
a spokój – nowe siły, które pokrzepią twojego ducha.
Potrzebujesz przede wszystkim wewnętrznej równowagi,
wewnętrznego spokoju,
by być zdrowym, wesołym i szczęśliwym.

18 MAJA

GRATIS

Czy wiesz, że to, co najistotniejsze w życiu, dane ci jest gratis?
Nie musisz za to płacić: za powietrze w płucach,
słońce, które zapala dla ciebie światło na nowy dzień.
Przychodzi samo, nie musisz w tym celu naciskać guzika.
Komu zapłaciłeś za swoje oczy, za silnik swego serca,
który bije, nie czyniąc hałasu? Czy to nie dziwne,
że dostajesz to wszystko gratis, zupełnie za darmo –
w świecie, w którym miarą wszystkiego są pieniądze?

To, co najistotniejsze w życiu, jest gratis, musi być gratis.
Również to, co ważne dla twego szczęścia,
jest gratis, musi być gratis: przyjaźń i miłość.
W supermarketach można kupić tysiące rzeczy.
Ale nigdzie nie możesz kupić garści radości,
gdy jesteś smutny. Nigdzie nie kupi się
paczki ochoty do życia i uprzejmości.
Za wszystkie pieniądze świata nie kupisz sobie grama miłości.

To nowa choroba: Ja, które za bardzo przytyło.
Dotknięci nią są ludźmi samotnymi i bezdusznymi.
Są gruboskórni, swą grubą skórę zasłaniają drogimi ubraniami,
wznoszą wokół siebie stosowną willę.
Mają wszystko, co można kupić.
Brakuje im jednak tego, co istotne,
co można dostać tylko gratis.
Jak jest u ciebie z tą chorobą? Zaczerpnij głęboko powietrza!
Porozmawiaj ze słońcem, posłuchaj bicia swego serca,
przyjrzyj się cudowi swych oczu. Bądź wrażliwy
na przyjazny uśmiech. I bądź wdzięczny.

19 MAJA

PRAWO DO ŻYCIA

Prawo człowieka, które jest na pierwszym miejscu
i którego nie wolno w żadnym wypadku naruszać,
to prawo do życia. Każdy osobno
i wszyscy razem ponosimy za nie pełną odpowiedzialność.
Zanim podejmie się rozmowę o aborcji,
prawo to musi być bezwzględnie pewne.
„Prawo do aborcji" jest strasznym hasłem.
Protestuje się przeciw wojnie i przemocy,
legalizując przemoc w łonie matki. Cóż za obłuda!

Przy całym szacunku dla sytuacji naprawdę dramatycznych,
wymagających wiele zrozumienia i wymiernej pomocy,
pytam się, dlaczego panuje zaklęte milczenie na temat tego,
co spowodowało sytuację konfliktową.
Czyż nie da się mówić rozsądnie o odpowiedzialności człowieka
za jego związki seksualne?
A może nie można tego wymagać od delikatnych egoistów?
Mężczyźni ponoszą tu często większą winę niż kobiety.
Kto pozuje na dżentelmena, jest w rzeczywistości barbarzyńcą,
jeśli traktuje i wykorzystuje kobiety
do zaspokojenia swoich żądz.

We wszystkim, co jest związane z problemem aborcji,
najbardziej brakuje mi słów „miłość" lub „troska":
troskliwa miłość do wszystkiego, co małe i bezbronne.
Jeśli załamią się wszystkie tamy chroniące przed potężną siłą
egoizmu,
jeśli człowiek nie będzie już bezpieczny w łonie matki,
gdzie w ogóle będzie jeszcze bezpieczny na tym świecie?

20 MAJA

COŚ DOBREGO

Czy powiedziałeś już dziś coś dobrego
o drugim człowieku?
To coś bardzo ważnego.
A może masz nawyk
opowiadania zawsze czegoś złego,
gdy mówisz o innych?
Nie będzie wtedy z ciebie większej pociechy.
Z twoimi oczami coś jest nie tak.
Jesteś ślepy albo widzisz wszystko w krzywym zwierciadle.
Nikt nie lubi wtedy z tobą przebywać.

Jeśli nie przychodzi ci z trudem
mówić dobrze o innych,
to nie muszę nic więcej o tobie wiedzieć:
Lubię cię.
Każdy pragnie z tobą być,
bo jesteś dobrym człowiekiem.

Jeśli chcesz być szczęśliwy w małżeństwie,
mów dobrze o swym mężu, o swej żonie.
Jeśli uważasz, że druga osoba ma właściwie
dziewięćdziesiąt dziewięć wad i tylko jedną zaletę,
opowiadaj o tej jednej zalecie.
Inne dobre cechy
same się ujawnią.
Jeszcze dziś powiedz coś dobrego o innych,
a zapalisz we wszystkich sercach słońce.

21 MAJA

NIEBEZPIECZNA MODA

Niewierność stała się niebezpieczną modą.
Związek na całe życie współczesnym ludziom wydaje się
czymś nie do wytrzymania, gdyż nieuchronnie żąda poświęceń.
Mimo wszelkich frazesów o miłości bliźniego i solidarności
wielu zna się dziś tylko na adoracji własnego Ja.
Jedynie swojemu Ja, jakkolwiek byłoby nadęte,
współczesny człowiek dochowuje wierności i znajduje jeszcze
na to najróżniejsze argumenty psychologiczne.

Gdy niewierność staje się modą, zaczyna się nawet mówić
także o idealnym rozwodzie.
Ale idealny rozwód jest mrzonką.
Już czterysta lat temu ktoś powiedział:
„Najgorsza zgoda jest zawsze lepsza
od najlepszego rozwodu" (Miguel Cervantes).
Rozwód jest ucieczką od siebie.
W małżeństwie zdarza się tyle nieoczekiwanych trudności,
tyle nieprzewidywalnych sytuacji.
Kto uważa rozwód za możliwy,
prędzej czy później znajdzie dla niego powód.

Rozwód często przynosi ze sobą gorzkie rozczarowania,
jest złem dla partnerów, ale czymś jeszcze gorszym dla dzieci,
których całkowicie niewinne życie od samego początku
naznaczone jest poważnymi problemami.
Dlatego musimy za wszelką cenę nauczyć się
doceniać ją na nowo: wartość wierności.

SPRAWY SERCOWE

Bardziej niż jesteś tego świadom, myślisz sercem.
Serce dostrzega ludzi i rzeczy.
Od niego zależy stosunek do twojego otoczenia.
Tego, do czego twoje serce jest przywiązane, będziesz bronić
całym rozumem i wszystkimi siłami woli.
Twoje serce decyduje, dlaczego pragniesz żyć.
Twoje serce decyduje o wartościach, polityce,
światopoglądzie, o które pragniesz walczyć.
To serce zaciemnia lub rozjaśnia umysł.

Jedyną miarą dla serca jest jednak miłość.
Jeśli twoje serce pełne jest egoizmu i nieufności,
twój umysł nigdy nie znajdzie pokoju.
Ludzie się nie kochają, dlatego nie potrafią się pojednać.
Osiągną co najwyżej chwiejną równowagę
na gruncie wzajemnej nieufności.
Nie należy mówić o pokoju,
jeśli nie jest niczym więcej niż wspaniałymi konferencjami,
które odbywają się daremnie na wulkanie,
jeśli nie jest niczym więcej niż wspólnym życiem
pod wysokim napięciem w jednym domu, w jednym kraju.

Pokój i szczęście nie są tworami umysłu,
lecz sprawą serca, sprawami sercowymi.
Korzenie każdego współistnienia będą gnić dopóty,
dopóki nie wyzdrowieje serce człowieka.
Dlatego podstawowym zadaniem każdego człowieka,
także twoim najważniejszym zadaniem, jest kultura serca!

WYPROŚ GO ZA DRZWI

Czy znasz pana Ja?
Dziwny to, ale wcale nierzadki typ.
Jest po trosze wszędzie.
Pan Ja jest pełen siebie.
Żyje i pracuje tylko dla siebie.
Pan Ja uważa się za pępek świata.
Jest głuchy na wszelkie prośby,
na słowa innego człowieka,
ślepy na wszelkie znaki, spojrzenia innego.
Zafascynowany jest bez reszty własnym Ja,
całkowicie zaabsorbowany
własnymi myślami i korzyściami.
Pan Ja nigdy nie ma czasu, nigdy nie można na niego liczyć.

Powiadasz: Znam go.
To mój sąsiad, mój kolega.
Mieszka tuż obok.
Spójrz głęboko we własne serce,
bo może i tam się osiedlił.
Wyproś go za drzwi!
Nigdy się z nim nie pojednaj!
Bądź bliźnim!
Wczuj się w swoich bliźnich,
dziel z nimi ich troski, radości i cierpienia.
Egoizm nie ma sensu. Zapisz sobie to w sercu.

24 MAJA

NIEPOKÓJ

To żałosne, że tak wielu ludzi
nie ma prawdziwego domu.
Wspólne życie w rodzinie
stało się w dużej mierze ofiarą nowego stylu życia.
W wyniku nowych osiągnięć technicznych,
ogólnego dobrobytu i powszechnego luksusu
powstały nowe przyzwyczajenia.
Na zewnątrz stoi przed drzwiami samochód,
ale w domu nie można wytrzymać.
Ma się wspaniały telewizor
i siedzi się przed nim kamieniem cały wieczór.
Można zjeść tanio w supermarkecie,
ale w domu nie siada się już do stołu.

Żyjesz jeszcze? A może ktoś steruje twoim życiem,
prowadzi, kręci, obraca i odstawia,
jak na taśmie produktów masowych?
Nic dziwnego, jeśli po drodze zaginie
zadowolenie, radość i szczęście.
Samochód niech więc stoi, wyłącz telewizor
i ciesz się spokojnym wspólnym życiem,
wspólnym posiłkiem w rodzinie.
Spróbuj być szczęśliwy w prosty sposób.
Przede wszystkim nie poszukuj szczęścia
w rzeczach martwych i bezsensownych.
Szukaj go w pierwszej kolejności w domu,
w serdecznym współżyciu z bliskimi.

25 MAJA

DOKŁADNIE ZBADAĆ

*N*ie jesteś astronautą gdzieś w dalekim wszechświecie,
który z powrotem chce znaleźć się w ludzkim świecie.
Żyjesz pośród ludzi.
Prawdopodobnie są ci bliscy, kochasz ich,
lubisz ludzi, z którymi twoje życie
jest tak silnie związane. Dlatego nie jesteś nigdy samotny.

*G*dy jednak ludzie z twojego otoczenia
stają ci się obcy i wrodzy,
bo nikt cię nie zadowala i ci się nie podoba,
tylko ty sobie samemu,
opuszcza cię wówczas cała radość i stajesz się samotny.
Zaczynasz nienawidzić ludzi,
bo zapalają ci na złość czerwone światła.
Nienawidzisz wtedy ludzi z ich mnóstwem samochodów,
bo nie możesz przez to znaleźć w mieście
miejsca do parkowania.
Nienawidzisz nawet ludzi, którzy pieką
dla ciebie chleb, bo sprzedają go zbyt drogo.

*K*ażdy z nas musi od czasu do czasu dokładnie zbadać
swoje serce, statek kosmiczny naszego życia.
Nie ma zwarcia? Czy w sercu jest wystarczająco dużo tlenu,
by również innym pozwolić żyć?
Czy może zostało uszkodzone przez waśnie?
Albo schłodzone do tego stopnia,
że każdy marznie w twym otoczeniu?
Jeśli pragniesz bezpiecznie wylądować na oceanie pokoju,
regularnie zanurzaj swoje serce
w kąpieli miłości, szczerej miłości
do ludzi, którzy są wokół ciebie.

26 MAJA

MOSTY MIŁOŚCI

Samotność jest wyspą. Czujesz się opuszczony.
Nie masz kontaktu z ludźmi. Nie masz łączności z lądem.
Nie ma mostów wiodących do ludzi. Nie ma regularnie
kursujących statków z dobrymi przyjaciółmi na pokładzie.
Masz wprawdzie piekarza, żeby nie umrzeć z głodu.
Masz listonosza, który przynosi ci
rachunki za wodę, prąd i wywóz śmieci.
Ale nie masz dobrych znajomych, osób naprawdę bliskich.

Być może kiedyś było inaczej.
Żyłeś w poczuciu bezpieczeństwa,
otoczony miłością, ciepłem rodziny,
w towarzyskim kręgu przyjaciół. Ale mosty miłości
to często łatwo zapadające się mosty ze szkła.

Mimo że lubisz być sam, nie możesz być samotny.
Samotność byłaby śmiertelną raną w twym sercu.
Musisz temu zaradzić. Musisz swoją miłością
nawiązywać nowe kontakty, zawierać nowe znajomości.
Sam musisz budować mosty, które wiodą do innych ludzi.
Mosty miłości wymagają cierpliwości i wiele poświęcenia.

Nie ustępuj. Nie pogódź się ze swoją wyspą.
Żaden człowiek nie jest wyspą,
każdy jest ułamkiem kontynentu, cząstką całości.
Dlatego nigdy się nie poddawaj.
Żyj dniem dzisiejszym, nie wczorajszym ani dla jutra.
Żyć dniem dzisiejszym! Trud się opłaci.
Istnieje jeszcze wiele szans na bycie szczęśliwym.
Nie pozwól im umknąć.

---

27 MAJA

W DOMU

Potrzebujesz domu, aby być szczęśliwy.
Nie mając domu, wszędzie będziesz obcy,
będzie ci brakować tysięcy drobnych radości,
które życie niesie ze sobą.
W domu możesz odpocząć, gdy jesteś zmęczony.
W domu znajdziesz zrozumienie i pomoc,
gdy będzie ci czegoś brakowało, gdy coś się nie powiedzie.
W domu znajdziesz przychylność i ciepło,
gdy życie okaże się twarde i zimne.
W domu leży twoje szczęście, cudowne szczęście,
którego poza tym nigdzie indziej nie znajdziesz,
ani w pracy, ani w podróżach,
ani w knajpach, ani w najwytworniejszych hotelach.

Zatroszcz się o dobry, przytulny dom.
Jesteś odpowiedzialny za wszystkich,
którzy w nim mieszkają.
Nie wolno ci rozbić ani kawałka szczęścia domowego.
Nie bądź tyranem, małomównym mrukiem,
kłopotliwym dziwakiem, niewolnikiem telewizji.
Nie buduj domu z drogich tapet,
wyszukanych antyków i nowoczesnych mebli,
lecz na fundamencie dobroci i serdeczności –
najpiękniejszych darów twego serca.
Wtedy wszyscy, którzy z tobą żyją, będą szczęśliwi.

Człowiek przez całe życie poszukuje domu.
Jedynym domem, w którym może na zawsze zamieszkać
i czuć się jak u siebie, jest miłość.

---

28 MAJA

JESTEŚ ANIOŁEM

*A*nioły są ludźmi niosącymi światło.
Tam, gdzie są, robi się jasno i przejrzyście.
Anioły są ludźmi, którym dano w raju
rodzaj pierwotnej radości.
Anioły pomagają stanąć na nogi ludziom załamanym
i w niewidzialny sposób utrzymują równowagę świata.
Czujesz w nich trochę tajemnicę
niezgłębionej dobroci, która pragnie cię objąć.
W ludziach tych czuję, jak przychodzi do mnie Bóg
ze swoją czułością i rozważną troskliwością.

*M*asz problem. Utknąłeś w nim.
I gdzieś ktoś za pomocą niewidzialnej anteny
otrzymuje sugestię, coś w rodzaju nakazu,
by do ciebie przyjść i ci pomóc,
pchnąć cię naprzód lub cię pocieszyć.
„Jesteś aniołem" – mówisz do mężczyzny czy kobiety.
Odetchnąłeś, znów widzisz światło, minęła udręka.
Ale anioły nie zjawiają się na zawołanie czy za opłatą.
Najczęściej przychodzą zupełnie nieoczekiwanie, wskazują drogę,
rozwiązują problem i znikają, nie czekając na podziękowania.

*S*ą jeszcze na świecie anioły, ale jest ich za mało.
Dlatego panuje jeszcze tyle ciemności i niedoli.
Bóg szuka aniołów pośród współczesnych ludzi.
Ale wielu już go nie dostrzega, już nie słucha.
Ich antena już nie odbiera i już nie nadaje.
Chodź, jesteś aniołem, a w twoim otoczeniu
jest dosyć ludzi, dla których możesz być aniołem.

29 MAJA

CZAS NA PRZYJAŹŃ

Poświęć czas przyjacielowi, nie spoglądaj na zegarek.
Wyliczanie czasu za pomocą stopera to nie przyjaźń.
Czyżbyś nigdy sam nie doświadczył,
jak to jest, gdy w pobliżu jest ktoś,
kto ma dla ciebie czas, kto dzieli z tobą radość i cierpienie?
Co znaczy otrzymać serdeczny list,
do którego możesz wracać
w rozpaczliwych chwilach przygnębienia?
Albo spotkać się z kimś, kto być może
nie jest w stanie zmienić twego cierpienia,
ale pozwoli spojrzeć na nie innymi oczyma?
Jak to jest, gdy ukochany człowiek mówi ci:
„Nie, nie jesteś zły. Nie jesteś stracony.
To nic straconego. Nie upadaj na duchu. Odwagi!".

Ilu mniej ludzi cierpiałoby, niosąc swe brzemię,
gdyby znaleźli trochę więcej przyjaźni.
Myśl częściej o tym i uświadom sobie,
że twoi współmieszkańcy, a także bliźni,
z którymi pracujesz, powinni być twoimi najlepszymi
przyjaciółmi.
Wysłuchaj ich, idźcie także czasem wspólnie coś zjeść.
Pamiętaj o drobnych gestach, komplemencie,
dobrym słowie, pocałunku wdzięczności.
Nic nie wnosi do życia tyle radości,
co serdeczność i ciepło przyjaźni.
Zachowują wiosnę w twym sercu.

ZRYWAĆ KWIATY I GWIAZDY

Kocham ludzi, którzy żyją wokół mnie.
Kocham radość, i dlatego radość przychodzi do mnie.
Kocham przyjaźń, i dlatego zrywam gwiazdy,
a mój dzień jest pełen szczęścia.
Nie muszę niczego posiadać, by móc się wszystkim cieszyć.
Jest tego tyle, gdy patrzę na drobiazgi
i na małych, prostych ludzi.
Jest tyle niespodzianek i tyle cudów,
które odkryłem, mając otwarte i zamknięte oczy.
We wszystkich rzeczach pozostała pamiątka po utraconym raju.
Wiem, że nie jest łatwo trafić do nieba;
ale wiem też, że to zupełnie niemożliwe,
by niebo nie przyszło do mnie.

Niebo powinno zaczynać się na ziemi wszędzie tam,
gdzie ludzie są przyjaciółmi i przekazują sobie dobro.
Ale na każdym niebie są chmury.
Nie zawsze jestem w dobrym nastroju.
Przyjaźnie mogą uschnąć jak śliwki.
To nie problem ani powód, by spuszczać nos na kwintę.
Przyjaźnie niczym zasuszone śliwki:
wystarczy trochę wody, a znów napęcznieją.

Życie: wielka przygoda z Bogiem i ludźmi
na świecie światła i ciemności.
Nie pragnę być bohaterem ani męczennikiem, tylko duszkiem,
który zrywa zapomniane kwiaty i śmieje się
z mocarzy siedzących na tronach pieniądza i władzy.

31 MAJA

CZERWIEC

Poszukaj ducha radości,
który jak płomień
przeskakuje z serca na serce

MĘŻCZYŹNI I OJCOWIE

Gdy słucham tego, co dociera do mnie z dalekiego świata,
słyszę strzały, huk bomb,
płacz umęczonych ludzi, kobiet i dzieci.
Słyszę, jak ogromne groby otwierają się
i zamykają nad niezliczoną rzeszą bezbronnych istot.
Słyszę, jak cała natura płacze i użala się
nad taką ilością bezsensownych zniszczeń.

I widzę, że stoją za tym mężczyźni,
którzy wyszukują na mapie cele ataku bomb,
anarchiści pragnący dokonać przewrotu w społeczeństwie,
mężczyźni w białych kitlach reprezentujący przemysł chemiczny,
mężczyźni reprezentujący naukę, pieniądze i technikę,
mężczyźni – uwieńczenie stworzenia. Toż to drwina!
Niewiele słyszę o mężczyznach jako ojcach.
Jedynie gdy z okazji Dnia Ojca można coś na tym zarobić,
zdobi on przez parę dni okna wystawowe.

W rzeczywistości jednak ojcowie są bardzo mało cenieni.
A mimo to są jedynymi mężczyznami mającymi znaczenie
dla życia, radości i miłości na tym świecie.
Są fundamentem i dachem domu tego świata,
w którym matki troszczą się o jego barwę i ciepło.
Ojcowie poczynają i chronią życie.
Być ojcem to być portem, oparciem dla małych, słabych ludzi.
Raz w roku podarować mu krawat to dla ojca zbyt mało.
Lepiej jeśli częściej obejmie go para ramion lub małych rączek,
da mu to o wiele więcej niż wszystkie krawaty świata.

BEZPIECZNY PORT

W naszych czasach ojciec został zdegradowany do zera.
Nie jest w modzie, nie pasuje do dzisiejszych czasów
i co najwyżej gra jeszcze rolę zabawnej postaci.
Jest to szczególny rodzaj postępu.
Na czele maszerują niedorozwinięci,
a głupcy są najbardziej krzykliwi.

Z pewnością zmienił się dziś wizerunek ojca.
Ojciec nie jest już kimś wszechwiedzącym, jedynym,
który może wydawać polecenia i robić to, co chce.
Ale nie musi być z tego powodu degradowany do zera,
do roli tresowanego osła, który jest tyle wart,
ile przyniesie pieniędzy, i który w nagrodę
dostanie być może butelkę wina na Dzień Ojca.

W mediach mówi i pisze się
dziś wiele: wiele głupot.
Niech sobie mówią, niech sobie piszą,
nie bierz wszystkiego tak poważnie.
Sam to przemyśl! Masz zapewne więcej rozumu
niż wielu z tych jednodniowych proroków, którzy mają
lekkie pióro i giętką mowę, ale za mało rozumu,
za mało serca, a za dużo arogancji.

Zadanie ojca pozostanie w gruncie rzeczy takie samo:
być bezpiecznym portem dla każdego dziecka, miejscem,
gdzie wciąż świeci światło, jest mocne oparcie, pokój i radość.
Gdzie mały człowiek może rosnąć i dojrzewać,
gdzie czuje się pewnie i nic mu nie zagraża.

2 CZERWCA

ZRÓB W SERCU MIEJSCE DLA NIEGO

Niedobrze jest zgubić portfel.
Ale o wiele gorzej jest stracić zdrowie.
Wielu mówi: Co się ma z tego życia?
Spotyka się jednak ludzi, którzy mają
gruby portfel i tryskają zdrowiem,
ale najwidoczniej i oni nie mają nic z życia.
Wyglądają na niezadowolonych i sprawiają wrażenie,
jakby mieli w głowie tysiące mrówek biegających
tam i z powrotem.

Czego brakuje takim ludziom? Myślę, że ducha.
Tylko ogień rozgrzeje żelazo, jakiekolwiek by ono było.
Tylko człowiek, w którym płonie i żyje Boży Duch,
ma w sobie ciepło i potrafi ogrzać swoje otoczenie.
Jest to duch, który pozwoli ci znów się odmienić,
który wygładzi twoją szorstkość
i wskaże ci właściwą drogę,
jeśli znalazłeś się na krętej ścieżce.

Tam, gdzie żyje ów duch, przynosi on miłość, radość, pokój
zarówno zdrowemu, jak i choremu,
zarówno wierzącemu, jak i niewierzącemu.
Bo duch tchnie tam, gdzie chce, i mieszka tam, gdzie chce.
Kimkolwiek byś był, poszukuj ducha, proś o ducha.
Zrób miejsce w swym sercu, pozbądź się rzeczy niepotrzebnych
i wpuść do siebie Bożego Ducha
z jego miłością, radością, pokojem.

3 CZERWCA

TO, CO MA WIELE WSPÓLNEGO ZE SZCZĘŚCIEM

To dziwne, ale szczęście nie przychodzi
wraz z bogactwem i dobrobytem.
Biada sytym! Biada ludziom,
którym na niczym nie zbywa. Nie odczuwają już radości.
Bogaci ludzie rzadko są ludźmi naprawdę wesołymi.
To dziwne, ale szczęście nie przyjdzie również wówczas,
gdy będziesz robił tylko to, co sprawia ci przyjemność.
Nikt nie może ci powiedzieć, co musisz uczynić,
aby być szczęśliwy w swym niepowtarzalnym życiu.
Szczęście nie jest gdzieś schowane,
zakopany skarb nie został tylko jeszcze odkryty.
Szczęście nie jest artykułem masowym.
Szczęścia nie da się kupić z metra.
Szczęście dla każdego jest inne.

Ale istnieje wiele dróg, na które nie wolno ci wejść,
jeśli chcesz być szczęśliwy.
Czy przypominasz sobie czasem
dziesięcioro starych dobrych przykazań?
Być może myślałeś nieraz,
że właśnie one stoją na drodze do twojego szczęścia.
Jeśli masz choć trochę doświadczenia życiowego,
na pewno wiesz, że właśnie dziesięcioro przykazań
ma wiele wspólnego z twoim szczęściem.
Najpiękniejsze dni twojego życia nadchodzą wówczas,
gdy żyjesz z innymi w pełnej harmonii,
gdy masz czyste sumienie,
gdy żyjesz w szczerej miłości.

4 CZERWCA

UWOLNIĆ I ODDAĆ SIĘ

*W*iem, że ludzkiego cierpienia nie da się zlikwidować
za pomocą kilku pięknych słów.
Mimo to zadaję sobie czasem pytanie:
Co to da, gdy człowiek chowa się za swoim cierpieniem,
nieosiągalnie daleki dla swych bliźnich?
Spróbuj każdego dnia na nowo polubić życie i ludzi.
Chociaż nie jest to łatwe,
zbierz się przynajmniej każdego ranka na odwagę
i spójrz na wszystko trochę łagodniej.

*L*udzie to nie anioły niosące cię na skrzydłach.
Życie ze swoimi ciosami losu, chorobami,
rozczarowaniami i niepowodzeniami
może być wielkim ciężarem.
Ale jeśli używasz wszelkich środków i nieustannie narzekasz,
wszystko staje się jeszcze gorsze. Gdy masz czarne myśli,
nad twoją głową zbiera się tylko nowe nieszczęście.
Jedyne lekarstwo to uwolnić się, oddać się.
Oddać się miłości za życie, za ludzi.

*Ż*yć dzisiaj! Zamknąć przeszłość.
Nic w niej już nie możesz zmienić.
Otwieraj okno tylko dla pięknych wspomnień.
A przyszłość? Nie martw się za wiele.
Pomyśl o tym, co dziś trzymasz w rękach:
słońcu i świetle; kwiatach, które kwitną;
jedzeniu i piciu; dziecku, które się do ciebie uśmiecha.
Obyś tylko potrafił wierzyć, że za gęstą, tajemniczą zasłoną
nędzy i niedoli stoi ojciec, który cię lubi!
Obyś tylko potrafił mu ufać!

5 CZERWCA

WŁAŚCIWIE NIEWYOBRAŻALNIE PIĘKNE

Czy myślałeś kiedykolwiek, jaki sens
ma twoje życie? Czy może żyjesz tak po prostu z dnia na dzień,
jak słoń, który bezmyślnie wszystko depcze,
czy jak kangur, bo ciągle
myślisz o tym, jak napełnić swój wór?
Czyż nie jest szaleństwem pogoń, zmagania i walka ludzi
o jak najwięcej pieniędzy, majątek i bogactwo,
skoro w końcu wszyscy
zajmą tyle samo miejsca – na cmentarzu.

Czyż to wszystko nie traci sensu, jeśli zapominamy,
że mamy duszę,
co migoce w nas jak wieczny płomień?
Kto żyje dla ciała, nie żyje jak człowiek,
nawet jeśli jest dystyngowanym panem
lub wytworną damą, którzy wiedzą,
jak zachować zewnętrzną formę i pozory.

Uwierz w najlepszą część siebie, w swoją duszę,
i podczas tych zielonoświątkowych dni
stań otwarcie przed Duchem Świętym, który wszystko odnawia.
Poczujesz się wtedy bardzo szczęśliwy.
Zrozumiesz, dlaczego kwitną kwiaty,
dlaczego świeci słońce i szczebiocą ptaki.
Polubisz patrzeć na śmiejące i bawiące się dzieci,
odkryjesz, że życie
jest właściwie niewyobrażalnie piękne.

6 CZERWCA

DUCH, KTÓREGO POTRZEBUJEMY

Potrzebny jest nam nowy duch.
Nie duch, który wszystko niszczy, tępi i niweczy.
Nie duch nienawiści, przemocy, przewrotu.
Nie duch, który wiecznie się skarży i oskarża.
Nie duch rezygnacji i beznadziei.
Nie duch samowoli i rozwiązłości.
Nie duch czystej zazdrości i ślepej złości.

Potrzebny jest nam duch miłości i przyjaźni.
Kto ma serce pełne jadu i żółci,
kto chce radykalnie zburzyć dawne społeczeństwo,
wszystko, co istnieje,
nie zbuduje nowego świata, lecz piekło na ziemi.
Kto gloryfikuje przemoc, nie jest reformatorem, lecz katem.

Musimy żyć razem.
Młodzi ludzie razem ze starymi.
Zachód razem ze wschodem,
północ razem z południem.
Chrześcijanie razem z niechrześcijanami,
wierzący razem z niewierzącymi.
Już bez murów. Ponad granicami.
Razem wszystkie narody, rasy, plemiona, języki.
Wspólne życie w zdrowym duchu,
w duchu miłości, w Duchu Świętym.
Jego owocem są: radość, pokój,
dobroć, wzajemna życzliwość, optymizm.
To to, co dziś powinno w nas wzrastać.

OPTYMIZM

Nie patrz ciągle w dół,
na ciemne strony życia.
Nie bądź pesymistą.
Inaczej nie będziesz miał już ochoty jeść,
nie będziesz już mógł spać,
będziesz przygnębiony, blady i chory.
Spójrz na słoneczne strony życia
i myśl optymistycznie.

Optymizm: najcudowniejsza, najtańsza witamina,
aby żyć długo, zdrowo i szczęśliwie.
Do optymizmu potrzebujesz zdrowego ducha,
nie ducha, który wciąż pyta:
Co mi to da, co będę z tego miał?
Trucizną dla wewnętrznego spokoju jest nieustanna gonitwa
za coraz nowszymi, bardziej wyrafinowanymi uciechami,
za coraz częstszą zabawą i rozrywką.
Przyjemność sprowadzająca się do butelki,
ostatniej stacji w parku rozrywki,
odurzenia i dreszczyku emocji nie jest prawdziwą radością.
Ta tkwi znacznie głębiej.

Prawdziwa radość pochodzi z ducha miłości,
który jak płomień przeskakuje z serca na serce,
z Bożego Ducha.
Życzę ci tego ducha,
niech spotka cię szczęście,
kawałek raju.

8 CZERWCA

CUDOWNE OWOCE

Jestem bezradny wobec ludzkiej niemożności
wzajemnego zrozumienia, uszczęśliwiania i kochania.
Media przynoszą codziennie śmiertelną dawkę
wojen, przemocy, morderstw, ludzkich wybryków.
Każdy zabiera się niefachowo do budowania lepszego świata.
Nikt nie wydaje się gotów sam się zmienić.
Wszyscy mówią o pokoju, ale nikt nie wydaje się gotów
samemu zawrzeć pokój i się pojednać.
Wszyscy mówią bez końca i rezultatu, nie rozumiejąc się
nawzajem.
I tak doszliśmy do wieży Babel, ducha chaosu,
ducha, który dzieli, burzy, niszczy, pogrąża w mroku.

Czy nie możemy w tych dniach spróbować
zachować trochę ciszy, poszukać ducha światła,
Bożego ducha, bez którego sobie nie poradzimy?
Jeśli ów duch mieszka i działa w twoim sercu,
zerwiesz kiedyś cudowne owoce,
które ponownie uczynią z naszego ludzkiego współistnienia
kawałek raju.

Owoce te mają następujące nazwy:
miłość, radość, pokój, cierpliwość, uprzejmość,
dobroć, wierność, czułość i prostota.
Owoce te nie spadają tak zwyczajnie z nieba.
Musisz zdjąć pancerz swego egoizmu.
Nie chcę ci nic narzucać, chciałbym ci jedynie pomóc,
by w twoim sercu zagościły radość i pokój.

9 CZERWCA

WEWNĘTRZNA PRZEMIANA

Jakiego ducha w sobie nosisz?
Ducha chciwości, egoizmu, arogancji,
bojaźliwości, zwątpienia, poczucia niższości?
Wtedy w twoim sercu i wokół ciebie
jest blokada, nie dosięgnie cię żaden promień słońca.
W twoim wnętrzu jest ciemno i zimno. Nie czujesz się dobrze,
nie jesteś zadowolony, a co dopiero szczęśliwy.

Szczęście nie zależy od pieniędzy i przyjemności,
od zdrowia i życia jak w eldorado.
Szczęście i nieszczęście wyrastają z wewnętrznego samopoczucia,
z twoich myśli i odczuć i ze wszystkiego,
co świadomie bądź nieświadomie dzieje się w tobie.
Jeśli czujesz się nieustannie niezadowolony i godny współczucia,
dokonaj natychmiast wewnętrznej przemiany.
Skieruj swe myśli na słoneczną stronę.
Nie pozwól mrocznym uczuciom i namiętnościom
władać dłużej twym wnętrzem.

Dokonaj w tych dniach odnowy! A jeśli jesteś chrześcijaninem,
otwórz szeroko wszystkie okna twego serca
na przyjęcie wspaniałej, nadzwyczajnej mocy ducha,
który chce cię stworzyć na nowo, Ducha Świętego.
Wesprze cię w ubóstwie i niedoli
swą porywającą miłością, radością, dobrocią
i niewiarygodnie cudownym szczęściem.

JAKI DUCH JEST TWOIM NATCHNIENIEM

Zaniedbywanie ducha jest dla szczęścia ludzi
o wiele bardziej zabójcze niż zanieczyszczanie wody i powietrza.
Jeśli ludzki duch jest zepsuty i przeżarty
przez chciwość, pogoń za zyskiem, głód władzy, żądzę prestiżu,
to jest mu też całkowicie obojętne,
czy również w przyszłości będzie można mieszkać na tym
świecie,
czy również w przyszłości będą mogli żyć tu ludzie.
Wszystko, nawet woda i powietrze i cały wszechświat,
jest poświęcane dla żądzy i manii wielkości kilku osób.

Ludzki duch jest najpotężniejszą siłą na ziemi,
niewiarygodnie twórczą lub niesamowicie niszczącą.
Także w twoim własnym życiu wszystko
determinuje duch, który jest twoim natchnieniem.
Jeśli opanował cię duch niepohamowanej krytyki,
duch niezgody i niezadowolenia,
zazdrości, nieczułości i litości nad samym sobą,
twoje dni stają się coraz bardziej szare.
Zatruwasz wtedy życie sobie i innym,
robisz piekło na ziemi.

Życzę ci w tym okresie Zielonych Świątek ducha
dobroci i miłości, optymizmu i nadziei,
Ducha Świętego, który odbiera serca z kamienia
i sprawia, że jak z nieba spadnie ci najpiękniejszy owoc:
prawdziwa, głęboka radość życia, której najbogatsi ludzie
przenigdy nie będą mogli kupić za wszystkie pieniądze świata.

11 CZERWCA

POCIECHA

Życie może być trudne, strasznie trudne.
Życie może poszarpać ci duszę.
W takich okresach dręczącej bezradności
człowiek szuka pociechy.
Nie możesz żyć bez pociechy.
Ale pociechą nie jest
alkohol, środek nasenny, strzykawka,
które cię tylko odurzą i potem wtrącą
w jeszcze czarniejszą noc.

Pociecha jest jak kojąca maść na głęboką ranę.
Pociecha jest jak nieoczekiwana oaza na pustyni.
Pozwala ci znów uwierzyć w życie.
Pociecha jest jak łagodna dłoń w twojej dłoni,
która cię uspokaja i pozwala znów odetchnąć.
Pociecha jest jak ukochana twarz w pobliżu ciebie,
która rozumie twe łzy,
która słucha twego udręczonego serca,
która jest z tobą w twoim strachu i rozpaczy
i pozwala ci zobaczyć kilka gwiazd.

Pociecha to Duch Święty.
Wchodzi tylko przez otwarte drzwi.
Jako prezenty kładzie na stół
pokój, radość i miłość,
dary, którymi możesz żyć.

TRZY RAZY OSIEM

Nasze czasy są męczące, nerwowe.
Lekarze mają ręce pełne roboty
z ciśnieniem, sercem, krążeniem, nerwami ludzi.
Kto, zwłaszcza w miastach, da porwać się
piekielnemu tempu, pośpiesznemu życiu,
ponieważ wszystko musi przebiegać terminowo i planowo,
ten wkrótce się rozchoruje i na wpół oszaleje.

Dobrze spałeś, wstałeś spokojny,
dobrze się czujesz, jesteś w dobrym nastroju
i pełen optymizmu.
Ale przy śniadaniu otwierasz gazetę.
Same straszne wieści: zbrodnie, nieszczęścia,
katastrofy, konflikty narodowe i międzynarodowe.
Nie widzisz nic poza budzącymi grozę obrazami
i przy ostatnim łyku kawy wzdychasz:
„Niech diabli wezmą taki świat".
Twój całkiem niezły nastrój gdzieś się ulotnił.
I tak dzieje się dalej: Cały dzień urabia cię
huk samochodów, dźwięk telefonów,
łoskot maszyn, uliczny hałas,
rzępolenie radia, głos szefa...

Poznaj sekret, jak w tym kotle czarownicy
zachować zdrowie ciała i duszy.
Zaklęcie brzmi „trzy razy osiem":
osiem godzin pracować; osiem godzin spać;
osiem godzin śmiać się, jeść, bawić się, śpiewać, modlić.
Trzy razy osiem! To ratunek dla ciebie.

13 CZERWCA

BĄDŹ SOBĄ

Im bardziej stajesz się ofiarą materializmu,
który wdziera się wszędzie w zatrważającym tempie,
tym bardziej twoje życie osobiste
ulega presji masy,
tym bardziej tracisz radość życia.
Dobra materialne urastają w twym mniemaniu do najwyższej wartości.
Za jedyny sens życia uchodzą powszechnie
własna korzyść i możliwie najwyższy zysk.
Wciąga cię bezduszna szara masa
o pustej głowie i bezbarwnym życiu.
Twój umysł i twoje serce zagłusza
mnóstwo potrzeb i żądz,
które narzucają ci konsumpcja i komercja,
a które nie mają nic wspólnego ze szczęściem.

Poszukaj własnej drogi!
Broń się przed przemysłem reklamowym,
dla którego jesteś tylko maszynką do kupowania.
Broń się przed stylem życia,
który w gruncie rzeczy czci tylko złotego cielca.
Bądź sobą! Masz swój rozum,
masz swoje własne serce.
Nie daj się omamić i uwieść.
Bądź sobą! Idź własną drogą,
rozważny i zdecydowany, w prostocie i miłości.
Być może pierwszy raz przeżyjesz prawdziwą radość.

14 CZERWCA

DLA SIEBIE NAWZAJEM W RODZINIE

*N*ajważniejsze, co masz w życiu do zrobienia,
to kochać, lubić się wzajemnie.
Opiewa się to we wszystkich językach, i słusznie.
To początek i kres szczęścia doznawanego przez ciebie w życiu.
Jeśli ci się nie uda urzeczywistnić w życiu miłości,
twoje życie jest nieudane.
Nie mam tu na myśli miłości fizycznej,
którą tak żarliwie propagują liczne media.

*K*ochać naprawdę po ludzku znaczy żyć dla siebie nawzajem.
Inni – to przede wszystkim nasi bliscy:
mąż, żona, dzieci, ojciec i matka, rodzeństwo.
Jeśli nie masz dla nich serca,
tych, którzy są z twego ciała i krwi,
jesteś potworem.

*J*eżeli w rodzinie nie żyje się dla siebie nawzajem,
nie ma miłości ani szczęścia.
Wtedy całe twoje życie przepływa ci
jak piasek między palcami.
Jeśli jednak twoje serce i dłonie są pełne miłości,
w twoim wnętrzu wybuchnie radość,
będziesz szczęśliwy i uszczęśliwisz innych.
Będziesz wybitnym, wartościowym człowiekiem,
jeśli nawet nie jesteś ministrem, doktorem
czy dyrektorem.

15 CZERWCA

PRZYJAŹŃ

*P*rzetrzymasz wszystko – z przyjacielem,
jeśli nawet nie może on uczynić więcej niż
uważnie cię wysłuchać czy potrzymać za rękę.
Przyjaciel jest w twoim życiu
jak chleb i wino – prawdziwym dobrodziejstwem.
Przyjaciel jest w twoim życiu pociechą w niedoli.
Przyjaciel da ci odczuć prawdziwą ludzką dobroć,
a ty doświadczysz w niej znaku Bożej dobroci.
Najbardziej kompetentna odpowiedź biura pomocy socjalnej,
najszczersza pomoc pracownika socjalnego
nie znaczy dla człowieka w niedoli tyle,
ile zwykły gest, serdeczne słowo przyjaciela.

*D*laczego mężczyzna przy telefonie powiedział:
„Jestem zrozpaczony.
Nie chcę już żyć. Wszystkie oszczędności dostali
psychiatrzy i aptekarze za tabletki,
a gdy te się skończyły, wszystko jest znowu tak samo".
I kobieta: „Skończę ze sobą. Mam czwórkę dzieci.
Mam wszystko, niczego mi nie brakuje. Ale mam dosyć życia".

*C*zyżby nie było przyjaciela, przyjaciółki,
którzy mogli im dać odrobinę poczucia bezpieczeństwa,
gdy w ich świecie wszystko się zachwiało?
Ludzie stają się ofiarą zanieczyszczenia środowiska
psychicznego.
Nie da się wszystkiego załatwić wyłącznie za pomocą pigułek
i psychiatrów.
Tym, co ludziom potrzebne, jest zwykła bliskość i dobroć,
przyjaźń, w której znajdą poczucie bezpieczeństwa.

16 CZERWCA

ZŁE PRZYZWYCZAJENIE

Żyjemy w kłótliwym świecie.
Kłótliwość jest odwieczna, jej korzenie
tkwią w zakamarku naszego serca,
gdzie jesteśmy jeszcze niewychowani i egoistyczni.
Każdy człowiek ma w sobie taki kąt, ty także.

W przypadku ludzi kłótliwych wszystko musi
się odbywać zgodnie z ich wolą.
Nie ma mowy o ustępstwach i pobłażaniu.
W domu kłótnia, bo nikt nie zmywa
lub jedzenie nie smakuje i tak dalej.
Denerwują się na drodze,
bo samochód jedzie za wolno lub za szybko.
W biurze panuje wroga atmosfera,
bo zawsze wszystko wiedzą lepiej.
W zakładzie szerzą zły nastrój,
bo to oczywiście właśnie oni
za dużo pracują, a za mało zarabiają.

U wielu ludzi kłótliwość jest
tylko złym przyzwyczajeniem.
Gdy jeden mówi „białe", drugi mówi „czarne",
bo tak czy owak jest przeciw.
Kłótliwość zużywa bardzo dużo energii,
którą można wykorzystać w sposób bardziej twórczy.
Lepiej rąbać drzewo,
niż robić komuś wymówki!

17 CZERWCA

DROGA DO POKOJU Z SAMYM SOBĄ

Nie szukaj przyczyn swych problemów, konfliktów,
swych niepowodzeń zawsze gdzie indziej,
u swojego męża, swojej żony, swoich przełożonych,
w pracy czy dzisiejszych czasach.
Możesz wiele zyskać,
jeśli poszukasz ich u siebie samego.

Zastanowić się nad sobą, przyjąć prawdę
o własnych błędach i wadach
to jedyna droga do pokoju z samym sobą
i zrozumienia dla innych.
Nie uważaj się ciągle za ofiarę innych,
zanim nie zbadasz całkiem uczciwie,
czy nie padłeś ofiarą własnego Ja,
swego zarozumialstwa, swoich humorów.

Najczęściej oczekujesz zbyt wiele od innych,
a zbyt mało od siebie.
Byłeś dobry dla innych,
nie podziękowali ci za to, a więc mówisz:
„Nie spodziewałem się tego. To koniec".

Zadaj sobie pytanie,
jak spełniasz oczekiwania innych.
Może sobie uświadomisz, jak trudno innym
polubić cię, być dla ciebie dobrym.
Być może musisz wiele naprawić.

KRYZYS

*N*ierzadko odnoszę wrażenie,
że mnóstwo małżeństw zbyt szybko się poddaje.
Jak wiadomo, po pięciu, sześciu latach,
czasem dopiero po dziesięciu nadchodzi kryzys.
Minęło to, co nowe. Słabostki drugiego człowieka
wydają ci się głowami smoka,
które wszystko pożerają, i myślisz,
że wszystko jest już bezpowrotnie stracone.
Cała zwiewna konstrukcja twoich marzeń
zapada się i wielu się poddaje.

*N*ajwyższy więc czas,
aby na nowo zbudować jedność małżeńską.
Nie na podwalinach tego, iż partner
jest taki godny podziwu, czuły i delikatny
czy taki miły, silny i z poczuciem humoru,
lecz dlatego, że solennie postanawiasz
znów bardziej troszczyć się o drugiego człowieka
i bardziej go wspierać.

I wtedy dzieje się cud.
Wszystko, co uznałeś za stracone,
wraca, o wiele bogatsze i głębsze.
Możesz ponownie naprawdę polubić drugiego człowieka.
Nadejdzie nawet dzień, w którym
ucieszysz się z przebytego kryzysu.
A więc odwagi! Nie poddawaj się tak szybko.

19 CZERWCA

TO, CZEGO NIE TRAKTUJEMY WYSTARCZAJĄCO POWAŻNIE

Codziennie spada na nas lawina:
wiadomości o wszystkim, co nie udaje się na świecie.
Wszystko to odkłada się w sercu i odbija na żołądku.
Od czasu do czasu przebłysk światła, a potem znów ciemność.
Ludziom podsuwa się śmierć,
śmierć wszystkiego, co piękne i dobre.
Jak można z tym żyć i być szczęśliwym?
Nie połykaj wszystkiego, co ci codziennie serwują.
Weź część, która cię naprawdę dotyczy
i którą możesz udźwignąć; resztę zostaw.
Uwolnij się od wszystkich fałszywych, rozdmuchanych problemów.

Istnieje coś, czego nie traktujemy zbyt poważnie: radość.
Mówimy wprawdzie, że śmiech to zdrowie. Ale za mało troszczymy się o ten aspekt naszego zdrowia.
Nie chodzi o obłąkańczy śmiech szaleńca,
lecz o śmiech, który wyrasta z wewnętrznego zadowolenia
i wewnętrznej głębokiej radości.

Mam nadzieję, że w twoim sercu
zostało gdzieś jeszcze trochę dziecka.
Nie po to, abyś szedł nieświadomie przez życie,
lecz byś ponownie się zdumiewał i cieszył
z kwitnięcia kwiatu, szczebiotu ptaka,
byś ponownie uwierzył w dobro człowieka.
Codziennie możesz przeżyć cuda,
jeśli otworzysz oczy na tysiąc drobnych rzeczy,
którymi aniołowie ozdabiają twoją drogę.

IDŹ DO LASU

Wsiąść do samochodu, noga na gaz i wciąż jechać przed siebie?
Zatrzymaj się, wysiądź: Idź do lasu!
Kalendarz pełen terminów, biec od jednego do drugiego?
Zatrzymaj się, zrób przerwę: Idź do lasu!
Jesteś wypalony, zmęczony życiem, wszystkim znudzony?
Przecież jest wiosna: Idź do lasu!
Stoją tam i czekają na ciebie drzewa.
Wspaniałe drzewa, w milczeniu rozkoszujące się ciszą
i swymi sokami, które teraz dosięgają czubków gałęzi.
Są tam ptaki i śpiewają dla ciebie.

Człowieku, gdzie się podziałeś? Kiedy słuchasz ptaków?
W lesie panuje cisza, niewymowny spokój.
Chcesz żyć prawdziwie? Nie oznacza to jednak:
żyć w pogoni, dzień w dzień pod presją,
pod presją tysiąca przytłaczających spraw.
Pragniesz wiedzieć wszystko, mieć wszystko,
z wszystkiego korzystać –
po to, by nabawić się wrzodów żołądka?

Idź do lasu! Weź ze sobą kanapkę, świeżą wodę.
Połóż się pod drzewem, ciesz się błogim nieróbstwem.
Najdą cię tam najlepsze myśli i najpiękniejsze sny.
Tam rozwiążą się problemy, które cię dręczą od środka.
Tam umysł twój stanie się jasny,
dusza spokojna, a serce napełni się pokojem.
Być może powiesz teraz: Ach, gdybym to potrafił!
Mówię ci zatem: Jesteś już w drodze do tego!

21 CZERWCA

KAWAŁEK NIEBA

Skromny i prosty uczynek miłości bliźniego
jest więcej wart niż cała konferencja
pełna pięknych słów o „problemie".
Drobny uczynek miłości jest więcej wart
niż wielogodzinne przemowy i spory,
kto ma rację albo komu ją przyznać.

Chodź, drogi mężczyzno, przytul swoją żonę
i pocałuj ją mocno,
a zobaczysz, że oboje macie rację.
A ty, droga kobieto, bądź jeszcze raz naprawdę miła,
jak w tamtych pięknych czasach na początku,
gdy nie mieliście jeszcze problemów.

Nie komplikujcie i nie utrudniajcie
sobie wzajemnie życia.
Wasze wczorajsze dobre życzenia
muszą stać się dziś faktem.
Zwykła szczera miłość wszystko ułatwia.
Mrugnięcie okiem, uśmiech, pocałunek,
uściśnięcie dłoni, drobna przysługa,
a wschodzi słońce.
Dla każdego człowieka jest kawałek nieba,
jeśli go sami nie zniszczymy.

ŁAGODNOŚĆ MA WIELKIE SERCE

Jesteśmy dla siebie czasami tacy okrutni.
Nasz język jest często pełen gróźb i przemocy.
Jesteśmy oburzeni, protestujemy, walczymy – i po co?
Mówimy: o solidarność, o więcej człowieczeństwa.
A jednocześnie zachowujemy się tak nieludzko,
bo nasze zachowanie zatraca wszelki szacunek dla ludzi.
Wciąż jeszcze wierzymy w prawo silniejszego.
Sądzimy, że zawsze mamy rację, żądamy jej za wszelką cenę.
Nasze ludzkie współczucie marnieje i karłowacieje.

Kto wie o własnych błędach i czułych punktach,
jest w stanie łatwiej znieść słabostki innych.
Tak rośnie zrozumienie, duch pojednania, sympatia.
Staniesz się łagodny i tolerancyjny, jeśli wiesz,
jak kruche są wszelkie rzeczy i jak samotni ludzie.
Łagodność ma wielkie serce: Wszystko trafia jej do serca,
wszystkim się wzrusza, bierze wszystko w swoje ramiona.

Pomyśl o wielu ludziach także w twoim otoczeniu,
którzy przez chorobę, biedę, nieszczęścia
odsuwani są powoli od życia.
Łakną uśmiechu, czekają na dobre słowo,
tęsknią za wspólnotą, przyjaźnią.
Pomyśl o ludziach kalekich, potrzebujących opieki,
którzy rzadko lub wcale nie czują ciepła ręki
i pogrążają się w samotności.
Przywdziej współczucie i łagodność dla wszystkich ludzi,
którzy są wokół ciebie, i nie pozwól nikomu marznąć.

23 CZERWCA

DROBIAZGI

Szukaj swego szczęścia w drobiazgach.
Tak, w drobiazgach.
Wielkie rzeczy są zbyt drogie
i musisz na nie zawsze zbyt długo czekać.

Nigdy nie będziesz szczęśliwy,
jeśli nie potrafisz się radować
swoim zdrowiem, mężem, żoną,
swoimi dziećmi lub, jeśli żyjesz sam,
zwykłą szczerą przyjaźnią.

Nigdy nie będziesz szczęśliwy,
jeśli nie potrafisz cieszyć się
słońcem, które świeci,
kwiatem, który kwitnie,
dzieckiem, które się do ciebie uśmiecha.

Jeśli sądzisz, że szczęście leży zupełnie gdzie indziej:
w knajpie, w Paryżu lub na karaibskiej plaży,
to masz całkowicie błędne wyobrażenie o szczęściu.
Wierz mi, szczęście tkwi w drobiazgach,
które masz każdego dnia na wyciągnięcie ręki.

Uwierz więc w życie, uwierz w siebie samego,
uwierz w miłość, uwierz w swoich bliźnich
i przestań utyskiwać i narzekać.
Ciesz się tym, co masz,
i nie czekaj do jutra, by być szczęśliwym.
Bądź szczęśliwy dziś, teraz!

24 CZERWCA

CZY CZAS TO PIENIĄDZ

*L*udzie mówią: „Czas to pieniądz".
Bo pieniądze stały się sensem ich życia.
Dlatego tak wielu ugrzęzło w bagnie.
Pieniądze są potrzebne, ale nigdy nie wiemy,
kiedy mamy ich dosyć.
Czas to pieniądz: To nieprawda!

*T*en, dla kogo czas do życia jest tylko czasem dla pieniędzy,
zabija sam siebie za pomocą maszyny „czas-to-pieniądz".
Nie odczuwa już radości ani szczęścia.
Pragnie zatem pieniędzy, by kupić sobie radość i szczęście.
Za ciężkie pieniądze kupuje drogą rozrywkę i wypoczynek,
ażeby w nich zgnuśnieć duchowo i fizycznie.
Pieniądze, wszędzie pieniądze!
O pieniądze chodzi w fabrykach i biurach, w supermarketach,
na boiskach sportowych, w ośrodkach wypoczynkowych.
Ludzie wiele dokonali, ale nie wyglądają na szczęśliwych.
Życie i praca nie sprawiają im już radości.

*B*yłem ostatnio w wielkim biurze ubezpieczeniowym,
gdzie w wielkich pomieszczeniach za szkłem siedzą niezliczeni urzędnicy.
Gdy zegar pokazał piątą, przez pomieszczenia przeszła burza.
Urzędnicy zerwali się, rzucili do wyjścia.
Jakby za chwilę miała wybuchnąć bomba!
Czy taki jest sens czasu, czy chodzi tylko o pieniądze?
Wyłącz maszynę „czas-to-pieniądz"!
Żyj i rób z miłością to, co masz do zrobienia.
Nie pieniądze, lecz miłość są sensem twego istnienia.
Już w samej miłości rosną kwiaty radości.

GŁUPCY I PRAWDZIWI GŁUPCY

Jeśli pragniesz zbudować wspólnotę,
obojętnie jaką: małżeństwo, rodzinę, grupę,
jej podstawą musi być „miłość". Każdy o tym wie.
Każdy przyznaje ci rację, gdy mówisz: Chodzi o miłość
i bez miłości życie nie jest możliwe.

A jednak w wielu małżeństwach, rodzinach, wspólnotach,
grupach interesów panuje tyle kłótni, sporów i napięć.
Wywołują je, na pierwszy rzut oka, najczęściej drobnostki:
nieporozumienia, niefortunne słowa, głupie zachowanie.
I atmosfera jest już zatruta, zachwyt uleciał.
Głębszą przyczyną marnienia i rozbicia
wielu, niegdyś entuzjastycznie rozpoczętych wspólnot,
nie jest nic innego jak zatwardziały egoizm.

Miłość zaczyna się od stopniowego porzucania chęci
posiadania i bycia ważnym, od dawania siebie bardziej innym.
Jeśli mając taką miłość, jesteś sam w grupie,
będziesz postrzegany jako głupiec i tak też traktowany.
Wykorzystuje się ciebie.
Ale wytrzymaj, aż będzie dwóch albo więcej chcących tak żyć.
A wtedy zdarzy się cud.
Wtedy bycie razem stanie się z czasem świętem.
Wtedy głupcami nie będą ci, którzy kochają,
lecz ci, którzy tylko krytykują lub milczą obrażeni,
bo zignorowano ich lub nie dostali tego, czego chcą.
Chciwość i arogancja to przeciwne bieguny miłości.
Prawdziwi głupcy to ci, którzy nie potrafią żyć,
bo nie są w stanie kochać.

26 CZERWCA

MIEJ CIERPLIWOŚĆ DO SIEBIE SAMEGO

Nie co dzień w życiu świeci słońce.
Każdemu zdarza się czarny dzień.
Dzień, kiedy nie układa się dobrze,
kiedy w ogóle się nie układa.
Nic się nie udaje.

Może nawet przeżyłeś dni,
kiedy miałeś wszystkiego dosyć,
kiedy wolałeś umrzeć.
Jeśli ciągle nic się nie udaje,
jeśli nigdy nie jest lepiej niż się spodziewałeś,
to życie staje się trudne.
Może wtedy zrobić się tak ciemno,
że znikąd nie będzie już widać
promyka nadziei.
Złość może wtedy stać się tak wielka,
że chciałoby się przeklinać wszystko:
życie, ludzi, Boga.

W takich chwilach nigdy
nie podejmuj decyzji.
Miej cierpliwość do siebie samego i poczekaj,
aż prześpisz przynajmniej jedną noc.
Jeśli wierzysz w Boga,
spójrz do góry.
Bo chociaż grałeś wszystkimi swoimi kartami,
Bóg ma zawsze jeszcze atu.

27 CZERWCA

WYROZUMIAŁOŚĆ

*B*ądź łagodny dla swoich bliźnich!
Tak, bądź ostrożny w słowach i sądach o nich.
Mają oni oczywiście na tyle dużo wad,
że zawsze znajdą się powody, by ich osądzać.
Ale nie zapominaj, że i ciebie łatwo zranić.
W tych twardych czasach ludzie muszą być dla siebie łagodni.
Zbyt wielu nie chce wiedzieć nic o sobie nawzajem.
Chcą żyć w całkowitej niezależności od innych.
Na drzwiach ich domu wisi tabliczka:
„Zostaw mnie w spokoju".

*J*ak sprawić, by życie było dla wszystkich znów warte życia?
Wyrozumiałością, ostrożnością, łagodnością, delikatnością,
przede wszystkim wobec ludzi nadwrażliwych,
wobec osamotnionych z powodu trudnego charakteru,
wobec ludzi z kompleksem niższości.
Twarde słowa pełne wyrzutów wszystko tylko pogorszą.
Nie sądź, a nie będziesz sądzony.
Przebacz, a tobie przebaczą.
Bądź wyrozumiały, a znajdziesz zrozumienie.
Bądź uprzejmy, a zyskasz przyjaciół.

*J*eśli wiesz, jak bardzo możesz być niemiły,
zimny, nieczuły i surowy: Bądź łagodny!
A odnajdziesz pokój dla swego serca.
Bezwzględna surowość wobec bliźnich
rzadko przychodzi z zewnątrz,
a najczęściej z serca,
które jest źle wietrzone i słabo oświetlone.

28 CZERWCA

DZIECI I DOROŚLI

Uważa się, że dzieci są szczęśliwe.
Powiada się, że dzieci nie mają trosk.
Zgadza się. Ale jest też wiele wyjątków.
Jest zbyt dużo dzieci, które utraciły swe szczęście,
bo zniszczono ich poczucie bezpieczeństwa,
bo brutalni duzi rzucili się na bezbronnych małych
niczym buldożery i kafary.

Czy nigdy nie miałeś uczucia, że zachowanie dorosłych
często wydaje się dzieciom komiczne?
Gdy spotykają się dorośli,
najczęściej chodzi o liczby. Pytają się,
ile ktoś zarabia i ile ma,
jak dużo egzaminów i jakie układy.
Gdy chodzi o dom, mówią na przykład: „Dwa miliony"
i już wiedzą, jaki to dom.
Gdy opowiadasz dzieciom o przyjacielu,
pytają cię: A można się z nim bawić?
Czy zna wesołe historie, czy potrafi nucić?
Gdy rozmawia się z nimi na temat domu,
pytają o kolor, kwiaty w oknie
i czy na dachu siedzą gołębie.

To, na co spoglądają dzieci, ożywia świeżość, kolor, ciepło.
Dorośli nic z tego nie pojmują. Tacy są i już.
Wciąż mówią o pieniądzach i pracy.
„Dlatego dzieci muszą być bardzo pobłażliwe
w stosunku do dorosłych" – powiedział Mały Książę.

NAUCZ SIĘ ŚMIAĆ ZE SWEGO PECHA

Musisz codziennie uczyć się
być lepszy, weselszy i szczęśliwszy niż wczoraj.
Przede wszystkim nie próbuj każdego dnia mieć więcej,
być w oczach innych bogatszy i większy.
Pomyśl gruntownie o swoim życiu,
o tym, co naprawdę wartościowe.
Nie bądź ofiarą swych uczuć,
niewolnikiem swych namiętności.
Nie chwytaj się nierealnych oczekiwań.
Nigdy nie będziesz szczęśliwy,
jeśli nie kontrolujesz swych uczuć,
jeśli twój dzień potrafi popsuć plama,
rysa, nieporozumienie, niepowodzenie,
złe słowo w domu lub biurze,
odwołane spotkanie, nieudany egzamin.

Poznaj lepiej samego siebie, weź się w garść.
Jeśli sam nie potrafisz się uszczęśliwić,
nie potrafisz także uszczęśliwić innych –
a takie jest przecież właściwie twoje życzenie.
Dlatego zachowaj spokojny, jasny umysł.
Nie dramatyzuj! Mały pech to mały pech.
Nie może cię od razu wyprowadzić z równowagi.
Zostaw swoją smutną twarz w szatni.
Być może będziesz wtedy mógł – na szczęście! –
śmiać się ze swego pecha.

30 CZERWCA

LIPIEC

Masz tylko jedno życie.
Znajdź czas, by być szczęśliwy

MIŁOŚĆ JEST JAK SŁOŃCE

Co sądzisz o słońcu?
Dla większości jest to najzwyklejsza rzecz na świecie.
A mimo to codziennie czyni cuda.
Rankiem rozpala światło i ogień na świecie.
Walczy z chmurami, by nas ujrzeć
i zgotować nam piękny dzień.
Nocą przechodzi na drugą stronę Ziemi,
by i tam dostarczyć ludziom światła.
Gdy słońce gaśnie, wszystkich ogarnia
najczarniejsza noc i lodowate zimno.

Tak samo jest z miłością.
Gdy w twoim życiu wschodzi miłość,
przynosi ci ona światło, ciepło i uczucie błogości.
Gdy masz miłość, może ci wiele brakować.
Nie sprawia ci trudności rezygnacja z czegoś
dla szczęścia i radości innych.
Nie odczuwasz potrzeby bogactwa i luksusu
i najnowszych zdobyczy techniki.
Kto ma miłość, temu może wiele brakować.

Dlatego nie zgub miłości!
Jeśli w twoim życiu zajdzie miłość,
cienie będą zataczać coraz większy krąg
i ogarnie cię coraz większy mrok i zimno.
Miłość jest jak słońce.
Kto ją ma, temu może wiele brakować.
Ale komu brakuje miłości, temu brakuje wszystkiego.

1 LIPCA

WOLNY CZŁOWIEK

Jeśli zdarzy ci się mieć pięć minut wolnego czasu,
czy wiesz, co powinieneś wtedy robić?
Nic! Nic nie rób, niczym się nie zajmuj.
Zadbaj o spokój: wyłącz radio i telewizor,
odłóż gazety i tygodniki. Odstaw, wyłącz.
Wyzwól się ze szponów społeczeństwa konsumpcyjnego,
które niczym wampir próbuje za pomocą agresywnej reklamy
wyssać z ciebie resztki wolności i ducha.

Zadbaj o ciszę wokół ciebie, zadbaj o ciszę w tobie.
I zmierz temperaturę. Musisz wiedzieć, czy jesteś już martwy,
czy umarłeś skrępowany kaftanem zarabiania, zakupów,
konsumpcji i zostałeś złożony w trumnie czystej materii.
Znam sposób na gorączkę konsumpcji. Może jedyny,
który pomaga: zachowanie umiaru, samodyscyplina,
umiejętność rezygnacji.
Nie oznacza to bezsensownej udręki i okaleczania się.
Chodzi o opanowanie żądzy namiętności,
które prowadzi do duchowej wolności, wewnętrznego pokoju,
radości.

Takie odkażenie i oczyszczenie życia
otworzy ci oczy na sprawy wyższe i piękniejsze
niż pieniędze i przyjemności, seks i sensacja.
Uwrażliwi cię na świat i ludzi.
Nie rzucasz się już łapczywie, umiesz się uwolnić.
Znów potrafisz się zdumiewać, być delikatny i ostrożny.
Potrafisz pracować i się bawić.
Stajesz się wesoły, cieszysz się życiem.
Stajesz się wolnym człowiekiem.

2 LIPCA

SZCZĘŚLIWI ZE SOBĄ

*P*isze do mnie mężczyzna:
„Właśnie zakończyłem kłótnię z żoną.
Zdecydowaliśmy się zacząć od nowa
mieć dla siebie nawzajem więcej wyrozumiałości.
Nigdy więcej wojny – w rodzinie!”.

*J*ak to jest u was w domu?
Domowe zajścia są nieuniknione,
ale nigdy nie pozwól sprzeczkom rozrosnąć się
do stanu wzajemnego oblężenia.
Nie kuj w swym sercu planów zemsty.
Jeśli chcesz się koniecznie odpłacić drugiej osobie,
to odpłać się pocałunkiem. Tylko tak!
Gdy wciąż jeszcze tli się płomień wrogości,
pewnego dnia eksploduje u was bomba.
Nie idź nigdy spać bez pojednania.
Życie jest o wiele za krótkie, by je marnować na kłótnie.
Kto żyje z kimś, powinien być z nim szczęśliwy.
Nie jutro, lecz dziś!

*J*est jeszcze wiele szczęśliwych małżeństw i rodzin.
Małżeństw, w których wspólnie przeżywa się radość,
nawet jeśli zdarzają się trudne sytuacje.
Rodzin, w których wspólnie się śmieją i płaczą,
w których czasem także obrywa się chmura.
Ale zaraz potem znowu świeci słońce
na błękitnym niebie.

3 LIPCA

OPANOWANIE

W dzisiejszych czasach jest wielu niespokojnych ludzi,
zagonionych, zaszczutych, zastraszonych,
ludzi, którzy przez całe życie uciekają.
Chcę spróbować dać ci dobry przepis
na opanowanie, duchowy spokój.

Nie nadwerężaj swojego silnika.
Śpiesz się, gdy musisz,
ale nie ganiaj dziko cały dzień dookoła.
Pracuj i jedz w spokoju,
zrób od czasu do czasu pożyteczną przerwę.
Nie pal i nie pij za dużo,
a ze swojego odpoczynku nie czyń
nerwowej pogoni za przyjemnościami.

Nie denerwuj się, nie pozwól się wciągnąć
w ryzykowne sprawy sercowe czy pieniężne.
Nie przegraj szczęścia, które masz dziś,
przez przesadną troskę o jutro.
Czyń, co w twojej mocy, i na tym poprzestań.

Jeśli wierzysz w Boga,
jeśli kochasz go jak prawdziwego ojca,
nawet podczas ciężkich burz
nie stracisz oparcia i będziesz spokojny
jak dziecko, które myśli:
ojciec stoi przy sterze.

---

4 LIPCA

NAJWAŻNIEJSZE, CZEGO POTRZEBUJESZ

Spotkałem w biednym kraju ludzi,
których nie mogę zapomnieć.
Byli bardzo ubodzy, mieli jednak coś,
co z trudem jestem w stanie pojąć:
uprzejmość, wesołość, gościnność.
Tego w ogóle nie da się opisać.
Nigdy mnie wcześniej nie widzieli,
a mimo to nie byłem dla nich obcy.
Serdeczność, z którą się do mnie odnosili,
oferowali przysługi, otwierali drzwi,
poruszyła mnie do głębi.

Odkryłem, że mimo swego ubóstwa
byli jednocześnie bardzo bogaci:
bogaci w spontaniczną chęć do życia, gościnność i radość,
wszystko to, co u nas stało się taką rzadkością.
Nie byli to ludzie, którzy umieraliby z głodu,
ale brakowało im wielu rzeczy,
które nam wydają się nieodzowne.
Czego brakowało im, a czego brakuje nam?

W nienasyconym głodzie posiadania coraz więcej
bogaci stają się często biednymi żarłokami.
Brakuje im najprostszych radości życia,
bo nie są już w stanie
cieszyć się najprostszymi rzeczami w życiu.
Co masz z tych wszystkich zgromadzonych przedmiotów,
jeśli twoje serce jest puste? Możesz bez trudu mieć niejedno.
Ale pierwsze i najważniejsze, czego potrzebujesz,
to miłość i radość w twoim sercu.

5 LIPCA

CHOROBA MOWY

Mówienie jest na topie, czyny są niemodne.
Jeszcze nigdy nie mówiono tyle co dziś.
Jeszcze nigdy nad głowami ludzi
nie przetaczała się lawina tylu pustych, bezsensownych słów.
Każdy pragnie mówić, każdy chce zabrać głos.
Ale tylko niewielu ma coś do powiedzenia,
bo tylko niewielu potrafi znieść
ciszę i wysiłek myślenia.

Niegdyś zarazek choroby mowy
kochał stoliki w restauracjach i spotkania przy kawie.
Dziś wirus ten atakuje popularny talk-show,
zebrania, konferencje, kongresy,
debaty publiczne,
najchętniej ludzi, z których jeden
twierdzi o drugim coś wręcz przeciwnego.
Wirus mowy czuje się nadzwyczaj dobrze
w niezrozumiałych wyrazach obcych lub frazesach:
„Wychodzę z założenia" lub „W moim odczuciu"
albo „To nie ma sensu".

Módl się każdego dnia słowami tej zwykłej,
aktualnej modlitwy:
„Panie, pomóż mi trzymać mój wielki język za zębami,
aż będę wiedział, co mam powiedzieć. Amen".
Zastanów się: Lepiej jest milczeć
i tylko głupio wyglądać,
niż dużo mówić i w ten sposób udowadniać,
jak bardzo jest się głupim.

6 LIPCA

NIE MIAŁ NIC

Czy znasz historię o umierającym królu?
Doktor powiedział mu: „Wyzdrowiejesz,
jeśli znajdziesz szczęśliwego człowieka
i będziesz mógł przywdziać jego koszulę".
Jego ludzie całymi dniami przeszukiwali kraj,
aż w końcu znaleźli szczęśliwego człowieka,
ale ten nie miał nic, nawet koszuli.

Historia ta mówi:
Szczęście nie ma nic wspólnego z posiadaniem.
Nie przychodzi nigdy z banku czy wraz z czekiem pocztowym.
Można kupić słoneczne wakacje.
Ale nie możesz kupić zadowolonego serca,
które pozwoli ci cieszyć się tym, co masz.
Dlaczego tylu szalenie bogatych ludzi często
jest tak niezadowolonych ze swego wygodnego życia,
głęboko nieszczęśliwych? Są uwiązani na łańcuchu.
Ponieważ chcą mieć wszystko tylko dla siebie,
ich serce zamarło. Nie zazdrość im.
Zadbaj o zadowolone serce,
a wtedy szczęście podąży za tobą jak cień.
A inni niech szukają go na Riwierze.

Barometrem szczęścia jest sumienie.
Wyrzuty sumienia powodują spadek słupka barometru,
czyste sumienie – jego stały wzrost.
Czyste sumienie wyzwoli cię,
podaruje ci zadowolenie i prawdziwą radość.
Mając czyste sumienie, jesteś bogaty.

7 LIPCA

DIAMENT

Być może jesteś prawdziwym diamentem.
Ale diament nie byłby taki piękny,
gdyby nie został oszlifowany.
Są ludzie, którzy mogliby błyszczeć
niczym cudowny diament,
ale są surowi i nie oszlifowani.

Nie oszlifowany: przywiązuje wagę do drobnostek.
Prostacki i odpychający jest ten, kto na wszystko tylko narzeka,
kto wije się do przodu jak wąż,
kto prędko się denerwuje, kto nie może nic stracić,
kto godzinami opowiada o swych cierpieniach,
kto podczas rozmowy nie potrafi słuchać.
Biedny diament, który drzemie głęboko w twym wnętrzu
i któremu nie dajesz szansy zabłysnąć
i ukazać cały swój urok.
Czy jest coś, co należy oszlifować?
Pozwól ujrzeć twemu diamentowi światło dzienne.
Nie zwlekaj ze szlifowaniem, nie broń się przed tym.

Cudownymi kamieniami oszlifowanymi są na przykład
trudne sytuacje, ciężkie ciosy losu.
Albo ludzie, którzy cię dobrze znają
i zwrócą ci uwagę na to, co w tobie nie oszlifowane,
na przykład mąż, żona,
przyjaciel, przyjaciółka, kolega, przełożony.
Po delikatnym oszlifowaniu staniesz się cennym klejnotem,
który najchętniej chciałoby się ukraść.

KRES CZŁOWIEKA

Żyjemy w świecie, który jest chory.
Powszechna moralność upadła tak nisko, jak nigdy dotąd.
Jest to przyczyną rozruchów, nędzy, wojen, zbrodni,
które w każdy wieczór podsuwa nam telewizja.
Dzień w dzień straszliwe widoki brutalności,
z którą ludzie atakują ludzi.

Powszechna moralność: odzwierciedlenie w dużym wymiarze
tego, co w pomniejszeniu serwują nam niekończące się seriale
telewizyjne,
niezliczone kryminały, filmy kinowe, kolorowe magazyny.
Świat bez miłości, moralność bez Boga,
nawet jeśli opakowane we wzruszające historyjki
i zakłamaną filantropię.
W imieniu tej moralności rozpętuje się brutalną przemoc.
Dorośli bestialsko napadają na dzieci,
a nawet dzieci zaczynają zabijać dzieci.
Małżeństwa rozchodzą się, jakby to było czymś zwyczajnym.
Odciskają piętno na własnych dzieciach,
zostawiając zabójczy ślad w postaci zaniechanej miłości.

We własnym sumieniu tłumi się Boga
tak samo jak w sumieniu świata. Wszędzie gasną światła.
Pogrążamy się w nocy, nadeszła godzina ciemności.
Człowiek wydany na pastwę człowieka bez Boga,
wtrącony do dżungli, w której panują współczesne bożki:
żądza władzy, mania prestiżu, żądza użycia, egoizm, seks
i pieniądze.
To kres wszelkiej radości, wszelkiej miłości, wszelkiego
szczęścia.
Kres człowieka.

---

9 LIPCA

„NIGDY NIE UŚMIECHNĘŁO SIĘ DO MNIE DZIECKO"

W tym okresie urlopowym otrzymuję gorzki,
ale szczery list od niepełnosprawnego.
Zmusza mnie on do rozmyślań, jeśli nawet
zmąci radość z urlopu. Pisze:

Znam odpowiedzi na mój los:
„Zaakceptować, pogodzić się, cierpieć za innych".
To wszystko bezsens, kłamstwa zapakowane w watę.
Wzrastałem w litości, a nie w miłości: „Ach, jaki biedny!
To dopiero okropne! I do tego jeszcze taki mały!".
Ale mały człowiek urósł, a codziennie prowadzi się
go jak owcę na rzeź, za każdym razem inaczej.
Ciągle się na niego gapią i wytrzeszczają oczy.
Czy może Pan sobie wyobrazić dziecko,
które nigdy nie miało się z kim bawić?
Mam czterdzieści lat, nigdy nie znalazłem partnerki.
Jestem też niemożliwy: zazdrosny, nieufny, rozdrażniony,
nie do zniesienia. A jaki by Pan był na moim miejscu?
Gdy kiedyś ktoś zechce mnie wysłuchać, wyładuję przed nim
całą swoją złość: przede wszystkim na młode dziewczęta.
Czymże zasłużyły na swe piękne twarze i nieskazitelne ciała?
Nienawidzę małych dzieci.
Czy Pan wie, że jeszcze nigdy nie uśmiechnęło się do mnie
dziecko?

Straszne wyznanie. Wzywa nas do rozmyślań
i wielkiej wdzięczności, bo zdrowie to nie prawo, lecz dar.
I wzywa nas do okazania wielkiego, gorącego serca
tym, którzy cierpią tak bardzo i niezasłużenie.

ZWOLNIJ TEMPO

Ludzie mniej pracują, czas pracy się skraca.
Ludzie mają więcej czasu wolnego, więcej urlopu.
A jednak gdzie nie spojrzeć, wciąż nagli ich czas.
Gdy się ich o coś poprosi, mówią najczęściej: „Nie mam czasu".

Ludzie nie mogą zwolnić tempa, uspokoić się,
odetchnąć, nawet podczas urlopu.
Biura podróży pędzą ich jak owce do wakacyjnych rajów.
Także z urlopu i wypoczynku uczyniono przemysł.
Musisz jechać tu i tam, wszystkiego zasmakować,
wszystko zobaczyć, wszystko przeżyć, wszędzie być.
W czasie wolnym jest tyle rzeczy, w których
po prostu musisz brać udział, bo wszyscy tak robią.
Inaczej będziesz dziwakiem lub odludkiem.
Musisz dotrzymać kroku. We wszystkim musisz stanąć na
wysokości zadania.
Musisz dobrze zorganizować swój wolny czas.

Dlatego proponuję ci: Raz nie rób nic!
Albo zrób coś, czego nie musisz, lecz na co masz ochotę.
Życie i z pewnością urlop nie są przecież taśmą produkcyjną,
która ci pokazuje, co masz robić.
Zwolnij tempo, wysiądź, poszukaj ciszy.
W ciszy odnajdziesz cudowne radości życia,
które ludzie zagubili w hałasie i stresie.
W głębokim milczeniu najbardziej
zbliżymy się do źródła miłości.
Będziemy szczęśliwi bez słów i pragnień.

11 LIPCA

SAMOTNI LUDZIE

Czy znasz samotność swoich bliźnich?
Samotność więźnia, który widzi słońce
i wie, że na zewnątrz nikt o nim nie myśli.
Samotność chorego, który ma niewielkie,
jeśli nie żadne, widoki na wyzdrowienie,
i który całymi dniami czeka na odwiedziny.
Samotność starego mężczyzny, starej kobiety,
którzy żyją sami i których żonate bądź zamężne dzieci
nie mają dla nich czasu i nie interesują się nimi.
Samotność matki bez męża,
która sama musi troszczyć się o dzieci.

Czy znasz rozdzierającą samotność ludzi,
którzy wygłodzeni leżą w tak wielu miejscach Azji, Afryki
czy Ameryki Południowej i czekają na śmierć?
Wewnętrzną samotność tak wielu współczesnych ludzi,
którzy przesyceni dobrobytem i przyjemnościami
zaczynają się bać bezsensu swego życia.

Wycisz się i zadumaj, zadając sobie pytanie:
Co warte jest moje życie? Czy nie otrzymałem zbyt dużo?
Dlaczego tak wielu musi tak cierpieć?
Jeśli możesz swą obecnością i dobrym sercem
uczynić choćby jednego człowieka szczęśliwym,
poprawiłeś świat.

POTRAFIĆ DAWAĆ

Kto chce, by zawsze spełniano jego wolę,
kto staje się nieustępliwy i gderliwy,
gdy coś nie idzie po jego myśli,
ten jeszcze nie wydoroślał,
lecz pozostał dzieckiem.
Małe dziecko jest egoistyczne,
chce zawsze mieć i szczęśliwe jest dopiero wtedy,
kiedy to dostanie.
Dorosły musi umieć dawać.
W tym tkwi jego szczęście.

Dorosły, który myśli tylko o sobie
i domaga się wszystkiego dla siebie,
pozostał małym dzieckiem.
Można spotkać wielu mężczyzn i wiele kobiet,
którzy jeszcze nie dojrzeli i nie wydorośleli
i dlatego zawsze są ciężarem
dla swojego otoczenia.

Pomyśl o tym: w domu i w pracy.
Pomyśl o tym wychowując.
Sam bądź dorosły
i pomóż dzieciom wydorośleć.
Naucz ich, by podczas zabawy, i nie tylko,
czasem oddać i ustąpić.
Okres wakacji może być wspaniałym czasem nauki
szczęśliwego życia.

13 LIPCA

ŻELAZNE ZASADY

Tak, to możliwe,
pozostawać w związku małżeńskim i mimo to być szczęśliwym.
Trzeba tylko trzymać się paru żelaznych zasad,
przede wszystkim w sytuacjach krytycznych.

Miłość wymaga, by być wobec siebie
uprzejmym, miłym i dobrym.
Odrobina szacunku i przychylności
wyrażonych w jednym słowie uznania
lub pocałunku jest nieskończenie więcej warta
niż wszelkie zrzędzenie i gderanie
na błahostki, które nie wychodzą.

Najgorsza ze wszystkiego jest obojętność,
zabójcza dla szczęśliwego pożycia.
Przełamcie więc czasem szarzyznę swego życia.
Idźcie razem do miasta coś zjeść,
zróbcie co jakiś czas coś specjalnego.
Przede wszystkim nie róbcie sobie wymówek,
nie mówcie o sobie uwłaczających słów,
a już zwłaszcza nie w obecności innych.

A jeśli jesteście chrześcijanami, módlcie się wspólnie.
Wasza wspólna modlitwa będzie
jak połyskująca złota nić
łącząca was z Bogiem i ze szczęściem.

ŻYĆ ZNACZY KOCHAĆ

Żyć znaczy kochać!
Kto nie kocha, ten jest martwy jak kamień.
Żyć znaczy wstępować w lepszy świat,
w którym możesz być szczęśliwy – mając miłość.

Żyć znaczy lubić słońce, powietrze, drzewa, zwierzęta.
Żyć znaczy uważać za piękne kwiaty, które kwitną,
i autostradę, która się rozwija przed tobą
niczym dywan do nowych horyzontów.
Żyć znaczy lubić swoją pracę,
swoje zdolności, miejsce w społeczeństwie.

Żyć znaczy śmiać się, śpiewać, skakać z dziećmi,
objąć męża, żonę,
otworzyć szeroko swe serce na ludzi,
przede wszystkim na tych, którzy cię potrzebują,
którzy domagają się radości w twych oczach,
ciszy, pokoju, ciepła twoich słów,
pociechy i pomocy twojej głowy i twoich rąk.

Życie to wspaniałe wydarzenie.
Może jeszcze nigdy nie żyłeś naprawdę,
bo nie znasz prawdziwej miłości,
miłości, która wymaga starań, może też zadać ból,
która jednak w świecie zdominowanym przez seks
wyciągnie cię z odmętu egoistycznych namiętności
i zwierzęcych żądz.

15 LIPCA

NASTAWIONY NA NOWO

Jak się czujesz? Źle, nie w humorze, bez ochoty do życia?
Jaki wstajesz rano? Zmęczony, obawiając się nowego dnia?
Są ludzie, którzy zawsze widzą złe rzeczy,
od razu jak tylko otworzą oczy,
którzy każdego ranka wstają z czarnymi myślami.
Gdyby człowiek był maszyną,
w sprzedaży byłby już od dawna drogi aparat
do wlewania ludziom co rano dobrego humoru.

Jak to jest, że niektórzy ludzie,
nawet gdy świeci najpiękniejsze słońce, robią kwaśną minę,
podczas gdy inni potrafią nucić w deszczu?
Zależy to od tego, jak nastawiono cię w głębi twojego serca,
w głębi twojej duszy.
Może musisz inaczej pomyśleć o sensie życia.
Może musisz odnaleźć Boga:
nie mglistą bezosobową istotę, w oddali,
lecz przyjaciela jak ojciec, całkiem blisko.

Ludzie potrzebują Boga bardziej, niż im się wydaje.
Ale Boga musisz doznać, doświadczyć.
Nie uda się to z bezdusznych książek.
I musisz zapłacić za to cenę:
wyciszyć się, pomodlić, uwolnić,
przede wszystkim od zarozumialstwa.
Dzięki intensywnemu obcowaniu z Bogiem
zyskasz nowe spojrzenie na rzeczy
i każdego ranka nowe serce.

16 LIPCA

NIE BĄDŹ LATEM JAK NIEDŹWIEDŹ POLARNY

To ogromnie ważne być w dobrym humorze.
Może pogoda była pod psem,
że większość ludzi wygląda tak ponuro,
że tak nieliczni są zadowoleni i weseli.
Może niebo nie miało ochoty
pozwolić słońcu świecić
na tyle ponurych min, na spory i kłótnie,
na nasze głupie, żałosne pretensje.

A gdy słońce porządniej przygrzeje,
ludzie od razu zaczynają się rozbierać,
bo myślą, że brąz jest o wiele ładniejszy od bieli,
że z opalenizną wygląda się o wiele młodziej.
Nikt nie wydaje się myśleć o tym,
że najdłużej żyją ludzie,
którzy są najbardziej pogodni i weseli.

Dlatego nie troszcz się tak bardzo o opaloną,
lecz przede wszystkim o radosną twarz.
Nie bądź jak niedźwiedź polarny,
w którego otoczeniu się marznie,
mając wrażenie, że jest się w lodówce.
Nie bądź jak niedźwiedź polarny, zwłaszcza nie latem,
podczas wakacji, czy świeci słońce, czy też nie.
Uważaj na siebie, byś nie wyglądał staro.
Bądź zachwycony, zrób wesołą minę
i zadbaj o to, by dla innych świeciło słońce.
Wtedy zaświeci także dla ciebie!

17 LIPCA

BARDZO DOBRE LEKARSTWO

Weź czasem swe serce do ręki,
odwróć wnętrze duszy na zewnątrz
i przyjrzyj mu się dobrze.
Czy w twoim sercu jest może ponuro?
Czy jest ono beczką rozczarowań?

Wiem: Ciosy, jakie zadaje los,
piętrzące się trudności,
narastające problemy
– to wszystko zużywa twoją energię.
Czyni cię zmęczonym i znużonym.
Twoje serce jest tak pełne kłopotów,
że nie ma w nim miejsca na radość i słońce.

Co możesz zrobić?
Odsuń parę trosk na bok,
by zrobić miejsce, przynajmniej troszeczkę –
na ufność w Bogu i chęć do modlitwy.
Mimo całego dobrobytu wielu zapada się dziś
głęboko w bagnie swych kłopotów.

Próbuje się je usunąć i odzyskać formę
za pomocą pigułek, kuracji i diet.
Zapomniano całkiem o cudownym środku.
Najlepszym lekarstwem na chore,
nieszczęśliwe i zawiedzione serce
jest cicha modlitwa. Spróbuj raz!
Przywołaj do serca słońce. A wszystko znów będzie dobrze.

JAK ŚLEPIEC W SŁOŃCU

Wierzę w Boga.
Jestem szczęśliwy, że mogę wierzyć.
Stykam się z wieloma ludźmi
i widzę czasem, jak bez Boga
siedzą zamknięci w ciemnym lochu.
Jeśli się od życia oczekuje wszystkiego,
a potem coś się nie powiedzie,
można szybko oszaleć.
Nie znajdujesz odpowiedzi na swoje pytania.

Jestem humanistą, przyjacielem ludzi
właśnie dlatego, że wierzę w Boga.
Wiara w Boga otworzyła mi okno,
przez które mogę
spoglądać na życie i ludzi.
Z Bogiem wszystko ma więcej sensu, więcej spełnienia,
więcej radości, pokoju, zadowolenia.
Z Bogiem łatwiej jest znieść cierpienie,
nie tracisz tak szybko nerwów,
nigdy nie jesteś zrozpaczony.

Wiara w Boga to prawdziwy dar.
Trzeba być szeroko otwartym na ten dar
i potrafić się ukorzyć.
Jesteś troszeczkę jak ślepiec w słońcu.
Nie widzisz wprawdzie Boga,
ale całym sobą
czujesz jego obecność i ciepło.

19 LIPCA

RZECZY, Z KTÓRYMI MOŻESZ UMRZEĆ

Straciłem przyjaciela,
niezastąpionego przyjaciela. Był księdzem
i umarł w wieku czterdziestu jeden lat.
Od siedmiu lat był skazany na śmierć.
Świadomie przeżywał powolny upadek fizyczny,
wszystko przyjmował z niezwykłą siłą woli.
Może to niewiarygodne, ale
jako człowiek i ksiądz był głęboko szczęśliwy.
Mając swe czterdzieści jeden lat,
doświadczył być może więcej niż niektórzy,
mając osiemdziesiąt.

Kochał usilnie życie, ludzi,
ale czuł także mocno, jak względne są rzeczy.
Gdy widział, jak ludzie emocjonują się i uganiają
za błahostkami, mógł nieźle się bawić.
Mimowoli pomyślał o teatrze marionetek. Powiedział:
„Dom, który budujesz na świecie, jest iluzją.
Jedynie rzeczy, z którymi możesz umrzeć, są warte tego,
by z nimi żyć, a tych jest niewiele".

Dla niego były to: głęboka ufność w Bogu
i serdeczna przyjaźń z ludźmi.
Nawet w najczarniejszych chwilach był gotów
powiedzieć „tak" Jezusowi, Panu zmartwychwstałemu.
I mógł napisać z egzaltacją: „Jestem
najszczęśliwszym człowiekiem dwudziestego wieku".
Możemy się od niego wiele nauczyć.

20 LIPCA

KTO TRACI UMIAR

Pozostań we wszystkim prosty!
Nie bierz udziału w powszechnym blagierstwie
i biciu piany.
Najlepszą reakcją
na chełpliwą, napuszoną,
nadętą bufonadę będzie śmiech.

Można pęknąć ze śmiechu, gdy się widzi,
co czasem najbardziej zajmuje ludzi:
pozory, supermodny wygląd,
efektowny slogan, uwodzicielski makijaż.
Przystrajają się napuszonymi tytułami,
chwalą najdalszymi rajami urlopowymi.
Najmniejszy warsztat staje się „centrum serwisowym".
Na świat wypuszcza się wiele kolorowych balonów
ze zgrabnymi hasłami, a w środku nie ma nic prócz powietrza.

Czasami jest to śmieszne,
ale potem także smutne, bo okazuje się,
że nie ma za tym nic prócz przerażającej pustki,
straszliwej bezduszności.
Najwyższy czas zachować umiar!
Najwyższy czas zejść na ziemię,
na grunt prostoty i szczerości!
Kto traci umiar, ten się ośmiesza.
Nadęta kropka nie jest niczym innym niż wielkim zerem.

NAJSZCZĘŚLIWSZA RYBA ŚWIATA

Nie wiem, czy jesteś szczęśliwy.
Ale jeśli chciałbyś być szczęśliwy,
to chcę ci coś powiedzieć:
Spróbuj być szczęśliwy z twoimi możliwościami,
w twojej sytuacji, w twej własnej skórze.

Miałem sen. Była sobie szczęśliwa ryba.
Patrzyła na mewę kołyszącą się na morskich falach
i bawiącą się z wiatrem, i myślała,
że musi być ona o wiele szczęśliwsza od niej.
Poprosiła więc małpę, by wyciągnęła ją z wody.
Ta zrobiła to bystro i przeniosła ją na ląd.
Przyszedłem jeszcze w porę, już umierała.
Szybko wrzuciłem ją ponownie do wody.
Była teraz najszczęśliwszą rybą świata.

Gdy się obudziłem, nagle zrozumiałem,
że bardzo wielu ludzi jest nieszczęśliwych,
ponieważ nie potrafią się pogodzić
ze swoimi granicami, ze swoją sytuacją,
ze swoimi ograniczonymi możliwościami,
ponieważ nie czują się dobrze w swojej skórze.
Dopóki myślisz, że ktoś inny jest bardziej szczęśliwy,
ponieważ mieszka na drugim, o wiele piękniejszym brzegu,
dopóty sam będziesz bardzo nieszczęśliwy.
Szczęście leży w cieniu zadowolonych.

22 LIPCA

PRZEŻYĆ PIĘKNE DNI

Gdy wyjeżdżasz na urlop, rób to ze spokojem.
Dla wielu wakacje są tak samo męczące,
jak przyprawiający o rozstrój nerwowy dzień powszedni,
od którego chcą uciec.
Najpierw gorączkowe poszukiwanie odpowiedniego miejsca.
Tysiące przygotowań, o niczym nie wolno zapomnieć.
Po drodze godziny w korku na autostradzie.
Potem tłok i hałas na przepełnionych placach kempingowych.
Wytworni siedzą w wykwintnych hotelach przy plażach jak ciołki,
które także w czasie urlopu nie ważą się śmiać.
Ich smutne życie zostało przeniesione zaledwie o kilka tysięcy
kilometrów.
Inni leżeliby najchętniej cały dzień w słońcu.
Nie dla słońca, lecz po to, by się pięknie opalić.
Wracają porządnie opaleni, ale też porządnie znudzeni,
by tak samo niechętnie jak wcześniej znów pójść do pracy.

Gdy wyjeżdżasz na urlop, rób to ze spokojem.
Nie szukaj urlopowego raju zbyt daleko.
Nigdzie nie znajdziesz raju,
jeśli nie nosisz go w sercu.
Wyrzuć za burtę cały balast: troski, kłopoty, złość,
wszelkie spory i narzekania. Spraw sobie piękne dni!
Możesz się opalać do woli, jeśli brązową skórę
uważasz za lepsze opakowanie.
Ale przede wszystkim ciesz się, dziw się jak dziecko
światłu i słońcu, miłości i życiu.
Urlop to piękne dni w spokoju,
piękne dni dla ciebie i dla ludzi, którzy są z tobą.

23 LIPCA

WYJDŹ NA POWIETRZE

Wyrzuć wszystkie troski do śmieci,
a potem zacznij nucić.
Każdy człowiek ma prawo do urlopu,
zwłaszcza w dzisiejszych czasach, w których współczesne życie
ze swoim szaleńczym tempem
tak bardzo działa na nerwy.
Jeśli masz rozstrojone nerwy,
stajesz się nieprzyjemny i nie do wytrzymania.
Wtedy nadchodzi najwyższy czas, by wyjść na powietrze.

Zdejmij kaftan codziennych obowiązków.
Wyrzuć troski do rupieciarni.
Zrób przerwę, wylecz się sam, wyjdź na zewnątrz.
Jeśli nieustannie obracasz się jak silnik,
wkrótce się wyczerpiesz.
Nasze szpitale dla nerwowo chorych są już przepełnione.

Wyjdź zatem na powietrze.
Nie musisz koniecznie jechać na Karaiby.
Nie musisz też smażyć się na słońcu.
Nie musisz się zadłużać,
by wyjechać tak samo daleko jak twój sąsiad.

Idź do pobliskich lasów i na pobliskie pola.
Idź w góry lub nad morze.
Nic nie robić, uspokoić się, zacząć nucić.
Urlop znaczy odnaleźć radość
i nowe siły do jutrzejszych zadań.

PRZYJAŹŃ

Ci, którzy kochają, stają się dziećmi światła i radości.
Ale zależy to od rodzaju i jakości miłości.
Miłość służy często jako maska, za którą
skrywają się wszystkie możliwe rodzaje egoizmu.
Nigdy tak nie nadużywano miłości jak dziś.
Jedyną miłością, jaka naprawdę zasługuje na to miano,
jest umiłowanie przyjaźni.

Przyjacielska miłość prowadzi do światła, do radości.
Nic się w niej nie załamie, bo nie pragnie
niczego mieć dla siebie i daje swobodę drugiej osobie.
Także gdy wyraża się w czułościach, pozostaje czysta,
dopóki nie ulega niskim żądzom,
dopóty służy wewnętrznemu, duchowemu przeżyciu.
Kto pod płaszczykiem miłości szuka tylko siebie,
niszczy związek i miłość.
Nigdy zapewne nie będzie się zdolnym do doskonałej
przyjaźni, ale trzeba stale do tego dążyć.

Prawdziwa przyjaźń to wspólnie przeżywać piękno,
wspólnie pracować nad pięknym zadaniem,
wspólnie kochać innych i zapomnieć o sobie.
Są ludzie, którzy przepuszczają światło,
i są ludzie, którzy czynią świat ponurym.

Chodzi o jakość miłości.
Wędruj jako dziecko światła
i bądź najszczęśliwszym człowiekiem świata.

25 LIPCA

NIE BĘDZIESZ NIGDY NIESZCZĘŚLIWY

Lubcie się wzajemnie! Kochajcie się wzajemnie!
To tajemnica twego szczęścia.
Nie myśl, że w zdobyciu szczęścia
dopomogą ci kamyki i zapachy, maskotki i podkowy.
Podkową możesz sprawić
radość koniowi,
ale nie da ci ona ani grama szczęścia.

Szczęście to nie los wygrany na loterii,
ślepy przypadek, szczęśliwy traf.
Szczęście możesz sobie sam zbudować –
dzięki prawdziwej miłości.
Z talizmanem w kieszeni
możesz być najbardziej nieszczęśliwym człowiekiem.
Ale nigdy nie będziesz nieszczęśliwy,
mając prawdziwą miłość.

Miłość jest wszystkim.
Prawdziwa miłość, nie jakaś namiastka, ekranowa miłość.
Zapomnieć o sobie,
myśleć o innych, nie o sobie,
dać pierwszeństwo drugiemu człowiekowi,
pogodzić się, wybaczyć sobie nawzajem błędy.
I tak dzień w dzień, rok w rok.
To właśnie miłość.
Jest jedyną ceną
za szczęście w twym sercu
i w twoim domu.

26 LIPCA

WIDZIAŁ TYLKO TO, CO DOBRE

Wiele się mogę nauczyć od chorego mężczyzny.
Odwiedziłem go w klinice.
Miał przeżarte płuca,
bo przez lata pracował przy wielkim piecu.
Wręcz wdychał płomienie.
Teraz wisiały wokół jego łóżka rurki,
które systematycznie dostarczały mu tlen.
„Tlen – powiedział – to coś dobrego,
prawdziwe dobrodziejstwo". Uświadamiam sobie wtedy,
że codziennie korzystam z tego dobrodziejstwa
w sposób oczywisty, nie myśląc o tym.

Później uśmiechnął się: „Wspaniały tu widok".
Popatrzył w okno, przez które mógł zobaczyć
czubki drzew, kilka chmur, trochę nieba.
„Ludzie, którzy tu o mnie dbają, wszyscy są dobrzy",
powiedział jeszcze. I w końcu, zanim poszedłem:
„Wszystko jeszcze będzie dobrze".
Wiedział, tak samo jak ja,
że jego płuca nigdy już nie wyzdrowieją.

Od tego mężczyzny mogę się wiele nauczyć.
Nawet swojej beznadziejnej sytuacji
nie uważał za tragedię.
Widział tylko to, co dobre. Jak to możliwe?
Od tego mężczyzny mogę nauczyć się żyć.
Przede wszystkim w dni, gdy pozornie nic się nie układa,
choć właściwie naprawdę nie mam się na co skarżyć.

BYĆ WSZĘDZIE NARZĘDZIEM POKOJU

*N*ie jesteśmy aniołami, ale urlop to przecież
nie czas, by zachowywać się jak bydło.
Wakacje to doskonały okres, by ponownie
stać się otwartym i wyrozumiałym wobec siebie nawzajem.
Wiesz, tak samo jak ja, jak bardzo tego potrzebujemy:
trochę więcej zrozumienia i przyjaźni,
trochę więcej życzliwości człowieka wobec człowieka.

*N*ie bądź obrzydliwym egoistą, który codziennie
myśli tylko o swoich przyjemnościach,
który zawsze robi tylko to, co go bawi,
który nigdy nie bierze pod uwagę innych.
Przynoś swym bliźnim słońce i radość.
Zadaj sobie trud, by zrobić coś, co podoba się innym.
Urośnie radość w twoim sercu.
Będziesz zaskoczony z pokoju,
szczególnego zadowolenia, które cię wypełni.

*B*ądź zawsze i wszędzie narzędziem pokoju!
Przynoś miłość tam, gdzie jest nienawiść; radość – gdzie troska;
nadzieję – gdzie rozpacz; światło – gdzie mrok.
Na cóż wszelkie rozbrojenie, jeśli się nie zmieniamy,
jeśli we własnym sercu nie zaprowadzamy pokoju
z Bogiem i wszystkimi bliźnimi.
Kochajcie się wzajemnie: szczerze i bez podstępnych myśli.
Jest to jedyna droga do prawdziwego pokoju.
Nie ma innej. Pomyśl o tym – także podczas urlopu.

BYĆ W DOMU

*R*odzina to świętość życia.
Każdy, kto narusza tę świętość,
targa się na samo życie.
W rodzinie spędzacie wspólnie
we dwoje, troje lub więcej wiele dni i nocy.
Tu się śmiejecie, bawicie, rozmawiacie, sprzeczacie,
pracujecie, jecie, śpicie, marzycie.
Tu masz cudowne uczucie
bycia w domu. To wielkie szczęście.

*B*yć w domu: szczęście jedyne w swoim rodzaju.
Nie znajdziesz go nigdzie indziej.
Korzystasz z niego, nie wiedząc o tym.
To tak jak ze zdrowiem.
Jakie jest cenne, uświadamiamy sobie dopiero wtedy,
kiedy je stracimy.

*N*ajwiększą tragedią naszych czasów jest to,
że niewiele brakuje, by tak wielu ludzi
straciło dom, a tym samym szczęście.
Ich mieszkanie, ich dom nie są już ich prawdziwym ogniskiem domowym,
a ich przypadkowe przebywanie razem
jest bardziej udręką niż radością.
Dlatego zapisz to sobie głęboko w sercu:
dom, ale z miłością.

29 LIPCA

WOLNY I BEZTROSKI

Chodź, odłóż na bok troski
i pozwól świecić słońcu –
na twojej twarzy!

Nie myśl: Piękny urlop to
wyjechać daleko i wydać dużo pieniędzy.
Jest dosyć ludzi, którzy po urlopie
wracają do dnia powszedniego
rozczarowani, nadwerężeni i wyczerpani.
Cały czas się męczyli.
Byli bardzo daleko,
w rzeczywistości widzieli o wiele za dużo i nic,
nigdzie nie zaznali spokoju.

Dobry urlop to uwolnić się od zegarka,
uwolnić się od wszelkiego przymusu i pośpiechu,
bez szefa (z wyjątkiem niebiańskiego szefa),
cieszyć się beztrosko pięknymi sprawami życia.
Dobry urlop to być pogodnym i zadowolonym,
a także nie zapominać o ludziach,
którzy nigdy nie mają urlopu.

Być może twój najpiękniejszy urlop
leży tuż pod twoimi drzwiami,
gdzie ktoś czeka na odrobinę radości
i na garść szczęścia.

30 LIPCA

TO, CO WAŻNE

Dorośli już nie wiedzą,
co w życiu jest ważne.
Sądzą, że ważne są pieniądze i władza,
dom, tytuł, wpływowa pozycja.
Gdy widzą coś, co im się podoba, od razu pytają:
Ile to kosztuje, jak można to dostać?
Chcą mieć, wzbogacić się, być wielcy.
To śmieszne, bo w rzeczywistości
są tacy mali i ograniczeni w swym ciasnym świecie,
opanowanym przez chciwość i przemoc.

Świat dorosłych wygląda ponuro i posępnie.
Dzieci mogą w nim tylko marzyć o słońcu i gwiazdach.
Nie mówi się w nim o pięknych rzeczach.
Mówi się tu o bombach i rakietach. Te są ważne.
To oznaka potęgi. W nią wierzą dorośli.
Kwiaty zamiast bomb: Co za marzenie!
Ale w świecie dorosłych się nie marzy.
Znikły z niego bajki dla dzieci,
zamiast nich pojawili się dziecinni żołnierze.
W takim świecie nie ma już dla dzieci życia.

Dzieci wiedzą, co jest ważne.
Ważne jest śmiać się, dziwić i bawić,
ważne są kwiaty i bajki.
Dorośli nic z tego nie rozumieją.
Muszą się jeszcze od dzieci wiele uczyć.
Dobre są na to wakacje.

SIERPIEŃ

Nie zapominaj o pięknych dniach,
inaczej nigdy nie wrócą

STAĆ SIĘ WOLNYM CZŁOWIEKIEM

Czy przygotowałeś wszystko na wakacje?
Czy masz wszystko, by spędzić naprawdę piękny urlop?
Nie? Dlatego że nie masz samochodu, kamery,
domku letniskowego, pieniędzy na dalekie podróże?
Nie martw się tym!
Wleczenie ze sobą dobrobytu nie gwarantuje
jeszcze cudownego urlopu.
Nie daj się zwieść przemysłowi turystycznemu.
Tam wszystko dokładnie z góry zaprogramowano,
ustalono, co kto ma robić.
Nie daj się skusić nowej formie niewolnictwa,
obciążającego nadmiernie twoje nerwy od rana do nocy.

Kto jest najszczęśliwszym urlopowiczem?
Człowiek, który jest wolny.
Człowiek, który uwolnił umysł i serce;
który nie patrzy z zazdrością na innych
i nie wstydzi się cieszyć cudami,
które go otaczają, są tak blisko,
że zazwyczaj w ogóle ich nie dostrzega.
Przy odrobinie fantazji wszystkie krzewy będą należeć do ciebie.
Dla ciebie, który jesteś ukoronowaniem stworzenia,
zaświecą wszystkie promienie słońca,
a wszystkie drzewa podarują ci cień.
Dla ciebie będą kwitnąć wszystkie kwiaty.

Jak wiele cudów, jakie szczęście dla człowieka,
który nie stał się jeszcze ujednoliconym produktem masowym
wysoko stechnicyzowanego społeczeństwa żądnego przeżyć!
Wakacje znaczą: stać się ponownie wolnym człowiekiem
poszukującym tysiąca utraconych radości.

1 SIERPNIA

NOWE OCZY I NOWE SERCE

Dostrzegać piękno! Potrafi to tylko ten,
kto stał się w głębi duszy otwarty i wolny,
kto potrafi się odprężyć, kto osiągnął spokój.
Trzymając nogę na pedale gazu,
widzisz wszystko tylko przelotnie.
Mając głowę schowaną w aktach, a serce owładnięte chciwością,
niczego już nie dostrzegasz.
Wszystko staje się nudne i jednostajne.

Wakacje oznaczają osiągnięcie spokoju. Dostrzegać piękno!
Czy przyglądałeś się kiedyś brzozie, czułeś jej delikatne liście?
Czy wiesz, że nie ma dwóch takich samych liści?
Prawdziwa robota na miarę, żadna masówka.
Czy dziwiłeś się kiedyś jabłoni i gruszy
rosnącym blisko siebie w ogrodzie?
Ich korzenie tkwią w tej samej ziemi,
pobierają z tej samej ziemi pokarm,
a na ich gałęzie świeci to samo słońce.
Jabłoń rodzi z tego jabłka, a grusza gruszki,
jabłka i gruszki z tej samej gleby,
a jednak tak różniące się kształtem, barwą, zapachem, smakiem.
To wspaniałe! Ale czyje oczy potrafią to dostrzec?

Gdy drogą jedzie najnowszy model samochodu,
ludzie przystają i patrzą z podziwem.
Najwyższy czas, abyśmy spojrzeli innymi oczami.
Oczami, które pozwolą nam dostrzec piękno!
Ale może trzeba w tym celu najpierw zmienić serce.
Panie, podaruj nam nowe serce i nowe oczy,
abyśmy mogli dostrzegać cuda i być szczęśliwi.

DUŻO PIĘKNIEJSZE

*N*ie odmawiaj sobie wakacji! Bóg również ci ich nie żałuje.
Potrafi pogodzić się z tym, że wyjeżdżasz za miasto.
Z całego serca życzy ci odprężenia i odpoczynku.
Dlaczego więc nie weźmiesz Go ze sobą na wakacje?
Dlaczego myślisz o Bogu tylko w smutnych chwilach,
gdy robi się posępnie i nikt już nie może pomóc
lub gdy czeka cię trudny egzamin
i nie wiesz, czy go zdasz?

*N*asz Bóg jest Bogiem miłości, Bogiem radości.
Gdy masz Boga w swym sercu, swej duszy, w oczach,
wakacyjne dni stają się dużo piękniejsze.
Nie będziesz wtedy zachowywał się tak,
jak gdyby droga, samochód, pociąg, hotel, plac kempingowy, plaża,
jak gdyby to wszystko należało tylko do ciebie.
Będziesz miły i uprzejmy,
będziesz szanował także potrzeby innych,
którzy życzą sobie spokoju i odpoczynku.

*B*ędziesz pamiętał,
że są ludzie, którzy nie mają wakacji,
że są ludzie w biedzie.
Uświadomisz sobie wtedy,
że także podczas wakacji trzeba zachować umiar.
Jedź na wakacje z Bogiem,
a w tym pięknym czasie
zregenerujesz i odmłodzisz swe żywotne siły.

3 SIERPNIA

USPOSOBIĆ DO RADOŚCI

By być szczęśliwym, musisz usposobić swoje wnętrze
do radości, wprawić do radości.
Zamiast wciąż zajmować się swoimi kłopotami,
spróbuj świadomie dostrzegać wszystko to, co radosne.
Zapisz sobie, czym możesz się cieszyć każdego dnia,
na przykład przytulnym pokojem,
smacznym obiadem, przyjazną twarzą,
wygodnym krzesłem, pięknym bukietem kwiatów,
interesującą książką, ciepłym łóżkiem.

Przecież ci tak dobrze! Dlaczego jesteś taki niezadowolony?
Musisz przezwyciężyć w sobie tę nieszczęsną skłonność,
by we wszystkim znaleźć coś do zarzucenia i ciągle szukać
czegoś,
co mają inni, a czego tobie brakuje.
Przezwycięż zazdrość i pesymizm.
Prawdziwa radość życia nie rodzi się
z narzekania, skarg i rezygnacji,
lecz z akceptacji, nadziei i wysiłku.

Nuć co dnia piosenkę,
nawet jeśli zawsze fałszujesz.
Melodia z rana zdmuchnie kurz z twojej duszy.
Idź w dobrym humorze do pracy,
a wieczorem zrób dwie rzeczy:
poproś Boga o przebaczenie wszystkich grzechów
popełnionych za dnia i podziękuj mu za wszystko, co było dobre.
Wypełni cię cicha radość
i będziesz spał jak niemowlę – bez tabletek.

4 SIERPNIA

SAMOTNOŚĆ

Możesz być sam, nie będąc samotny.
Możesz nie być żonaty bądź zamężna i czuć się bezpiecznie.
I możesz przebywać z tysiącem ludzi,
a mimo to czuć się straszliwie samotnie.
Samotność to cierpienie dzisiejszych czasów.
Nie uleczy się go w tłumie.
Ludzie są bardziej niż kiedykolwiek stłoczeni
w wieżowcach, metrach, supermarketach, kinach,
na boiskach, festiwalach, w miejscowościach wypoczynkowych.
Ale to czyni samotność jeszcze gorszą.

Samotność, na którą cierpi dziś tak wielu ludzi,
wyrasta z uczucia pustki, braku poczucia bezpieczeństwa.
Także większość psychiatrów jest bezradna,
bo prawdziwe tego przyczyny są natury czysto duchowej,
a tu zwłaszcza człowiek powinien leczyć się sam.

Chodzi o umysł i serce, o duchowe bezpieczeństwo,
możliwe jedynie w atmosferze prawdziwej miłości.
Ale im bardziej oddajesz swe serce dobrom materialnym,
tym bardziej wydajesz się niezdolny do tego rodzaju miłości.
Boisz się ciszy, otwarcia na Boga, modlitwy.
Szukasz po omacku, w odrętwieniu, w mroku.
Nigdzie nie jesteś u siebie. Wszędzie stoisz na uboczu,
na zewnątrz, marzniesz. Rozpacz się pogłębia.
Wierzę, że zwrócenie się do Boga jako ojca,
który zapisał w swej dłoni twoje imię,
może tu zdziałać cuda.

5 SIERPNIA

JAK MAŁŻEŃSTWO STAJE SIĘ SZCZĘŚLIWE

Bądźcie szczęśliwi w małżeństwie, bez reszty szczęśliwi.
Jest to zupełnie możliwe, także w waszym.
Zaczynajcie każdy dzień tymi myślami:

Będziemy się lubić tacy, jacy jesteśmy,
z tymi samymi wadami i słabostkami,
dziś, jutro i pojutrze.
Wiemy, że jako mężczyzna i kobieta
jesteśmy zupełnie inni, i uważamy za normalne,
że druga osoba reaguje często inaczej.
Nie denerwujemy się tym.
Nie robimy tragedii z każdego incydentu
i próbujemy z humorem
przemienić kolce w róże.
Pragniemy kawałka nieba na ziemi
i stwarzamy go sobie sami, w domu,
dzięki małym, powszednim sprawom.
Będziemy czuwać nad naszą miłością,
jak na początku naszego związku.

Zaczynajcie tak każdy dzień i myślcie o tym,
że jest nad wami ktoś, do kogo możecie wspólnie
się zwrócić z pełnym zaufaniem: Bóg.
Nie arbiter, lecz ojciec.
Nie Bóg na złe dni, lecz na wszystkie dni.
Nie odsunie od was tak po prostu waszych trosk i obaw,
ale pozwoli wszędzie rosnąć waszej miłości,
a dzięki miłości – radości z siebie wzajemnie i z życia.

JESZCZE NIE DAŁEŚ WSZYSTKIEGO

Ludzie bardzo się starają, by się wzajemnie kochać.
Tak jest również w małżeństwie. Po pierwszej lawinie
przyrzeczeń miłości do grobowej deski powoli się zauważa,
że nie jest się jednak codziennie gotowy do tego,
by za siebie umierać.
Przypomina mi to ów list miłosny, który ktoś napisał:
„Mój największy skarbie, kocham cię bardziej, niż mogę to
wyrazić słowami.
Skoczyłbym za tobą w ogień, nic mi niestraszne.
Będę cię wiecznie kochać". Podpisano: „Twój ukochany".
A poniżej naprędce zrobiony dopisek:
„A więc do niedzieli – jeśli nie będzie padało".

Podobnie jest nierzadko w codziennym życiu.
W wyobraźni, w słowach miłość jest bardzo łatwa.
Wciąż nie znajduję odpowiedzi na pytanie:
Dlaczego ludzie nie potrafią wytrwać w miłości?
Dlaczego jest tak ciężko codziennie razem żyć?

Myślę, że bardzo często sami się oszukujemy.
Twierdzimy wprawdzie, że kochamy kogoś,
ale w rzeczywistości kochamy tylko siebie.
Za dużo myślisz o tym, co ktoś inny ma zrobić dla ciebie.
Ma być miły, nosić cię na rękach,
nie wolno mu robić ci wyrzutów, być w złym humorze.
Przy najmniejszym rozczarowaniu czujesz się zraniony.
Za mało myślisz o tym, co ty możesz zrobić dla kogoś,
co możesz mu dać.
I tu tkwi tajemnica. Nie mów przedwcześnie:
„Nie kochasz mnie", dopóki nie dałeś wszystkiego.

7 SIERPNIA

DZIŚ

Musisz żyć dziś.
Dziś musisz być szczęśliwy.

Nie trap się tym, co zdarzyło się wczoraj.
Nie możesz przecież już nic zmienić.
Nie dręcz swego serca wczorajszymi obawami,
przesadnymi troskami o to, co nadejdzie.
Uwolnij swoje serce, by żyć dziś,
by być szczęśliwym teraz, w tej chwili.
Nie jest to proste, zwłaszcza
jeśli życie cię ciężko doświadczyło,
jeśli twoja miłość została zawiedziona,
jeśli twoje oczekiwania spełzły na niczym.

Nie pozwól, by twoja radość i twoje szczęście
zależały od urlopu, który minął;
od pracy, która znów się zaczyna; od portfela,
od trawienia, od pogody, od setek błahostek.
Sam weź swój los w swoje ręce.
Wszystko zależy od tego, jaki jesteś w środku,
w swoich myślach i uczuciach.

Zawsze szukaj światła, unikaj ciemności.
A jeśli mimo to byłoby ci czasem zbyt ciężko,
spróbuj być trochę jak klown w cyrku.
W głębi serca płacze, a jednak z uśmiechniętą twarzą
gra dla dziecka na skrzypcach.
W ten sposób leczy ze smutku własne serce.

POZOSTAĆ MŁODYM

Młody czy stary – to nie sprawa lat.
Są młodzi ludzie, którzy wyglądają strasznie staro,
i starzy o czarującej młodzieńczości.

Jesteś młody,
dopóki nie sądzisz, że wszystko wiesz;
dopóki masz poczucie humoru;
dopóki jesteś wesoły i potrafisz się dziwić,
że odkrywasz coś nowego.

Jesteś stary,
jeśli boisz się wszelkich nowości;
jeśli poruszasz się tylko utartymi drogami;
jeśli zadowalasz się uniwersalnymi sądami;
jeśli wszystko kręci się wokół ciebie;
jeśli mówisz zawsze tylko o sobie.

Jesteś jednak młody, świeży i szczęśliwy,
jeśli jesteś otwarty na nowości,
jeśli pragniesz rzeczy wyższych;
jeśli jesteś skory pomagać innym;
jeśli pozostajesz zwyczajnym człowiekiem,
który zawsze czegoś się jeszcze uczy.

Spróbuj pozostać młodym i zarazić innych
swą radością i optymizmem.
Wtedy także stary zardzewiały świat wokół ciebie
znów będzie młody i pełen zapału.

---

9 SIERPNIA

TWOJE WŁASNE ŻYCIE

Dobrobyt może mieć złe skutki.
Do najgorszych należy duchowe zubożenie.
Wielu ma dziś dom pełen tysiąca rzeczy,
pełen wygód, ale ich głowa jest pusta.
Zabierz im telewizję, podróże i pogodę,
a już nie będą mieli nic do powiedzenia.
Są puści, bez wyobraźni, bezmyślni.
Materia toczy ze sobą materię, rwący potok.

Broń się przed tym potokiem, zagraża również tobie.
Nie pozwól zrobić z siebie automatu,
który jest napędzany z zewnątrz, a w środku martwy.
Szukaj wciąż odrobiny ciszy.
Zatrzymaj się, znajdź czas na zastanowienie.
Wdaj się w poważną rozmowę.
Przeczytaj dobrą, dającą do myślenia książkę.
Słuchaj innych, ale miej własne poglądy.
Szukaj swojej drogi, żyj swoim życiem.
Uwolnij się od mód opinii publicznej,
które najpierw cię nęcą, a na koniec zniewolą.

Korzystaj z przyjemności, jakie daje dobrobyt,
ale nie pozwól, by duch i serce przybrały szarą barwę,
szarą od szarej materii:
bezbarwnego, bezsensownego życia.
Radość i szczęście zaczynają zawsze
rosnąć od wewnątrz, nigdy od zewnątrz.

10 SIERPNIA

NIEPOTRZEBNE CIERPIENIE

Ciężkie cierpienie staje się dużo trudniejsze,
jeśli ludzie zadają je sobie niepotrzebnie.
Młodą kobietę z niepełnosprawnym dzieckiem
opuścił mąż.
Zapłakana matka opowiada o 23-letnim synu
i synowej, oboje w więzieniu
za handel narkotykami i ich nadużywanie.
Mężczyzna ledwo uszedł z życiem z ciężkiego wypadku,
który spowodował jego kolega z pracy; ma on romans
z żoną mężczyzny, który myśli, że była to próba morderstwa.
Inna para od bez mała dwóch lat jest małżeństwem.
Mają dość pieniędzy, dość czasu,
mimo to ciągłe kłótnie, sprzeczki i wybuchy złości.
Teraz mieszkają osobno i biorą środki na uspokojenie.

Przechodzimy ciężki kryzys.
A może to załamanie światopoglądu,
w którym większość spraw kręci się wokół pieniędzy i chęci zysku
i który jak zarazy obawia się każdego wysiłku,
każdego poświęcenia?
Sięgnęliśmy dna. Nawet terapeuci są bezradni.
Ludzie muszą się sami wyleczyć.

Znam najszczęśliwszego człowieka świata.
Mieszka w klasztorze. Pracuje, modli się
i nigdy nie bierze urlopu. Dużo się śmieje.
Jego twarz promienieje zadowoleniem i radością.
Pieniądze nie mają dla niego znaczenia. Ma tak mało potrzeb.
Czy to jest przyczyną tego, że jest szczęśliwy?

WART WYSIŁKU

Bądź bliźnim!
Miej oczy otwarte,
by nie mijać innych,
jakby byli dla ciebie powietrzem.
Bądź bliźnim!

Spróbuj zrozumieć ludzi żyjących obok ciebie,
wczuć się w ich położenie,
wskoczyć w ich skórę.
Nie jest to takie proste.
Nie uporasz się z tym tak szybko
jak z domem, który budujesz,
jak z kuchnią, którą sprzątasz,
czy z egzaminem, który zdajesz.
Nie uporasz się z tym nigdy.

Wymaga to od ciebie każdego dnia
wszystkich sił serca i ducha,
ale jest warte wysiłku.
Nie będziesz już wtedy jak faryzeusz
przechodzić obok nich z zadartym nosem.
Będziesz bardziej rozumiał
swoich bliźnich i mniej ich osądzał.
Za surową powierzchownością odkryjesz,
jak bardzo inni potrzebują miłości,
zrozumienia, przyjaźni i pomocy.
Każdy człowiek jest wart wysiłku.

12 SIERPNIA

NAUCZYĆ SIĘ ŻYĆ SERCEM

Wszyscy mamy trudności i problemy.
Są składnikami naszego życia.
Ale napięcia nie mogą prowadzić do upadku.
A tak dzieje się w dzisiejszych czasach zbyt często.
Nie chcemy już sobie wzajemnie pomagać nieść brzemienia.
Nie chcemy już się nawzajem zaakceptować,
znosić wzajemnych błędów,
wybaczać sobie nawzajem.

Zetknąłem się w tych dniach z ludźmi ogarniętymi paniką.
Kobieta jest od kilku lat zamężna
z porywczym mężczyzną, intelektualistą.
Nie umie on zapanować nad sobą.
Z powodu błahostek źle traktuje swoją żonę.
Mężczyzna koło czterdziestki. Z telegramu dowiaduje się,
że żona odeszła. Nie posiada się ze złości,
dzwoni trzykrotnie, dyktuje list, bierze truciznę,
lekarz z pogotowia zdoła go jednak uratować.

Takie tragedie dziś się rozgrywają.
Najwyższy czas, by ludzie ponownie nauczyli się żyć;
nauczyli się cieszyć ze zwykłych rzeczy;
nauczyli się panować nad sobą;
nauczyli się dobrowolnie, z miłości do drugiej osoby,
z czegoś zrezygnować; nauczyli się przebaczać.
Najwyższy czas, by ludzie na tym świecie,
który jest tak zanieczyszczony tyloma szalonymi ideami,
nauczyli się ponownie żyć sercem.

ZATROSZCZYĆ SIĘ

*N*ie możesz być przeświadczony, że sprostałeś miłości,
bo nie masz nic przeciwko swoim bliźnim.
To mdła życzliwość, iluzja przyjaźni.
Zachowujesz się spokojnie, nie robisz nic złego,
pozwalasz innym żyć.
Ot dobrze sytuowany doskonały mieszczuch,
osłonięty szklanym kloszem przed surowym światem.
W ten sposób stajesz się współodpowiedzialny za zbiorową obojętność,
która dusi nasze ludzkie współżycie.

*J*eśli naprawdę pragniesz kochać i być szczęśliwy,
musisz zatroszczyć się o ludzi,
którzy są tobie bliscy, którzy zostali powierzeni twojej opiece,
z którymi wspólnie mieszkasz, rozmawiasz i się śmiejesz.
Troskliwość cię zobowiązuje, wyrywa cię
z małego, ciasnego świata twych własnych interesów.
Troskliwość jest koniecznością życiową, by nie zmarnieć.
Troskliwość może zakłócić twój niezmącony spokój.
Może oznaczać wiele emocji i złości.
Obarczasz się czasem ciężkimi problemami
i nie możesz o tym z nikim rozmawiać.

*T*roskliwość może przysporzyć wielu zmartwień,
ale jest owocem prawdziwej miłości.
Daje w gruncie rzeczy najlepszy ze wszystkich darów: życie.
W ten sposób także twoje życie nabiera barw,
a czasem, być może rzadko,
pojawia się uczucie niezmiernej wdzięczności,
przedsmak nieznanego raju.

14 SIERPNIA

WĘZEŁ, KTÓRY WSZYSTKO TRZYMA

Prawdziwa matka to cudowna istota.
Jest sercem każdej rodziny,
węzłem, który wszystko trzyma.
Jest zgodą, pokojem,
radością, bezpiecznym portem.
Prawdziwa matka dokonuje z miłości
niewiarygodnych rzeczy.

Jeśli masz jeszcze ojca lub matkę,
nie pozwól im marznąć bez twej miłości.
Jeśli masz tytuł doktora, jesteś wysokim urzędnikiem,
znanym politykiem, biznesmenem lub kimkolwiek innym,
jesteś podły, jeśli wstydzisz się swoich rodziców.
Nie pozwalasz im wprawdzie głodować –
mają to, co niezbędne –
ale czują się jak odpadki, jak ciężar, jak niepotrzebni,
ponieważ brakuje im twego wsparcia, twej uwagi,
ponieważ stracili serce własnego dziecka.

Między rodzicami i dziećmi może się wiele wydarzyć,
może powstać rozłam. Cokolwiek by to jednak było:
gdy są nieszczęśliwi, bo brakuje im twojej miłości,
musisz wszystko, wszystko zapomnieć i być znów dobry
i znów przynosić kwiaty, kwiaty, których potrzebują:
twoją życzliwość, czułą obecność, wsparcie.
Nie czekaj z tymi kwiatami, aż umrą.

15 SIERPNIA

NIE NA DRUGIM BRZEGU

Dlaczego ciągle patrzysz na drugą stronę?
Dlaczego zawsze uważasz,
że inni ludzie mają więcej szczęścia?
Tak łatwo mówisz: „Inni to mają szczęście.
Ja robię, co mogę, a mimo to nie mam szans".
Tak, takie jest życie.

Na drugim brzegu zawsze jest dużo ładniej.
Leży trochę dalej.
Jak oślepiony spoglądasz na piękną ułudę.
Ale czy nigdy jeszcze nie pomyślałeś,
że ci, na drugim brzegu,
także na ciebie patrzą i myślą:
Ileż on ma szczęścia!
Bo i oni widzą
tylko twoją piękną fasadę.
Nie wiedzą o twoich wielu troskach,
które skrywasz głęboko w sercu.

Żyć szczęśliwie to wielka sztuka.
Sztuka ta polega przede wszystkim na zadowoleniu.
Bądź radosny i zadowolony,
bo jedno jest całkiem pewne:
Twoje szczęście nie leży na drugim brzegu.

POTRZEBUJEMY KRĘGOSŁUPA

*N*asz świat jest w dużym stopniu zaludniony
ludźmi bez kręgosłupa, bez charakteru.
Przystępują z entuzjazmem do jakiejś pracy,
zawodu, małżeństwa, zadania życiowego.
Czują się silni – aż nadejdą problemy,
okresy posuchy, porażki.
Gdy robi się ciężko, trudno i ciemno,
zaczynają się bać i rezygnują.
Brakuje im wytrwałości,
panowania nad nastrojami i uczuciami,
wiary w siebie, stałości i siły.
Brakuje im kręgosłupa.

*I*stnieją ludzie bez kręgosłupa, którzy się tacy urodzili,
bo ich rodzice nie mieli kręgosłupa. Nic na to nie poradzą.
Istnieją ludzie bez kręgosłupa, którzy tacy się stali,
bo podczas ich wychowania takie wartości, jak siła woli,
wyrzeczenie, koncentracja, obowiązkowość były tabu.
I istnieją ludzie, którym brzemię
i twardość życia złamały kręgosłup.
Potrzebują wiele zrozumienia i naszej pomocy.

Potrzebujemy kręgosłupa, by nie zwieszać głowy,
by chodzić prosto i mocno stać podczas burz,
by wytrwać tam, gdzie inni rezygnują,
by nie ustępować przed przemocą
i nie poniżać się dla pieniędzy.
Tylko ludzie z kręgosłupem stworzą nowy świat.

17 SIERPNIA

O NIEOBECNYCH TYLKO DOBRZE

Rak: wszyscy znają tę straszną chorobę.
Czy wiesz, że istnieje także rodzaj raka duchowego,
który rozrasta się tak samo szybko
i z taką samą niszczycielską siłą?
Jest nim podła obmowa: szkalować innych,
niesłusznie przypisywać im złe rzeczy,
rozpowiadać niegodziwe, obraźliwe plotki.
Ten guz rakowy podkopuje małżeństwa,
rozbija rodziny, niszczy przyjaźnie,
rujnuje wielu niewinnych.
Wykańcza się ich, używając często wielkich kłamstw.

Dzieje się tak na małą skalę w rodzinach, wśród sąsiadów,
w zakładach pracy, kołach, grupach, organizacjach.
Dzieje się tak na wielką skalę i z gorszymi następstwami
przez mass media żądne sensacji.
Pomawia się i piętnuje ludzi
dla pieniędzy i niewybrednych nowości.
Kłamstwa rzuca się publiczności na żer.

Przed tym rakiem nie można się bronić.
Nieobecni są bezsilni, łatwy łup.
Nie mogą odpowiedzieć, bronić się.
Podstępnie zadaje im się cios sztyletem.
Nie bierz w tym udziału! Mów o swoich bliźnich tak,
jakby byli przy tym obecni. Trzymaj się zasady:
O nieobecnych tylko dobrze!
Jeśli wiesz coś dobrego o innych i to powtarzasz,
zdziałasz codziennie cuda.

KWIATY SZCZĘŚCIA

*W*iększość ludzi to kiepscy poszukiwacze szczęścia.
Już tysiąc razy mówiono im
i już stokrotnie się o tym przekonali:
„Nie wszystko złoto, co się świeci".
Mimo to uparcie wierzą w coś przeciwnego.
Są wręcz niepoprawni.
Dalej szukają pieniędzy, uciech, przyjemności,
i po każdym podboju czują się głęboko rozczarowani.

*B*iedni ludzie!
Są spragnieni odrobiny szczęścia
i pozwalają swym najpiękniejszym marzeniom
utonąć w bagnie.
Nie daj się zwieść zewnętrznym pozorom.
Sam musisz zasadzić kwiaty szczęścia.
Kwiaty szczęścia we własnym sercu.

*Z*acznij to robić jeszcze dziś,
z wielką energią i jeszcze większą cierpliwością.
Kwiaty te noszą zaskakujące nazwy:
Prostota, dobroć, optymizm, miłość bliźniego.
Zasadź te kwiaty, jeśli trzeba,
jeden po drugim,
a wkrótce będziesz mógł każdego dnia
zrywać szczęście dla siebie i innych.

19 SIERPNIA

KTO DBA O CIEPŁO I POCZUCIE BEZPIECZEŃSTWA

Czytam list od wdowy, jest trochę niesprawna
i otrzymuje niską rentę. Opiekowała się odpłatnie trójką dzieci
pewnej bogatej damy, gdy ta wyjechała na urlop. Pisze:
„Kobieta ta była w Hiszpanii i we Włoszech.
Dziwiłam się, gdy wróciła. Nie opowiadała za dużo.
Sprawiała wrażenie nerwowej i niezadowolonej.
Widocznie nie pasowało jej, że musi się znowu
zajmować swoimi dziećmi. Myślę,
że niektórzy niepełnosprawni są szczęśliwsi od wielu bogatych".

Gdybym miał zbudować nowy świat, stworzyłbym
najpierw wiele dobrych matek. Emancypacja kobiety
nie polega na uwolnieniu się od wszelkich zobowiązań,
by dać się następnie zniewolić, rozpuścić
bądź upodlić, stając się ofiarą pożądliwego świata mężczyzn.

Prawdziwa emancypacja kobiety polega na jej pełnym rozwoju.
Kobiety są niezastąpione w zimnym świecie,
w którym panuje zasada:
„Dążyć z zimną krwią do możliwie dużego zysku,
gorącymi uczuciami niewiele się zdziała".
I tak znikają z tego świata empatia,
altruizm, dobroć, uprzejmość, gotowość niesienia pomocy.
Ludzie stają się surowi, zgorzkniali, wiecznie niezadowoleni.
Kto zadba w takim świecie o ciepło, poczucie bezpieczeństwa,
o pomoc i pogodzi w ten sposób ludzi z życiem?
Najbardziej wyemancypowaną, najpotężniejszą,
najszczęśliwszą kobietą świata jest matka.
Niech żyje wyemancypowana kobieta.

WŚRÓD LUDZI

Czy twoje życie utknęło
w ciemnej koleinie, bez nadziei,
bez polotu, bez radości
i przede wszystkim bez odwagi?

Czy jesteś może jednym z wielu,
którzy czują się samotni,
ponieważ myślą, że się nie liczą?
Samotni, bo są sami z całym swoim cierpieniem
i z nikim nie mogą dzielić
nawet rzadkich chwil radości?
Może to będzie wyjście dla ciebie:
Weź całą swą odwagę w dłonie
i okaż się gdzieś pożytecznym,
wyświadcz komuś jakąś przysługę,
raz i jeszcze raz, i jeszcze raz.

Myślisz może, że to zbyt natarczywe
i strasznie trudne.
Chodź, jeśli tylko zaczniesz,
będzie ci o połowę łatwiej.
Przekonasz się: Jesteś czegoś wart,
i dobrze, że jesteś.
W ten sposób twoje życie zyska ponownie sens,
a przede wszystkim będziesz
znów wśród ludzi w domu.

21 SIERPNIA

DO GÓRY NOGAMI

Bycie żonatym czy mężatką i niedochowanie wierności
wywraca całe życie do góry nogami.
Stajesz nagle przed nierozwiązywalnymi problemami,
wpadasz w beznadziejne sytuacje.
Niewierność zaczyna się najczęściej we własnym małżeństwie.
Partner, partnerka sprawiają wrażenie zmęczonych i oziębłych.
Małżeństwo nie jest już takie żywe i inspirujące.
Nic już nie jest tak jak na początku.

Ale to zupełnie normalne. Błędem jest,
gdy normalny rozwój
postrzega się jako brak miłości drugiej osoby
i gdy w krytycznych chwilach sądzi się,
że nie można już na sobie polegać.
Wtedy pojawia się ktoś trzeci.
Znasz go lub ją być może już długo
i widzisz nagle nową szansę.

Ostrożnie! Nie wmawiaj sobie,
że ktoś trzeci wszystko rozwiąże.
Nie, sprawy tylko bardziej się komplikują
i niewiele brakuje do rozbicia małżeństwa.
Wiem, że są sytuacje,
gdy wspólne życie staje się nie do zniesienia.
Ale nie myśl od razu, że tak musi być,
bo inaczej trudno ci będzie pozostać wiernym.

Wytrzymać parę dni dłużej
– to tajemnica wszelkich zwycięstw.

MNIEJ ŻALÓW

Pewien człowiek był śmiertelnie nieszczęśliwy.
Dzień i noc żalił się i lamentował,
że nie ma butów.
Myślał, że jest najbiedniejszym człowiekiem świata,
aż pewnego dnia zobaczył mężczyznę
na wózku inwalidzkim. Ze zgrozą
odkrył coś osobliwego:
Mężczyzna nie miał nóg,
a mimo to się uśmiechał,
skręcał z przyjemnością papierosa
i wyglądał na zadowolonego.
Człowiek od razu przestał się żalić.

Być może tracisz wiele czasu,
energii i radości życia na to,
by uskarżać się na wszystko i wszystkich.
Wiem, życie nie zawsze jest łatwe.
Ale pomyśl.
Jeśli zaczniesz wybrzydzać na jedzenie,
pomyśl o ludziach, którzy nie mają nic do jedzenia.
Jeśli nie czujesz się jeden dzień dobrze
i stajesz się od razu nie do zniesienia,
pomyśl o chorych, którzy latami leżą w łóżku.
Pomyśl bardziej o innych,
wtedy będziesz mniej narzekać
i staniesz się bardziej szczęśliwy.

23 SIERPNIA

ZROZUMIAŁ NARAZ WSZYSTKO

*W*yciągnęli mnie z łóżka. „On umiera.
Pytał o pana. To już długo nie potrwa".
Siedziałem godzinami przy tym czterdziestodziewięciolatku.
Był jednym z najżywotniejszych, najbardziej miłujących życie
ludzi, jakich kiedykolwiek poznałem. Silny organizm
całkowicie załamał się w ciągu kilku miesięcy.
Wszystkimi siłami bronił się przed chorobą.
Chwytał się życia. Miał nadzieję wbrew wszelkiej nadziei.

*B*ałem się końca. Był głęboko wierzący,
ale w chwilach przytomności pytał:
„Dlaczego? Jeśli Bóg jest dobry,
skąd to cierpienie i śmierć?
Jestem taki młody. Moja rodzina mnie potrzebuje. Dlaczego?".
A ja? Powinienem był odpowiedzieć,
że nic z tego nie rozumiem.

*A*le w pewnej chwili,
zamiast tracić wiarę i rozpaczać,
w jego duszę wstąpiła spokojna ufność.
Niepojęta ufność, która sięgała głębiej
niż jego myślenie i czucie. Zrozumiał naraz wszystko.
Przyjął i pożegnał się wzruszająco
z żoną i dziećmi.
Było tak, jakby trzymała go niewidzialna dłoń
i jakby całym swoim jestestwem
poczuł się nagle bezpieczny i pewny.

POZWOLIĆ ODEJŚĆ

Kto rozmyśla o życiu,
nieuchronnie natknie się na bezsilność człowieka.
Codziennie zdarza się wiele sytuacji,
na które nic nie możesz poradzić.
Niezależnie od tego, ile masz pieniędzy,
nie możesz temu zapobiec,
czy jesteś samotny i masz wiele zmartwień,
czy też szczęśliwcem, któremu w życiu pozornie wszystko się udaje.

Jako człowiek jesteś tym, kto traci.
Nie potrafisz niczego zatrzymać.
Ostatecznie wszystko przecieka ci przez palce.
Marzysz, planujesz i budujesz, odnosisz sukcesy.
I naraz przychodzi cierpienie, rozczarowanie, noc.
Czasem nagle jak grom zdarza się wypadek, choroba, śmierć.
Znasz takich ludzi, młodych i starych, którzy odchodzą
i już nie wracają, bliskich ci, drogich ludzi.
Chciałbyś ich zatrzymać, jak siebie samego.
Chciałbyś, by piękny dzień nigdy się nie kończył.
A musisz jednak pozwolić mu odejść, co wieczór odejść dniowi,
a pewnego dnia – wszystkiemu.

Nie zacznij teraz nad tym płakać.
To, że jesteś mały i bezsilny, to nie powód do żalów.
Ale również nie powód, by uciekać w ten świat z jego pozorami.
Dopiero gdy doświadczysz całej swej bezsilności,
dojrzałeś do przyjęcia Boga. Wtedy wszystko zyskuje sens i cel:
twój strach, twoje cierpienie, zdrowie i twoja choroba,
twoje życie i twoja śmierć. Gdyby nie było Boga,
nieśmiertelnej miłości na drugim brzegu,
wówczas wszystko stałoby się bezsensowne
i całkowicie absurdalne.

---

25 SIERPNIA

TAJEMNICA ZADOWOLONEGO CZŁOWIEKA

Żyłem długo i szczęśliwie,
niewiele potrzebowałem,
niczego nie żądałem, a wiele dostałem.

Słowa te pochodzą z klepsydry Stijna Streuvelsa,
uwielbianego przez wielu flamandzkiego poety (1871–1969).
Powieziono go do grobu białym wozem radości.
W tym krótkim, napisanym przez niego zdaniu
zawarte jest przesłanie dla nas wszystkich.
To tajemnica zadowolonego człowieka,
który umiał nadać każdemu dniowi właściwą wagę
i przeniknąć to, co zasłonięte.

Długo trzeba szukać ludzi,
którzy to dziś jeszcze potrafią. A właśnie tu tkwi klucz
do rozwiązania wielu problemów w czasach,
które są takie napięte i nerwowe.
Jeśli potrafisz zadowolić się małym,
dostaniesz więcej, niż oczekujesz,
a wszystko, co dostaniesz, będzie dla ciebie
radosną niespodzianką, rodzajem cudu,
dzięki któremu będziesz mógł pokochać życie.
Jeśli natomiast pragniesz wciąż mieć i wszystko posiadać,
nigdy nie będziesz syty i zadowolony.
W ten sposób życie nie przyniesie ci radości.
Będziesz ptakiem o zbyt ciężkich skrzydłach.
Nigdy nie wzbijesz się ku słońcu.

ODSUŃ OD SIEBIE TROSKI

*C*zy wolno mi przywołać fragment z pewnej starej księgi?
Powstał mniej więcej dwa tysiące lat przed Chrystusem,
jego autorem jest Jezus Syrach i należy on do Biblii.
To, co tam napisano, również jeszcze dziś dotyczy każdego.

*N*ie oddawaj się troskom,
nie zagłębiaj się w dociekaniach.
Bo wielka radość serca jest dla człowieka życiem,
a wesołość czyni jego dni długimi.
Odsuń od siebie troski,
użycz sercu spokoju,
złość trzymaj na uwięzi.
Przez troski wielu już poniosło śmierć,
czarnowidztwo jest bez wartości.
Zazdrość i złość skracają życie,
troski przedwcześnie postarzają.

*P*rzemyśl to. Zwłaszcza w tych czasach,
gdy wielu martwi się o swoją przyszłość
i przyszłość swoich dzieci.
Gdy tyle można kupić, a mimo to jest
tak mało radości wśród ludzi.
Pomyśl o tym: Jest jeszcze tylu dobrych ludzi,
jeszcze tyle dobrych rzeczy, by się nimi cieszyć.
Nie pogrążaj się w defetyzmie i czarnowidztwie.
Pesymiści już rano widzą zachód słońca.
Toteż nie opłaca się im w ogóle
wstawać i zaczynać nowy dzień.

27 SIERPNIA

JAK ECHO, JAK CIEŃ

Szukaj szczęścia, a nigdy go nie znajdziesz.
Szczęście jest ci zachwalane niczym piękny motyl,
za którym musisz gonić. Ale to nieprawda.
Powiadam ci: Nie szukaj szczęścia,
samo przyjdzie do ciebie.
Szczęście jest jak cień podążający za tobą,
jeśli o nim nie myślisz.
Szczęście nachodzi cię jak cudowne uczucie,
gdy zapominasz o sobie, by żyć dla innych.

Szukaj pieniędzy, a staniesz się bogaty,
być może skorumpowany.
Szukaj uciech, a staniesz się syty, być może niepowściągliwy.
Szukaj siebie, a znajdziesz egoistę.
Próbuj więc zapomnieć o sobie.
Zapomnij o własnych przyjemnościach, korzyściach, uciechach.
Próbuj sprawiać swym bliskim radość,
choremu nieść pociechę, ubogiemu pomoc,
niepełnosprawnemu towarzystwo.
A pewnego dnia odkryjesz nagle,
że jesteś szczęśliwy.

Szczęścia nie możesz kupić za żadne pieniądze tego świata.
Szczęście jest jak echo, które odzywa się tylko wtedy,
kiedy dajesz siebie samego.
Dawać siebie znaczy kochać.

28 SIERPNIA

PIĘKNE DNI

Nie zapominaj o pięknych dniach!
Gdy jesteś zmęczony, awanturujesz się z otoczeniem,
nie potrafisz sobie dać rady i czujesz się śmiertelnie
nieszczęśliwy,
wspomnij wtedy piękne dni,
gdy śmiałeś się beztrosko i czułeś się nad wyraz dobrze,
gdy mogłeś się do wszystkich przyjaźnie i wesoło uśmiechać,
jak dziecko bez zmartwień.

Nie zapominaj o pięknych dniach!
Gdy horyzont, jak okiem sięgnąć,
jest ciemny, bez promyka światła,
gdy twoje serce jest ciężkie i być może pełne goryczy,
gdy na pozór znikła wszelka nadzieja,
że kiedykolwiek znów nadejdzie radość i szczęście,
poszukaj wtedy w swych wspomnieniach pięknych dni,
gdy wszystko było jeszcze dobrze,
nie było na niebie ani chmurki,
gdy czułeś się dobrze w towarzystwie ukochanych ludzi,
gdy byłeś podziwiany przez innych,
którzy cię teraz rozczarowali i być może oszukali.

Nie zapominaj o pięknych dniach!
Bo gdy o nich zapomnisz, nigdy już nie wrócą.
Napełnij umysł radosnymi myślami,
serce duchem pojednania i miłością,
a usta uśmiechem.
A wszystko znów będzie dobrze.

29 SIERPNIA

TRUDNOŚCI

Zbyt mało jest szczęśliwych ludzi.
Wielu ludzi ma dziś wszystko:
dobre jedzenie, dobre mieszkania,
dobrze płatną pracę, tysiące wygód,
nierzadko nawet luksus,
a mimo to mają problemy.

To choroba naszych czasów:
ludzie są rozpieszczeni, nie potrafią
niczego wytrzymać, niczego znieść.
Przy najmniejszej niedyspozycji –
środek przeciwbólowy.
Każdego wieczoru tabletka na sen
i pigułka szczęścia przeciw czarnym myślom.
Z najbłahszych trudności robią problem.

Zapominają, że trudności
są częścią życia, pracy, małżeństwa,
wychowania, wspólnego życia.
Trzeba po prostu przejść
przez tę górę trudności.
Nie żyjemy w raju.
Jeśli z najmniejszego krzyża
na twoich barkach robisz problem,
nigdy nie wyjdziesz z ciemności i zimna.
Nie będziesz też już widział w swym życiu
słońca, lecz same problemy.

POCZUCIE HUMORU DODAJE SKRZYDEŁ

Kto nie potrafi się śmiać, nie potrafi żyć.
Jeśli nie masz poczucia humoru, przygniata cię ciężar
życiowych problemów.
Jesteś chory, twoja dusza tonie w śmiertelnej powadze.
Próbujesz się ratować, ale wybierasz złe drogi ucieczki.

Wychodzisz, jadasz bardzo wykwintnie i pijasz obficie,
podróżujesz bardzo daleko i zabawiasz się bardzo długo.
Zapominasz. Ale gdy znów wracasz do siebie,
wszystko jest jak dawniej, życie jest znowu udręką.
Jesteś zatruty. Nie znajdujesz już przyjaciół.
Nie ma już pokoju w tobie samym.
Stopniowo tracisz zdolność korzystania z prawdziwego życia.

Na szczęście są środki pozwalające wyzdrowieć.
Cudownym lekarstwem są śmiech i poczucie humoru.
To najlepsza odtrutka dla duszy i serca.
Uwolnią cię od niepotrzebnych, przesadnych trosk.
Uratują cię od dyktatury współczesnych ideałów życiowych:
dużo pieniędzy, dużo czasu, dużo podróży, dużo zabawy.
Śmiej się z tego! Odpowiedz na to humorem.

Poczucie humoru pokaże, jak wiele rzeczy jest
w rzeczywistości nieważnych, jak śmiesznych.
Poczucie humoru wszystko ułatwia.
Wszystko bierzesz lekko,
dostajesz skrzydeł, jesteś trochę jak ptak,
który wolny lata na niebie.

31 SIERPNIA

WRZESIEŃ

Kto pragnie zmienić świat,
powinien zacząć
przede wszystkim od siebie

WZIĄĆ SIĘ DO ROBOTY

Wakacje już się skończyły.
Musimy znów wrócić do codzienności.
Być może już zauważyłeś,
że nie jest to takie łatwe,
aby po dniach pełnych urozmaicenia i wolności
znów iść do pracy,
znów pilnować umówionych terminów,
znów ponosić odpowiedzialność,
wykonywać dalej tę samą pracę,
może nudną pracę biurową,
może monotonną pracę w szkole.
Nie zwlekaj! Weź się do roboty!

Czyżby urlop, który miał ci dać świeże siły,
zużył całą twoją energię?
Jesteś zmęczony ciągłym podróżowaniem?
Denerwowałeś się być może nieprzytomnie
straszliwym deszczem, który bezlitośnie
popsuł ci tyle pięknych planów?
Daj się rozruszać nowej rzeczywistości.
Wakacje za nami.
Minęła radość wielkiego okresu urlopowego.
Zaznaj teraz radości ze swojej pracy,
radości ze swych codziennych obowiązków.
Jest to warte wysiłku.

1 WRZEŚNIA

ZLICZ SWE RADOŚCI

Czy jesteś dobry dla innych? Codziennie miły, serdeczny,
uprzejmy i skory do pomocy dla swego otoczenia,
dla bliskich, przyjaciół i znajomych?
Czy nikt nie cierpi z powodu twojego złego humoru?
Czy nikt nie musi pokornie wiele znosić,
ponieważ jesteś nieopanowany i porywczy
lub obojętny i nieczuły?
Ponieważ zawsze i wszędzie obstajesz przy swoim
i nigdy nie zważasz na innych?
Jest tyle cierpień, które zadajemy sami sobie i sobie nawzajem,
a których moglibyśmy uniknąć
dzięki odrobinie dobrej woli, odrobinie miłości.
Przestań tłumić swoje uczucia i bądź dobry dla innych.

To niezwykle ważne, abyś był wesoły nie tylko
w dni świąteczne, lecz także podczas najzwyklejszych dni pracy.
Wielu ludzi w dni powszednie
obnosi swoją smutną, ponurą twarz
i zatruwa sobie i innym większość czasu.
Biedni ludzie, którzy nie znajdują w swym życiu nic radosnego,
którzy codziennie liczą swe kłopoty i problemy.

Uwolnij się od takiego sposobu myślenia.
Dlatego radzę ci: Każdego dnia licz swoje radości!
Istnieje mnóstwo małych radosnych spraw,
których w ogóle już nie dostrzegasz.
Spraw czasem innym nieoczekiwanie jakąś radość.
Śpiewaj lub nuć każdego dnia piękną melodię.
Zlicz swe radości,
a staniesz się innym człowiekiem!

2 WRZEŚNIA

NA PROGU NOWEGO ŚWIATA

Kto jest obowiązkowy w pracy
i punktualny w dokonywaniu płatności,
kto szanuje prawo i nie rozbija nikomu głowy,
uchodzi na tym świecie za przyzwoitego, porządnego obywatela.
Kto ma dobre świadectwa i jeszcze lepsze znajomości,
może objąć wysokie i najwyższe urzędy.
W naszym społeczeństwie szczegółowo dopytujemy się
o pochodzenie, karierę zawodową i konto bankowe.
Nikt nie pyta o serce.
Zachwycamy się nauką i techniką.
Oczekujemy wszystkiego od instytucji i pieniędzy.
I zapominamy o najważniejszym: o sercu.

Świata nie uratuje technika,
nauka, instytucje i pieniądze.
Świat może uratować wyłącznie
miłość, serce.
Także nasze serce. Jesteśmy współodpowiedzialni za to,
że w naszym świecie brakuje miłości.

Nie możemy mówić: Świat to inni;
nie chcę mieć z tym nic wspólnego.
Wielu ludzi popełnia wielki błąd, uważając,
że są poza światem,
który według nich jest taki zły;
nic przecież na to nie poradzą, to nie ich wina.
Tylko jeśli będziemy się wzajemnie kochać, posuniemy się naprzód.
W ten sposób stoimy już na progu nowego świata
radosnego i szczęśliwego dla wszystkich.

3 WRZEŚNIA

ODROBINA SZCZĘŚCIA

„Czy dobrze Pan spał?" – zapytałem.
„Nie – odpowiedział. – Potrzebne mi były tabletki nasenne.
Nie wytrzymuję tego.
Zgiełk, wie Pan, hałas – to straszne.
Radio z góry, telewizor tuż obok,
dyskoteka z naprzeciwka.
Zasnąłem dopiero o trzeciej, ale o czwartej
sąsiad uruchomił motocykl, by pojechać na ryby,
i ruszył z hałasem odrzutowca.
Taki umęczony poszedłem potem po południu
do cichego lasu, ale gdy znalazłem się już na miejscu,
rozłożyła się koło mnie grupa młodych ludzi
z tranzystorem nastawionym na cały regulator".

Jeszcze nigdy nie było tylu nadmiernie rozdrażnionych ludzi,
tylu chorych na serce, duszę i nerwy.
W dzisiejszych czasach
straciliśmy poczucie ciszy.
A przecież tak bardzo potrzebujemy ciszy,
nie tylko po to, by znaleźć spokój,
lecz także po to, by stać się ponownie człowiekiem,
a nie przekręconym kółeczkiem w wielkiej przekładni zębatej.

Kochaj ciszę, szukaj ciszy!
Leży w niej odrobina twojego szczęścia.

4 WRZEŚNIA

WYCHOWYWAĆ CAŁEGO CZŁOWIEKA

Czy to nie wspaniałe? Otwierają się tysiące drzwi,
napływają setki tysięcy młodych ludzi.
Znów zaczęła się szkoła.
To, co tu się dzieje, jest dla przyszłości
dużo ważniejsze i bardziej decydujące niż wszelkie czynności
wykonywane we wszystkich fabrykach, zakładach i biurach.
Tu się kształci lub partaczy ludzi.

Jeśli jednak chodzi tylko o to, by zapełnić głowę
i wytrenować sprawny umysł,
ze szkoły wyjdą doskonałe roboty,
a nie dojrzali ludzie.
Szkoła, która za pośrednictwem dobrze opłacanych nauczycieli
przekazuje jedynie podstawową i specjalistyczną wiedzę,
to gwarancja, że nastąpi bankructwo duchowe całego
społeczeństwa.
Najwyższy czas, by wychowywać całego człowieka,
nie tylko rozum, lecz także serce,
nie tylko inteligencję, lecz także charakter.

Wychowywać znaczy: z pokolenia na pokolenie
przekazywać wartości, które nadają życiu sens i kierunek.
Nie dokonuje się to aż tak bardzo przez słowa,
lecz przede wszystkim przez to, że słowa te
stają się widoczne i uchwytne we własnym życiu.
Wychowywanie jest zatem wspólnym zadaniem
rodziców, szkół, mediów, całego życia publicznego.
Kto uchyla się tu od odpowiedzialności,
staje się współwinny zbrodni.

KSZTAŁTOWANIE SERCA

*W*ielu młodych ludzi nie jest dziś już młodych.
Wyglądają staro. Wałęsają się zmęczeni życiem,
zanim jeszcze naprawdę zaczną żyć.
Żyją wśród mnóstwa problemów, problemów dorosłych.
Protestują i jednocześnie domagają się wszystkich korzyści,
oferowanych im przez społeczeństwo, na które złorzeczą.
Co gorsza jednak: Niemało młodych ludzi
w usilnym poszukiwaniu wolności
staje się ofiarą zabójczego uzależnienia
od środków odurzających i narkotyków.
Jest to forma rozpaczy. Tak kończy się świat,
w którym zapewniono wprawdzie postęp materialny i dobrobyt,
ale nigdy nie włożono serca.

*D*zieci i młodzież chodzą do szkoły.
Jakie są to szkoły?
Fabryki wiedzy czy ośrodki spotkań,
gdzie w codziennym procesie nauczania
między starszymi i młodszymi,
uczącymi i nauczanymi kształtuje się przede wszystkim serce,
w miłości do życia, w miłości do ludzi?
Bardzo wysokie wymagania stawia to nauczającym,
którzy przekazują wiedzę,
a powinni przede wszystkim wychowywać.
Młodzi ludzie potrzebują
ochoty do życia i perspektyw życiowych.
Ich droga musi wieść do świata,
w którym nie rządzą pieniądze ani prawo silniejszego,
lecz w którym jest miejsce na serce.

SPÓJRZ W PRZYSZŁOŚĆ

Jesteś młody. Dopiero oczekujesz wszystkiego od życia.
Jeśli niczego już nie oczekujesz, jesteś bardzo stary,
zmarniały i do niczego się nie nadajesz,
trudny w pożyciu, bez bodźców, do niczego niezdolny.

Spójrz w przyszłość, zaciekawiony i zaintrygowany,
przygotuj się do niej, wyjdź jej naprzeciw.
Nie oczekuj, że życie
będzie cię nosić na rękach.
Nawet jeśli chcieliby tego ojciec i matka,
byłoby to dla ciebie nieszczęście.
Rodzice mogą pomóc,
ale swoją przyszłość musisz sam zbudować.

Ucz się i ciężko pracuj, nie bój się
wyzwań i wysiłku,
nie zwieszaj głowy i nie trać otuchy
przy najmniejszej trudności.
Pracuj nad sobą, zrób coś sam z siebie.
Inaczej będziesz przemykać jak dureń przez życie
i możesz dać się od razu pogrzebać.

Pilnuj kursu statku swego życia, nie pozwól mu
kołysać się i ugrzęznąć na płytkich wodach.
Zostałeś stworzony do pozycji pionowej, spójrz w górę.
Kochaj życie, jest ono warte wysiłku.
Kochaj i pracuj z przyjemnością,
będziesz miał wtedy w tygodniu siedem dni świątecznych.

7 WRZEŚNIA

DLACZEGO NIE POTRAFIMY SIĘ JUŻ BAWIĆ

*T*o wielka strata, straszliwe zubożenie,
gdy nie potrafimy już marzyć, bawić się,
gdy uschła cała fantazja.
Może jesteś zbyt zasobny w drogie martwe przedmioty,
które służą tylko twemu wizerunkowi i mają
w tym obłudnym świecie zdobić twoją zewnętrzną fasadę.
Może za dużo się uczyłeś,
tak że czas bajek minął dla ciebie bezpowrotnie.

*U*ważam, że to niedobrze, jeśli do szkoły
nie dopuszcza się dziś bajek i misteriów,
jeśli uniwersytety stają się fabrykami wiedzy.
Ludzie umrą z samej skuteczności.
Brakuje fantazji. Ludzi włącza się planowo
i przy użyciu komputera w procesy pracy.
Muszą robić tylko jedno: funkcjonować bez zakłóceń.
Także w sporcie chodzi coraz mniej o radość z gry,
a coraz bardziej o pieniądze, czasami o bardzo dużo pieniędzy.

*D*laczego gdy człowiek dorośnie, musi
stracić swoje dzieciństwo i najczęściej również serce?
Dlaczego nie potrafi się bawić po prostu dlatego, że ma na to ochotę,
a nie dlatego, że chce być najlepszy i bić rekordy?
Dlaczego nie może już marzyć
i chcieć uczynić coś pięknego po prostu dla piękna,
nie zastanawiając się, co to da?
Dlaczego wszelkie marzenia, zabawy i cała fantazja
muszą ustępować bezwzględnie obliczonym korzyściom?

8 WRZEŚNIA

CZŁOWIEK ZUPEŁNIE UBOGI

Kto nie ma przyjaciela, przyjaciółki,
jest człowiekiem zupełnie ubogim.
To źle, gdy zachorujesz,
gdy przytrafi ci się jakieś nieszczęście.
Ale niemal nie do wytrzymania jest fakt,
że nie masz nikogo,
komu możesz o tym opowiedzieć.

Z przyjaciółmi można dzielić wszystko:
Troski, pomysły, kłopoty i problemy,
doświadczenia, pracę, strach i radość.
Droga do prawdziwej przyjaźni jest dosyć długa.
Musisz nauczyć się dzielić. Musisz nauczyć się dawać.
Musisz także nauczyć się przyjmować.
Pozostań prosty. Zarozumiali nie potrafią przyjmować.
Są zamknięci, usychają.
Przyjaźń należy
do największych dobrodziejstw w życiu.

Dlaczego tylu ludzi nie ma niczego z życia?
Dlatego że nie mają przyjaciół
dających im nadzieję.
Dawać sobie wzajemnie nadzieję to:
dodawać sobie wzajemnie otuchy,
ponosić za siebie nawzajem odpowiedzialność,
zawrzeć ze sobą wzajemnie przyjaźń.

9 WRZEŚNIA

MŁODZI I STARZY

Jesteś młody. Życie cię rozpiera.
Najpiękniejszy i najcenniejszy czas twojego życia.
Teraz lub nigdy położysz fundamenty swego szczęścia.
To wspaniale, jeśli wiesz, że życie ma sens.
Byłaby to twoja zagłada, gdybyś oczekiwał
od życia tylko pieniędzy i samych przyjemności,
gdybyś żył jak pasożyt na koszt innych.
Wyglądasz bardzo staro, jeśli cały twój ideał to
spędzać połowę nocy w dyskotekach.
Młode są nie tyle twoje silne ramiona i nogi.
Młodość przemawia z twoich błyszczących oczu,
z płonącego serca,
z silnej woli, by pracować i uczyć się,
i z radości budowania piękniejszego świata.
Uwierz w życie! Jest takie dobre, jest takie piękne.

Jesteś stary i prawdopodobnie dożyjesz jeszcze starszego wieku,
jeśli w twoim kalendarzu nie ma wypadku, zawału serca
lub jakiejś ciężkiej choroby.
Ale cóż ci z tego, że dożyjesz starości, jeśli spadną na ciebie
wszystkie plagi egipskie: kiepski wzrok, słuch, chód,
zapominalstwo, skleroza, chorowitość, samotność?
Starzenie się nie jest katastrofą, okres starości nie musi
być nieuchronnie czasem nieszczęścia.
Nawet jeśli niedomagasz,
możesz być przecież zadowolonym, szczęśliwym człowiekiem.
Musisz nauczyć się starzeć,
mając młode serce. To wielka sztuka.

10 WRZEŚNIA

PRZYJAŹŃ

Miał raka. Do końca zachował niewiarygodne
zaufanie do życia i przyjaźni.
Przyjaźń oznaczała dla niego wszystko. Powiedział:
„Dla młodego człowieka szczęście
tkwi w marzeniach, które mają się kiedyś spełnić.
Dorosły odkrywa, że szczęście rzeczywiście istnieje,
ale nie dlatego, że ziściły się marzenia,
lecz dlatego, że istnieje przyjaźń.
Człowiek dopiero wówczas staje się ubogi,
gdy nie ma przyjaciół.
Życie ludzkie wzbogaca się ostatecznie przez żniwo
przyjaźni i drobnych gestów sympatii.
Pozwala to znieść resztę.
Przyjaźń może być źródłem wielu trosk.
To zapewne prawda. Ale czy trzeba
wykopywać i pozbywać się wszystkich kwiatów
i żyć w kraju bez kwiatów, dlatego że ukłuła róża?".

Kto odrzuca przyjaźń, ten mieszka w kraju bez kwiatów.
Żaden człowiek nie jest tak bogaty jak ten, który ma przyjaciół.
Jesteś samotny i opuszczony, jeśli nie masz przyjaciół,
jeśli dla nikogo nie możesz być przyjacielem lub przyjaciółką.

Przyjaźń to dawać drugiemu miejsce w swoim sercu,
być otwartym, także podejmować ryzyko, zapomnieć o sobie.
Zachowaj głęboko w swoim sercu kilkoro ludzi,
którzy czują się u ciebie jak w domu i którzy tam pozostaną,
nawet jeśli sami umrą.

11 WRZEŚNIA

ZANIECZYSZCZENIE

W mass mediach panuje atmosfera sensacji.
W przesadnych barwach i ze wszystkimi szczegółami opisuje się to,
co dzieje się w naszym małym i wielkim świecie,
wszystko, co niedorzeczne, przerażające i katastrofalne.
Im większy nonsens, tym większą wzbudza sensację.
To, co wartościowe, najwidoczniej już od dawna nie jest takie
ciekawe.

*R*ozumiem, że media mają za zadanie informować:
Muszą ujawniać skandale, korupcję, zbrodnie
i nie tuszować ich. Ale ich ilość przechodzi wszelką miarę.
Dzieci odnoszą pewnie wrażenie,
że świat dorosłych jest jednym wielkim gnojowiskiem.
Panuje oburzenie z powodu zanieczyszczenia
podstawowych źródeł życia: wody, powietrza i ziemi.
Ale jeszcze bardziej tragiczne jest zanieczyszczenie,
które trawi człowieka i zatruwa jego serce.
Mass media wydają z siebie czasem tak gwałtowny potok
sensacji i perwersji, że stają się prawdziwymi kloakami.
Człowiek umiera w nich,
tak jak ryba umiera w skażonej wodzie.

*Z*rób coś przeciwko temu. Napisz do gazety,
do telewizji. Powiedz im, że ludziom chodzi
o miłość, nie o świństwa,
o radość życia, nie o krzykliwe sensacje,
że są jeszcze dobrzy ludzie i piękne rzeczy.
Zapytaj o więcej światła, więcej prawdy i więcej humoru!

ZA PIĘKNĄ MASKĄ

W ubiegłym tygodniu przyszła do nas młoda kobieta,
oczy ukryła za ciemnymi okularami,
by nikt nie widział, ile płakała,
jak bardzo jej piękna twarz była stwardniała i zatroskana.
Po czterech latach małżeństwa żyła rozwiedziona.
Szukała szczęścia w świecie bez Boga,
w przyjemnościach i uciechach,
i była teraz głęboko rozczarowana i zupełnie załamana.
„Jestem napchana tabletkami – powiedziała.
Mężczyźni, których miałam, nigdy nie byli moimi przyjaciółmi.
Nie wiem, co to przyjaźń.
Jestem skończona, zrozpaczona, cóż mam zrobić?
Czy spotka mnie jeszcze coś dobrego? Czy jest jeszcze Bóg?".

*T*akie pytania wciąż zadaje mały zrozpaczony człowiek.
Tak mówią ludzie, którzy nie byli kochani przez rodziców
i zostali sprowadzeni na manowce
przez fałszywych proroków szczęścia.
Wielkie dramaty w naszym małym świecie –
tyle cierpienia schowanego za piękną maską.
Czy tak trudno znaleźć szczęście?
Ci, którzy szukają szczęścia, są wprowadzani w błąd,
jeśli w świecie przesyconym seksem
na egoizm, który rozrasta się niczym złośliwy rak,
przykleja się jeszcze etykietkę „miłość".
Szczęście jest możliwe dopiero tam, gdzie świat jest domem,
gdzie ciepło i miłość Boga przenika tak wielu ludzi,
że żaden już nie marznie na zewnątrz.

DRAŻLIWY I OBRAŻALSKI

Zawsze i wszędzie robisz złe wrażenie,
jeśli jesteś powściągliwy i zamknięty w sobie,
szorstki i markotny, niezdarny i nieokrzesany,
drażliwy i obrażalski.
Takie zachowanie jest utrapieniem
w domu, biurze, sklepie czy zakładzie pracy.
Kostnieją wszystkie przyjacielskie uczucia,
zamarzają ludzkie kontakty i związki.

Jeśli szybko wpadasz w gniew i złość,
stajesz się jak naładowany elektrycznie.
Kto cię dotknie, tego porazi prąd
i w przyszłości przezornie będzie trzymał się z daleka.
W ten sposób stopniowo staniesz się samotnikiem na wyspie.

Każdy wystrzega się ciebie.
Każdy musi piekielnie uważać na twoje odciski.
Jedno słowo, drobna nieostrożność
mogą być przyczyną eksplozji.
Wywołasz sytuację nie do zniesienia.
Powstanie atmosfera pełna napięć,
która nadpsuje całe twoje otoczenie.

Dlatego bądź ugodowy i ustępliwy.
Powściągliwość jest niemodna.
Wysokie napięcie zagraża życiu,
a eksplozje w ogóle nie są w cenie.

DOBRY AMORTYZATOR WSTRZĄSÓW

*B*y móc pracować na lepszy świat,
musisz mimo całej biedy wierzyć w lepszy świat.
Mimo wszystkich nieszczęść, jakie serwują ci media,
nie trać optymizmu i humoru.
Humor jest dobrym amortyzatorem wstrząsów,
gdy w życiu dojdzie do zderzenia.
Humor relatywizuje wiele rzeczy.
To, co wydawało się nam ogromne, staje się śmiesznie małe;
to, co wydawało się niezmiernie ciężkie,
przestaje być przygniatającym ciężarem.

*A*by żyć, musisz pozostać zdrowy duchowo.
W tym celu potrzebna ci jest pogoda ducha.
Kiedy na twoim sercu pojawią się zmarszczki zmartwień,
być może z troski o dobro innych,
wtedy postaraj się szybko o zmarszczki śmiechu na twarzy.

*Ś*miech to najlepszy kosmetyk
dla twojego wyglądu zewnętrznego
i najlepsze lekarstwo dla twojego wnętrza.
Gdy mięśnie śmiechu regularnie pracują,
wychodzi to na dobre trawieniu.
Pobudza apetyt, stabilizuje ciśnienie krwi,
a część twoich trosk znika.
Śmiech ma wpływ nie tylko na przemianę materii,
lecz także na twoje bezpośrednie otoczenie.
Zmniejsza napięcia i łzy.

*P*omyśl o tym: każdy dzień,
w którym się nie śmiałeś,
jest dniem straconym.

15 WRZEŚNIA

PO CO WŁAŚCIWIE SIĘ MODLIĆ

Omówiłem już z tobą tak wiele spraw,
ale nigdy nie widziałem twojej twarzy i nie słyszałem twego głosu.
Nie wiem, kim jesteś, mężczyzną czy kobietą,
chłopcem czy dziewczyną, żonaty lub zamężna czy też nie.
Nie wiem, czy jesteś człowiekiem wierzącym.
A jednak chciałbym się teraz z tobą pomodlić,
modlitwą, którą znalazłem skopiowaną na kartce papieru.
Jeśli chcesz, módl się ze mną w swoim sercu tymi słowy:

„Panie, gdy jestem głodny, daj mi człowieka,
który jest bardziej głodny, bym mógł się jeszcze podzielić.
Gdy jest mi zimno, daj mi człowieka,
któremu mogę oddać coś ze swojego ubrania.
Gdy jestem sam, takiego, którego mógłbym ugościć.
Gdy jestem smutny, Panie, takiego, którego mogę pocieszyć.
Gdy potrzebuję czułości, daj mi człowieka,
którego mogę wziąć w ramiona.
Gdy moje brzemię staje się zbyt ciężkie, Panie,
nałóż mi ciężar innych ludzi.
Pozwól mi wszędzie, gdzie spotykam się z ludźmi,
odczuć twoją miłość".

Po co właściwie się modlić? Gdy czujesz swoją bezradność,
gdy nie pojmujesz nędzy i biedy, cierpienia i śmierci,
poszukaj dłoni, która silniejsza jest od wszystkich innych dłoni,
i serca, które jest większe od wszystkich innych serc,
a znajdziesz spokój i siłę do dalszej drogi,
przepojony nowym pokojem i nową radością.

16 WRZEŚNIA

POZNAJ SAMEGO SIEBIE

Czy masz o sobie wysokie mniemanie?
Uważasz, że jesteś nadzwyczaj dobry i udany?
To prawdopodobnie stawiasz się całkowicie
ponad błędami i słabostkami innych.
Idę o zakład,
że jesteś nieźle zarozumiały
i przede wszystkim zupełnie ślepy, jeśli chodzi o twoje drogie Ja.

Może to doprowadzić do wielu nieszczęść.
Szybko zaczynasz osądzać tych,
z którymi żyjesz i pracujesz,
potępiać ich i niszczyć.
Jeśli myślisz, że jesteś ważną figurą,
prawdopodobnie tylko trudny z ciebie typ.

Poznaj samego siebie!
Jest to niezmiernie ważne dla dobrych stosunków
z bliskimi, przyjaciółmi i znajomymi.
Odważ się zajrzeć za swoją fasadę,
spojrzeć na swe błędy, słabostki
i złe przyzwyczajenia.
Wtedy milczenie na temat innych
nie przyjdzie ci z trudem.

Poznaj samego siebie! Pozostań na gruncie rzeczywistości.
Odrobina samopoznania może ci bardzo pomóc
stać się lepszym, wyrozumialszym człowiekiem.

CODZIENNE WYBORY

Znów odbyły się wybory.
Gdyby wybrani kandydaci zrobili wszystko,
co obiecali, moglibyśmy smacznie spać.
Raj byłby bardzo blisko.

Postawienie krzyżyka na liście jest zazwyczaj dosyć łatwe.
Ale jest wiele innych decyzji,
które podejmuje się nie co pewien czas, lecz codziennie,
i przy których można osiwieć.
Codzienne wybory między obowiązkiem a przyjemnością,
między egoizmem a miłością bliźniego:
to o wiele trudniejsze.

Codziennie stoisz przed długą listą,
z której musisz wybierać.
Jeśli umieściłeś siebie na czele listy,
to masz dużo miłości własnej, może też sporo rozumu,
ale na ogół mało serca.
Wtedy decydujesz się zawsze na siebie,
na własne korzyści, własną przyjemność.
Umieść także innych na pierwszym miejscu.
Na przykład swoją żonę lub swojego męża.
Na przykład ludzi, którzy są bezradni.
Zapomnij o sobie, umieść siebie na dole listy,
daj innym pierwszeństwo. W ten sposób możesz tylko zyskać.

18 WRZEŚNIA

WOLNY DLA DOBRA

Wolność: słowo, które wywołuje ogromny zamęt,
zarówno u starszych, jak i u młodszych.
Są mężczyźni i kobiety,
którzy w imię wolności nie traktują poważnie wierności;
są dzieci, które nie pozwolą rodzicom
niczego sobie powiedzieć;
w niektórych mediach pojawiają się największe kłamstwa;
ludzie chowają się w swych ślimaczych skorupach,
gdy ominie ich bieda.

Żyje się podług miary swoich korzyści,
odczuć, swego gustu, swych humorów.
To wolność proklamowana przez egoistów
i przez egoistów adorowana.
Prowadzi prostą drogą do dżungli, do tyranii najsilniejszych,
najbardziej brutalnych i pozbawionych skrupułów.

Jedynie w atmosferze miłości wolność zyskuje sens,
może rozwijać swoją wartość, sprawiać radość.
Bo na tym świecie nie chodzi przede wszystkim o wolność,
lecz najbardziej o miłość.

Kto kocha, daje siebie, poświęca się,
pozwala drugiemu sobą władać,
oddaje drugiemu trochę swojej wolności.
Miłość czyni wolnym dla dobra, piękna,
prawdziwej, głębokiej radości życia.

19 WRZEŚNIA

MAŁE SŁOWO, KTÓRE MÓWI WSZYSTKO

Żyjemy w epoce cielesności.
Wszystko staje się sprawą komercji i konsumpcji.
Jako zasadniczy i wszystko dominujący bodziec
pojawia się wszędzie i coraz wyraźniej żądza pieniądza.
Nawet idole młodzieży, uwielbiane zespoły rockowe,
zdobywające świat protest songami przeciwko posiadaniu,
zarabiają w kilka godzin miliony,
kupują sobie pałace i stają się bardzo majętni.

Nasz zachodni świat ma gorączkę.
Gorączka ta zwie się chorobliwym egoizmem.
Przetrwamy nie dlatego, że istnieje wiedza,
nauki przyrodnicze, medycyna, socjologia czy psychologia,
że istnieje postęp techniczny, ekspansja gospodarcza,
strategie rynkowe, racjonalizacja czy perfekcyjna organizacja.
Przetrwamy wyłącznie
na gruncie jednego przykazania: miłości!

Miłość jest fundamentem
całego szczęśliwego współżycia.
Miłość to lekarstwo, które codziennie czyni cuda.
Miłość to jedyna droga,
na której ludzie stają się bardziej ludzcy.
Miłość – małe słowo, a mówi wszystko.
Dlatego spróbuj po prostu kochać
ludzi, którzy cię otaczają.

20 WRZEŚNIA

JEDYNE WYJŚCIE

Okrucieństwo przemocy. Na krótki czas świat przejmuje zgroza.
Potem ludzie znów kładą się spać.
Siłą można zburzyć dom, ściąć drzewo
czy zabić zwierzę. Ale kto siłą
niszczy człowieka, niszczy siebie jako człowieka.
W procesie o morderstwo oskarżony powiedział:
„Unicestwiając innego człowieka, sam się unicestwiłem.
Zabić innego to zabić siebie samego".
Ostatnio był u mnie mężczyzna około czterdziestki.
Zabijał ludzi, służąc w legii cudzoziemskiej.
„Teraz mnie mordują – powiedział –
przychodzą do mnie każdej nocy".

Co można uczynić przeciw rosnącej przemocy?
Skąd się bierze? Przemoc nie bierze się nigdy z miłości.
Przemoc zakorzenia się w myślach i uczuciach nienawiści.
Nienawiść gnieździ się w chorobliwej ludzkiej zachłanności.
Na żądzy tej opiera się całe nasze społeczeństwo.
W świecie chodzi o władzę, posiadanie, sławę.
W takim świecie przemoc czuje się jak u siebie.

Przemocy nie da się wyplenić przemocą.
Przemoc plus przemoc oznacza zawsze jeszcze więcej
przemocy.
Śmiertelny krąg. Przełamać go można tylko
dzięki niewiarygodnej ewangelicznej miłości, która głosi:
„Miłuj swych wrogów. Uczyń coś dobrego dla tych,
którzy cię nienawidzą".
W dzisiejszych czasach brzmi to przeraźliwie naiwnie.
Któż w to jeszcze uwierzy?
A jednak – zapewniam cię – jest to jedyna droga.

21 WRZEŚNIA

POGRZEBANY ZA ŻYCIA

Pewien mężczyzna stracił w krótkim czasie ukochaną żonę
i jedynego syna.
Poszedłem z nim na cmentarz.
Bolesna chwila.
Pogrzebano tam wraz z żoną i synem
kawał jego własnego życia.
Długo tam staliśmy, oniemiali z bólu.

Chwilę potem przeszedłem się po cmentarzu,
po tym mieście z marmuru i kamieni.
O tej porze nie było tam nikogo.
Pośród zadbanych grobów widziałem inne,
zarośnięte trawą i chwastami, zaniedbane.
Od lat nikogo tu nie było.
Zapomniani umarli!

Moje myśli skierowały się w stronę miasta żywych.
To, że zapomina się o umarłych, można jeszcze zrozumieć.
Umarłych to już nie boli.
Jednakże zapomnieć w mieście żywych
o bliźnich, być może o własnym ojcu,
własnej matce, najbliższych członkach rodziny –
pogrzebać ich za życia w obojętności,
która zarasta wszystko niczym zabójczy chwast –
to hańba niegodna człowieka.
Dlatego uważaj, by taki cmentarz
nie rozszerzał się być może w twoim otoczeniu, w twoim domu.

22 WRZEŚNIA

GDYBY ICH NIE BYŁO

Pewien mężczyzna wraca do afrykańskiego kraju,
w którym przed paru laty został niemal śmiertelnie pobity.
Latami trwało zanim wyzdrowiał.
Ludzie mówią: To szaleniec. Dlaczego to robi?
Nie prowadzi tam interesów, nie ma tam przyszłości.
Jedyne, co ma, to miłość do ludzi.
Dla niej chce angażować swój czas, swoje siły, życie.

Dziwne! Dlaczego ludzie jadą do zacofanych krajów,
dlaczego znoszą trudne warunki życia,
rezygnują z małżeństwa i rodziny,
by należeć całym sercem do bezradnych, nieszczęśliwych,
kalekich, chorych, umierających? Dlaczego?

To szaleńcy. W oczach świata są marzycielami,
ponieważ nie liczą na pieniądze i bogactwo,
godności i karierę, uciechy i przyjemności.
Szaleńcy, ale najczęściej ludzie bardzo szczęśliwi.
Są trochę jak kwiaty. Kwiaty nie mają
rąk: Nic nie biorą, lecz tylko dają.
Rosną, kwitną i przekwitają.
Istnieją wyłącznie dla radości innych.

Ci szaleńcy wpuszczą chociaż trochę światła,
gdy w życie tak wielu ludzi wedrze się noc.
Pomogą nam ponownie uwierzyć w nowy dzień.
Gdyby ich nie było, świat byłby skończony.

---

23 WRZEŚNIA

SZUKAJ ZAWSZE DOBRYCH STRON

Nie znam cię. A mimo to wiem,
że także twoje serce odczuwa głód
odrobiny radości i szczęścia.
Dlatego podam ci szybko kilka przepisów:

We wszystkim szukaj zawsze dobrych stron.
Każdego wieczora kładź się do łóżka,
mając w głowie dobre myśli.
Twój sen będzie wtedy o wiele spokojniejszy i zdrowszy,
dobre myśli nocą oddziaływają dalej na ciebie,
a rankiem znów pojawia się słońce w twym sercu.
Kiedy masz wiele zmartwień i znikąd pociechy,
wtedy najpierw porządnie się wypłacz.
A potem idź i pomóż innemu.

Nie czyń z każdego niepowodzenia katastrofy.
Przyjmuj każdy nowy dzień jako dar.
Raduj się zawsze z czegoś.
Jest jeszcze tyle piękna na ziemi:
dziecko, które patrzy na ciebie promiennym wzrokiem,
kwiat, który kwitnie dla ciebie,
gwiazda świecąca dla ciebie na niebie.
Twoja radość i twoje szczęście
znajdują się w twoich własnych rękach.

Z TEGO BIERZE SIĘ WIĘKSZOŚĆ KONFLIKTÓW

Strajki, demonstracje, niepokoje, bójki.
Dlaczego ludzie nie potrafią być zadowoleni?
Dlaczego nie potrafią być ze sobą szczęśliwi?
W wielu krajach ludzie są nieszczęśliwi,
bo nie wystarcza im jedzenia i picia,
bo muszą uciekać przed wojną,
bo nie ma pracy, lekarzy, oświaty.
Ale u nas? Gdzie wydaje się miliardy na przyjemności?

Wielu jest u nas nieszczęśliwych, bo są chorzy.
Mają dziwną gorączkę. Nie spada,
im bardziej rośnie dobrobyt, tym staje się gwałtowniejsza.
Zwie się chorobliwym chciwstwem. Mając tę gorączkę,
nie będziesz ani przez jeden dzień szczęśliwy.
Gospodarka codziennie pobudza nowe potrzeby,
czyni z nas ludzi nienasyconych.
Pożądać coraz więcej, bo reklama mówi:
Tego potrzebujesz, to musisz dziś mieć.
Z tego bierze się większość konfliktów.

Twoje szczęście nie zależy od tego, co posiadasz,
lecz od tego, czym potrafisz się cieszyć.
Są ludzie, którzy mają wszystko, czego sobie tylko zażyczą.
Ale nie potrafią się już z niczego naprawdę cieszyć.
Jeśli zadowalasz się drobnostkami i potrafisz się tym radować,
jesteś najbogatszym i najszczęśliwszym człowiekiem świata,
a wszyscy ludzie są twoimi przyjaciółmi.

25 WRZEŚNIA

TYLE, ILE POTRZEBA

Jakiś czas temu zginął u nas w wypadku
pewien młody jeszcze duchowny.
Był profesorem uniwersytetu w Santiago w Ameryce Południowej.
Miał niebywałą energię życiową.
Z pasją i zapałem wstawiał się
bezinteresownie za swoimi bliźnimi.
Był stuprocentowym człowiekiem,
stuprocentowym księdzem.
Możemy się od niego sporo nauczyć, właśnie dziś,
gdy panuje tyle arogancji i przemądrzałości.
Jego ostatnia modlitwa brzmiała tak:

„Panie, nie dawaj mi za wiele rozumu, ale tyle,
by rozumieć życie i ludzi.
Nie dawaj mi za wiele siły, ale tyle, by pracować.
Nie dawaj mi za wiele sukcesów, ale tyle,
by żyć i móc pomagać.
Nie dawaj mi też za wiele grzecznego przystosowania,
ale tyle bezinteresowności, bym mógł czynić swoją powinność.
Panie, to, jaką dasz mi mieszankę szczęścia
i cierpienia, pozostawiam tobie.
Jeśli mi tylko pomożesz być dziś szczęśliwym".

Także my możemy
przyswoić sobie tę modlitwę
i powtarzać ją w sercu.
Dobrze na nas wpłynie.

ZMIENIA WSZYSTKO

Nie wiem, czy jesteś wierzący. Mimo to chciałbym
ci zadać pytanie, być może szaleńca: Modlisz się czasami?
Mogę przecież mówić tylko o tym, co według mnie jest ważne,
ważne dla wierzących i niewierzących.
Po co w ogóle tak rozróżniać?
Wszyscy przecież jesteśmy po trosze wierzący i po trosze
niewierzący.

Przy tylu dzisiejszych stresach i depresjach modlenie się
jest bardzo ważne nie tylko dla chrześcijan, lecz dla wszystkich.
Modlitwa to praktyczna rzecz.
Z psychologicznego punktu widzenia spełnia podstawową
potrzebę każdego człowieka: wierzącego lub niewierzącego.
Modlitwa pomoże ci ująć w słowa to, co cię dręczy.
W modlitwie przedstawisz Bogu swe problemy.
Ulży ci, znajdziesz nowe siły.
Modlitwa da ci uczucie, że nie jesteś już sam.
Modlitwa uruchomi w tobie aktywność.
Wtedy coś robisz, nie wyczekujesz bezradnie.

W świecie, jaki znamy,
modlitwa z pewnością nie przyniesie ci zysku.
Nie wzbogacisz się przez nią. Nie zajdziesz dalej.
Niczemu nie służy, ale powiadam ci: Zmienia wszystko.
Zamknij oczy i módl się. To ukoi ci nerwy.
Twoje ciało się odpręży, zaczniesz myśleć o czymś innym.
Modlitwy trzeba się nauczyć. Nie uda się to w jeden dzień.
Ale opłaca się codziennie ponownie próbować.

---

27 WRZEŚNIA

POZORNIE WSZECHMOCNY

Żyjemy w czasach, w których człowiek
staje się pozornie wszechmocny w dziedzinie
nauki i techniki: laboratoria w przestrzeni kosmicznej,
rozbudowana sieć danych, satelity,
medycyna transplantacyjna, genetyka, biotechnika
i coraz doskonalsza, śmiercionośna broń.

Podczas gdy potęga ta rośnie, człowiekowi grozi
całkowity upadek duchowy, moralny i kulturalny.
Ludzie umierają z głodu i wycieńczenia,
nawet w zamożnych krajach.
Ludzie są ciemiężeni, torturowani, mordowani,
wypędza się i wybija całe narody,
podczas gdy miliony przyglądają się przemocy, wojnie, nędzy
na ekranie z zainteresowaniem,
pociągają łyk i przełączają na show.

Ludzie w krajach zamożnych toną
w nadmiarze konsumpcji i przyjemności, seksu i rozrywki,
podczas gdy młodzi ludzie mający dość życia
sięgają po przemoc, alkohol i narkotyki.
Pamiętaj, tragizm polega przede wszystkim na tym,
że fantastyczne możliwości człowieka
w dziedzinie techniki, nauki
i komunikacji masowej realizowane są dziś
na niewyobrażalnej duchowej pustyni.

NAGIĄĆ SPIRALĘ PRZEMOCY

Zabicie człowieka jest czymś strasznym.
Wiadomości o morderstwach i przemocy. Czy to jeszcze coś znaczy?
Słowa się zużyły, są wytarte, puste.
Rankiem czyta się w gazecie: Tysiące umarłych z głodu,
i spokojnie pije kawę.
Słyszy się o tysiącach ofiar na terenach objętych wojną
i za chwilę rozmawia o pogodzie, modzie czy piłce nożnej.
Codziennie niezliczona liczba niewinnych ludzi
umiera śmiercią tragiczną. I co najgorsze:
Nie widzimy w tym nic złego, tak po prostu jest.

Niepojęta jest ludzka obojętność.
Czy istnieje jeszcze jakikolwiek powód
do dumy, że należy się do gatunku ludzkiego?
Jedyne, co możemy spróbować zrobić,
to być samemu z całego serca dobrym,
pełnym wyrozumiałości dla podupadłej istoty ludzkiej,
którą spotykamy także w naszym życiu.
Nigdy nie nienawidzić ludzi, nigdy niesprawiedliwej przemocy.
Lepiej być ofiarą niż sprawcą.

Błogosławieni pozbawieni przemocy, którzy naginają
spiralę przemocy do spirali przyjaźni i miłości.
Są jak woda w rzece,
która wygładza i zaokrągla twarde kamienie,
tak że stopniowo zaczynają się jednak poruszać.
Pozbawieni przemocy są w stanie zmienić
siłą cierpliwości serca ludzkie.

29 WRZEŚNIA

W KOSMOSIE I NA ZIEMI

Podróż kosmiczna – fascynująca przygoda.
Ale na cóż nam przedzierać się coraz głębiej do wszechświata
i przełamywać dotychczasowe granice,
jeśli ciągle od nowa stawiamy na Ziemi mury
nieufności, niezrozumienia, nienawiści i przemocy?
Na cóż nam latać dookoła kosmosu z prędkością
powyżej 30 000 kilometrów na godzinę, skoro nie jesteśmy
w stanie przezwyciężyć przepaści
między nami i ludźmi umierającymi z głodu?
Cóż da wysyłanie robotów na Marsa,
skoro człowiekowi na wpół umarłemu z głodu
nie potrafimy podać miski z jedzeniem?

Tak, ludzie są zapewne nadzwyczaj inteligentni,
niesłychanie wynalazczy i postępowi,
ale kiedy wreszcie uda im się żyć nie tylko rozumem,
lecz także sercem, pełnym gotowości
do pojednania i wzajemnej pomocy?
Kiedy wreszcie zaczną troszczyć się
na ziemi o pokój i szczęście?
Chcesz w tym uczestniczyć? Zacznij więc jeszcze dziś
być dobry, serdeczny i miły dla twojego sąsiada,
dla twoich bliskich i kolegów z pracy,
dla całego otoczenia.
Twój wysiłek dla pokoju na ziemi jest więcej wart
niż podróż dookoła świata w 88 minut.

PAŹDZIERNIK

Polub ludzi takimi,
jacy są.
Innych nie ma

SILNIEJSZY NIŻ WSZELKA ŚMIERĆ

Dostałem obraz w prezencie od młodego malarza.
Artysty o niezwykłym wyczuciu. Jest to obraz ponury.
Nieskończona kraina przedstawiona w zimnych barwach, jałowa i opustoszała.
Wygasły ostatnie resztki nadziei.
Na horyzoncie widać płonące miasto bogatych.
Na pierwszym planie kroczą cztery chude i wysokie postacie.
Z miasta biednych, z lepianek, niosą
ogromną trumnę w kierunku rozstępującej się szczeliny ziemi,
podczas gdy na ziemi leży zrozpaczona jakaś nędzna postać
wyciągająca w powietrze dwa kikuty rąk: rozpacz.
Pośrodku kwiat o długiej łodydze.
Ta oznaka radości jest jednak straszną iluzją,
bo kwiat jest martwy, łodyga złamana pośrodku.
Młody malarz nadał swojemu dziełu tytuł „Chleb i igrzyska",
co jest aluzją do upadku Imperium Rzymskiego,
porównywalnego z naszym konsumpcyjnym społeczeństwem żądnym podniet.
„Daj ludziom chleba i igrzysk, a będziesz mógł
zrobić z nimi, co zechcesz".

Coś jednak zmieniłbym w tym obrazie.
Dałbym kwiatu szansę.
Nie musi być złamany i martwy.
Wierzę w człowieka
i wierzę w nieśmiertelność miłości.
Wiarę tę straciło wielu młodych ludzi.
Muszą pokonać rozpaczliwą pustkę
i ponownie odkryć w człowieku iskrę nazywaną duchem,
który budzi życie i jest silniejszy niż wszelka śmierć.

1 PAŹDZIERNIKA

BĄDŹ DOBRY

*T*akże ty: czy jesteś młody, czy stary,
musisz starać się być dobry:
dobry dla swojego ojca i swojej matki,
dobry dla swoich dzieci,
dobry dla ubogich i cierpiących niedostatek,
dobry dla każdego.

*M*oże już dawno przestałeś
być dobry.
Jesteś rozczarowany i powiadasz:
Nie rozumieją mnie,
wszystko przeinaczają,
są tacy niewdzięczni.
Mówię ci jednak: Zacznij
mimo to być dobry,
niczego nie oczekując,
nawet jeśli twoje serce krwawi.

*B*ycie dobrym wymaga wysiłku.
Porzuć twarde słowa,
porzuć wyrachowanie.
Wnieś ciepło do swego domu, bądź dobry.
Pomóż ojcu i matce, bądź dobry,
zwłaszcza jeśli są starzy i samotni.
Nie mów niczego złego o innych, bądź dobry.
To ogromne szczęście
być dobrym człowiekiem.

ZŁY JĘZYK

Twój język może wyczyniać prawdziwe cuda.
Słowa, które wypowiadasz,
przekazują to, czym jesteś w głębi duszy,
na zewnątrz w stosunku do ludzi.
Jeśli w głębi duszy jesteś ponury, fałszywy i leniwy,
twój język także nie będzie mówił
niczego innego niż zło: kłamstwa i obrazy,
nonsensy i szyderstwa, obelgi i przekleństwa.
Jeśli w głębi serca jesteś dobrym człowiekiem,
twój język sam z siebie
będzie mówił dobrze o innych.
Zasieje wszędzie pokój i radość.

Swoim językiem możesz przynieść szczęście lub nieszczęście.
Ludzie kaszlą, gdy coś
wpadnie im przez przypadek do gardła.
Gdyby mieli kaszleć zawsze,
gdy coś się niechcący wyrwie z ich gardła,
światu zaparłoby dech.
Kto źle zaparkuje, musi zapłacić mandat.
Należałoby pobierać podatek
za niewłaściwe użycie języka,
odczuwalną grzywnę za każde kłamstwo,
a w podwójnej wysokości za każdą obmowę.
Niesłuszne obmawianie innych
jest ku mojemu ubolewaniu bardzo rozpowszechnione.
Broń się przed złym językiem,
zwłaszcza jeśli tkwi w twoich ustach.

3 PAŹDZIERNIKA

STRASZLIWA ZAWADA

Są w życiu czarne dni.
Przygniatają cię wtedy złość i cierpienie,
kłopoty i troski,
tracisz apetyt i ochotę na sen.
Wstajesz rankiem tak samo zmęczony,
jak położyłeś się wieczorem.
Jesteś wściekły, coś ci straszliwie zawadza.
Może poczucie winy, którego nie możesz się pozbyć.
Uczucie głębokiego niezadowolenia drąży
coraz głębiej twoją głowę i twoje serce
i rozpoczyna swe niszczące działanie.
Najbardziej cierpi twój system nerwowy.
Co można na to poradzić?

Nie próbuj ogłuszać się tabletkami czy alkoholem
lub niepohamowanym używaniem.
Ogłuszanie nie leczy, potem wszystko jest jeszcze gorsze.
Jeśli jesteś wierzący, pomocą może być dla ciebie modlitwa,
w której pełen ufności zdasz się na Ojca.

Otwórz oczy
na biedę innych.
Spróbuj ich zrozumieć.
Nie okazuj rezerwy.
A przekonasz się:
Twoje nerwy wytrzymają.
Twoje życie ponownie zyska sens.

4 PAŹDZIERNIKA

NIE POZWÓL NIKOMU MARZNĄĆ

Nie możesz żyć bez kogoś, kto cię lubi,
dla kogo coś znaczysz, komu możesz się zwierzyć,
kto się o ciebie troszczy, u kogo zawsze jesteś mile widziany.

Spotykasz w życiu wielu ludzi,
ale niektórzy wrastają w twe życie,
są jego częścią, jesteś z nimi nierozerwalnie związany.
Co za dobrodziejstwo, jeśli są to dobrzy ludzie!
Ludzie, przy których czujesz się jak w domu, jesteś bezpieczny.
Bez takich ludzi życie byłoby nie do zniesienia.

Ale jest dziś takich bez liku,
co nie mają żadnego człowieka,
który się nimi zajmie, zatroszczy się o nich,
który zechce okazać im trochę serca.
A przecież także ich serce ma wiele potrzeb,
także ich serce łaknie przychylności i czułości,
dwojga ramion, w które można uciec.

W naszym świecie nastało wiele zimna.
Jest wielu ludzi, którzy marzną. Pamiętaj o tym.
Jesteśmy wszyscy zdani na siebie nawzajem.
Jesteśmy zależni od siebie w przypadku pożywienia, ubrania,
mieszkania, wypoczynku,
wszystkiego, co można mieć za pieniądze.
Ale jeszcze bardziej jesteśmy zależni od siebie nawzajem
w przypadku naszego szczęścia.
Pieniędzmi nic tu się nie wskóra.
Ma to związek z sercem, z miłością, a tę można dostać tylko gratis.
Okazuj serce, obcując z ludźmi,
i nie pozwól nikomu marznąć!

5 PAŹDZIERNIKA

CZY ZNASZ JEZUSA

Gdy jesteś słaby, zniechęcony, pełen obaw,
szczególnie ważne jest to, by spotkać dobrego człowieka,
który jest wyrozumiały, potrafi cię pocieszyć i rozweselić.
Wszyscy jesteśmy słabymi ludźmi, nie aniołami ze skrzydłami
kroczącymi na wyżynach doskonałości.
Wszyscy potrzebujemy zrozumienia, otuchy i przebaczenia.

To właśnie możemy sobie wciąż od nowa nawzajem oferować.
Jest to możliwe dzięki Jezusowi z Nazaretu. Znasz go?
Wielu zna go z imienia, niewielu jako najlepszego przyjaciela.
Pragnie on uwolnić ludzi od zła, od tego, co najgorsze,
a jest tym stracona, zaniechana miłość.
Podchodzi do ubogich, cierpiących, grzeszników, kocha ich
i wdaje się w spór tylko z bogatymi i obłudnikami,
którzy myślą, że są bardzo dobrzy i nie potrzebują przebaczenia.
„Kto jest bez grzechu, niech pierwszy rzuci kamieniem" – mówi.
Opowiada o synu, który zaginął i powrócił,
którego przyjęto z otwartymi ramionami, nie pytając
„skąd" i „dlaczego" i nie robiąc mu wyrzutów.
Jezus nie jest jak ludzie. Jest miłością.
Przygotowuje ucztę dla każdego, kto zbłądził.
Zbłąkaną owcę bierze czule na swe barki.

Kocham tego Jezusa bardziej, niż potrafię powiedzieć.
Żyje dla mnie. Bardzo bym chciał, abyś go poznał,
nie jako człowieka z odległej, zamierzchłej przeszłości,
lecz jako przyjaciela, który żyje. Całkiem blisko!

6 PAŹDZIERNIKA

POSŁUCHAJ KWIATÓW

Spadłeś jak gwiazda z nieba.
Na niebie wiszą miliardy gwiazd, każda jest wyjątkowa.
Miliardy ludzi siedzą na tej małej planecie,
a każdy człowiek jest wyjątkowy. Fantastyczne!
Gwiazdy świecą i zdobią niebo,
aby również nocą można było wierzyć w światło.
Ludzie świecą i upiększają ziemię,
jeśli są gwiazdami, a nie rozpasanymi potworami.

Jeszcze słyszę, jak kwiat rzekł ostatniej wiosny:
„Co też ludzie robią!
Produkują straszną broń i sieją śmierć
wśród ludzi, zwierząt i roślin.
Kwiaty znikają, ścina się drzewa.
Ryby umierają w skażonych wodach.
Ludzie zanieczyszczają powietrze, które wdychają.
I biegają po wystawach, by podziwiać
najnowszą technikę, a potem mówią: Wspaniałe!".

Po dłuższej przerwie kwiat dodał jeszcze:
„Spójrz, czyż nie jestem piękny? Delikatne, miękkie płatki
i serce w mym kielichu. Czy widzisz te barwy,
czy czujesz tę cudowną harmonię, czy czujesz życie?
Wiesz, gdy odwiedzają mnie wierne pszczoły, rozmawiamy
o tym, jak głupi są ludzie". Jeszcze to słyszę.

Spadłeś jak gwiazda z nieba.
Posłuchaj kwiatów!

SPONTANICZNY GEST

Co dnia stary mężczyzna powoli przechodzi tą samą ulicą.
Codziennie mijają go setki ludzi.
Wszyscy idą własnymi drogami, mają swoje sprawy.
Przepychają się obok niego, nie oglądając się za siebie.

Cóż to było za zaskoczenie
dla tego starego zamkniętego w sobie mężczyzny,
gdy nagle ktoś przystanął,
ktoś ze stale tam przechodzących,
wetknął mu do ręki paczkę tytoniu
i szepnął przyjaźnie do ucha:
„To dla ciebie, do fajeczki,
i bywaj zdrów".

Z powodu tego zwyczajnego gestu
stary mężczyzna był przez wiele dni niezmiernie szczęśliwy.
Istnieją tysiące starych ludzi,
którzy czekają na spojrzenie
pełne przyjaźni i sympatii.
Drobny, spontaniczny gest
może dla samotnego człowieka znaczyć więcej
niż bezosobowy przelew pieniędzy
czy perfekcyjnie zorganizowana akcja pomocy.
Bądź dobry dla starych ludzi, cierpliwy i uprzejmy.
Okazuj im każdego dnia serce.
Ich szczęście leży w twoich rękach.
Pomyśl o tym: Ty także kiedyś się zestarzejesz!

8 PAŹDZIERNIKA

ROZŁAM W KAŻDYM CZŁOWIEKU

Czasami jest tak, jak gdyby mieszkali w tobie dwaj ludzie.
Jeden, który wszystko robi dobrze, i tego pokazujesz
na zewnątrz, i drugi, za którego się wstydzisz.
Tak wspaniały człowiek jak św. Paweł pisze w jednym z listów:
„Dobra, którego pragnę, nie czynię,
a czynię zło, którego nie pragnę".

Człowiek to dziwna istota. Jest w każdym człowieku
jakaś głęboka rysa.
Spotykam ludzi, którzy mimo najlepszych chęci świata
ciągle popadają w swe stare cierpienie.
Ludzi, którzy chcieliby żyć dobrze, a mimo to robią rzeczy,
których sami nie pojmują. Dlaczego?
Dlatego że człowiek nie jest Bogiem czy aniołem ani nadistotą,
lecz małym pielgrzymem w długiej drodze,
czasem mocno zmęczonym i nieźle zbolałym.
Właśnie doświadczając własnej słabości, człowiek
staje się wyrozumiały i współczujący dla swych bliźnich.
Kto jednak ciągle wpada w samouwielbienie, staje się twardy
jak kamień.
Jego życie uczuciowe usycha, nie pojawi się w nim już
coś tak pięknego jak przebaczenie, pociecha, otucha.

Niech cię nie niepokoją twoje słabości i błędy,
ale również ich nie upiększaj. Naucz się z nimi żyć.
Nikt nie jest tak dobry jak w swoich najlepszych chwilach.
I nikt nie jest tak zły jak w swoich najgorszych chwilach.
Miłość rozkwita tam, gdzie ludzie są wobec siebie łagodni,
łagodni w słowach i zachowaniu.

9 PAŹDZIERNIKA

GDY SIĘ UŚMIECHASZ

*A*leż oczywiście, ty także możesz być piękna,
nawet bardzo piękna i bardzo atrakcyjna.
Jest na to całkiem prosty sposób, zupełnie niedrogi,
niepotrzebny makijaż i chirurgia plastyczna,
niepotrzebna złota biżuteria i brylanty.
A jak zwie się ów praktyczny, oryginalny środek,
który czyni ludzi pięknymi?
Uśmiech, uśmiech pochodzący z serca.

*W*ierz mi, jeśli nawet twoje brwi
nie zgadzają się co do milimetra
i tu czy tam pojawi się zmarszczka –
gdy się uśmiechasz, twoja twarz
promienieje, jakby wschodziło słońce.
Ludzie się dziwią, a twoi bliscy rzucają ci się na szyję.

I gdybyś nawet miał najpiękniejszą brodę pod słońcem,
najszlachetniejszy nos i najbardziej wysportowaną sylwetkę –
gdy jesteś w złym humorze i chodzisz mrukliwy z kąta w kąt,
żaden człowiek na ciebie nie spojrzy,
a twojej partnerce nadzwyczaj trudno będzie
cię pocałować.

*D*latego: uśmiechaj się! W domu i wszędzie.
Bo kiedy się uśmiechasz, wtedy uśmiechnie się także ktoś inny,
a wkrótce będzie się uśmiechać cały świat – dlatego że ty się
uśmiechasz.

BYĆ CIERPLIWYM

Złe dni! Ty także wiesz, co to jest.
Dni, w które wszystko wygląda czarno,
w które nic się nie udaje. Czujesz się przegrany.
Gorzej już być nie może.
I co najgorsze: Myślisz, że już tak zostanie.
Złe dni trwają tak długo. Są to najdłuższe dni.

Każdy człowiek ma złe dni. Cóż wtedy można zrobić?
Być cierpliwym! Cierpliwość, wiem, jest rzadką cnotą.
Cnoty to dobre cechy, które długo się ćwiczy
i które mogą sporo pomóc w trudnych sytuacjach.
Cierpliwość to cnota, której dziś pilnie potrzebujemy.
Bo w dzisiejszych czasach wszystko musi dziać się bardzo szybko.
Wszystkie życzenia trzeba spełniać od razu,
jak za naciśnięciem guzika.
W przypadku najmniejszego bólu – natychmiastowa ulga.
Brak cierpliwości jeszcze bardziej wzmaga rozdrażnienie,
a złe dni tylko się przeciągają.

Jeśli życie ma być coś warte,
musisz ćwiczyć cnotę cierpliwości.
Być cierpliwym! Lecieć niekiedy przez jakiś czas na ślepo.
Często przekonałeś się, że dobre dni szybko mijają
i uważasz to za zło.
Ale dlaczego doświadczenie to nie pociesza cię
w złe dni? Chodź, nie przejmuj się tak.
Nie dramatyzuj, przywdziej uśmiech.
Złe dni także miną.

11 PAŹDZIERNIKA

KALEKIE DZIECKO

W Leodium urodziło się dziecko – bez rąk.
Osiem dni później niemowlęciu podano środek nasenny –
zbyt dużą dawkę zmieszaną z miodem – i dziecko zmarło.
Swego czasu sporo mówiono i pisano
o matce, lekarzu, rodzinie,
zbyt mało o niewinnej ofierze.

*D*ziecko przyszło na świat jak każde inne dziecko
z wolą życia.
We wszystkim mogło liczyć tylko na swoją matkę,
na ludzi dorosłych:
Nie miało rąk,
ale miało serce i usta,
by mówić „mama”, „tata” i „dziękuję”.
Mogłoby śpiewać i bawić się,
widzieć, słyszeć i cieszyć się życiem.
Wielu ludziom dałoby sposobność
do okazania dobra i miłości bliźniego.

*N*ie możemy i nie chcemy wyrokować o winie.
Ale czy nie jest to nieludzkie
odrzucać i pozbawiać życia dziecko,
które kalekie zwraca się do nas,
nam powierza życie?
Kto uważa to za dobre,
tego właściwie nie można nazywać człowiekiem.

„CHCĘ, ABYŚ ŻYŁ"

Czy wiesz, że wielu ludzi już nie żyje,
ponieważ nie potrafią się już śmiać? Są prawie martwi.
Bo tam, gdzie nie ma śmiechu, nie ma życia.
Ludzi ogarnia ciemność, odczuwa się noc.
Musisz żyć i ożywiać swoje otoczenie.
Ale co to takiego: żyć? Piękne mieszkanie? Luksus?
Wymarzone podróże do dalekich, rajskich krajów?
Znam ludzi, którzy to mają i mimo to nie żyją.
W ich pobliżu dostaje się dreszczy i ma się wrażenie,
że wesołość jest zabroniona pod karą więzienia.

Życie ma wiele wspólnego z serdecznością i ciepłem.
Także z tym, byś potrafił się pogodzić ze sprawami,
których nie da się zmienić i już,
byś potrafił pogodzić się ze swoimi obiema lewymi rękami,
byś potrafił zawrzeć pokój ze swoimi bliźnimi
i pokój ze sobą, ze swoim biednym, chorym sercem.
Czy lubiłeś już kogoś z całego serca?
I czy są także tacy, którzy naprawdę cię lubią?
Ciężko jest przecież żyć bez kilku drogich,
sympatycznych ludzi wokół siebie.

Uważam, że to straszne, gdy ludzie umierają
bez szans na to, by powiedzieć:
Są ludzie, którzy mnie kochają. A także przede wszystkim:
Jest jeden Bóg, który chciałby zobaczyć, że jesteś szczęśliwy,
że potrafisz żyć i śmiać się w jego słońcu.
Mówi On: Chcę, abyś żył.

13 PAŹDZIERNIKA

STARSI I MŁODSI

Młodzież się buntuje. Starszym jest ciężko,
gdy młodzi nie potrafią w ogóle docenić tego,
co oni zbudowali z takim trudem.
Dla młodszych jest niepojęte, dlaczego starzy
tak kurczowo trzymają się swych zdobyczy.

Nie bądź ślepy na to, co dobre po obu stronach.
Każde pokolenie ma własne doświadczenia,
własne trudności, a także
upodobania i uprzedzenia.
Każde pokolenie ma prawo do własnego świata.
Miejmy dla siebie nawzajem więcej zrozumienia,
dajmy sobie nawzajem więcej swobody.

Wy starsi swego czasu walczyliście o swoje ideały.
Dzięki! Zrobiliście sporo
i wyjdzie to na dobre następnemu pokoleniu.
Nie trwajcie przy tym tak uparcie,
jakby była to zasługa na wszystkie czasy.
Miejcie zaufanie do tych, którzy przyjdą po was.

Wy młodsi wierzcie w przyszłość,
ale także w przeszłość waszych poprzedników.
Musimy pozostać razem,
zarówno burząc, jak i budując,
bo dom na tym świecie nigdy nie będzie całkiem gotowy.
Burzenie boli, budowanie sprawia radość. Tak to już jest.

MĘŻCZYŹNI I KOBIETY

Nie myśl, że jesteś mężczyzną, bo masz brodę,
bo potrafisz wypić dziesięć piw, nie upijając się,
lub awanturować się, gdy nie spełnia się twoja wola.
Mężczyźni, którzy płaszczą się dla pieniędzy, kariery czy kobiet,
mężczyźni, którzy napełniają na skutek korupcji i oszustw swe kieszenie,
dają smutny obraz „ukoronowania stworzenia".
Jesteś mężczyzną, jeśli jesteś wierny i mocny jak skała.
Jesteś mężczyzną, jeśli w całym swoim zachowaniu,
w małżeństwie i interesach jesteś uczciwy jak złoto.
Jesteś mężczyzną, jeśli siłą swego ducha
i serca przyczyniasz się do szczęścia innych.
Jesteś mężczyzną, jeśli jesteś prawdziwym ojcem rodziny,
radością i bezpieczną przystanią dla swych bliskich.

Nieroztropna kobieta jest jak sztorm w porcie,
mądra kobieta jak port podczas sztormu.
Nieroztropna, rozpieszczona kobieta
jest pełna humorów i kaprysów.
Jej nastrój może się w każdej chwili zmienić,
a w spokojnym domu panuje ciągle zagrożenie sztormowe.
Mądre kobiety są cenniejsze niż najkosztowniejsze diamenty.
Są spokojne, zrównoważone, serdeczne,
bogate w ducha i zdrowy rozum, pełne oddania i miłości.
Mogą wiele znieść i przebaczyć.
Są bezpiecznym portem w burzliwym świecie.
Są oparciem dla mężczyzny, domem dla dzieci
i pociechą dla chorych i cierpiących.
Bądź mądrą kobietą o wielkim sercu,
a twój dom stanie się domem niebiańskim.

15 PAŹDZIERNIKA

ZNAJDŹ CZAS

Codziennie słyszy się: „Nie mam czasu".
Jeszcze nigdy nie było tylu zagonionych ludzi.
Wszyscy mamy straszliwie dużo do zrobienia.
Jeszcze nigdy nie było tylu ludzi nie mających czasu,
a także nie było takiej samotności.
Ojcowie i matki czekają często bezskutecznie
na odwiedziny swoich dzieci: Te nie mają czasu.
Chorzy i starzy widzą zdrowych i młodych
mijających ich w pędzie: Ci się śpieszą.
Małżonkowie stają się dla siebie obcy:
Nie mają dla siebie nawzajem czasu.

Dlaczego mamy tak mało czasu?
Wciąż myślimy o tym, co chcemy jeszcze mieć,
co powinniśmy jeszcze zrobić, czego dokonać.
W ten sposób nasze życie jest w pełni zaplanowane.
Dlatego proponuję: Uwolnij się od tej presji.
Zrób sobie przerwę, weź wolne.
Raz świadomie nie rób nic! Uspokój się, wycisz.

Z ciszy wyrastają drobne gesty sympatii,
które wymagają o wiele mniej czasu, niż myślimy:
dobre słowo, słuchanie pełne zrozumienia,
pocałunek wdzięczności, drobny prezent, gest.
Usuń ze swego życia zabójcze „Nie mam czasu".
Przerwij mordercze tempo.
Znajdź czas, aby być dobrym człowiekiem
dla swych bliźnich.

MIŁOŚĆ WIELKIEGO FORMATU

Może ci brakować wszystkiego, ale nie miłości.
Dziewięćdziesiąt procent twojej codziennej złości zniknie,
jeśli w domu jesteś dla każdego miły,
jeśli w pracy jesteś życzliwy i serdeczny,
nie jak mruk, nie jak pesymista, nie jak piła.
Bądźcie dla siebie nawzajem dobrzy! O to chodzi.
Nie o pieniądze ani tytuły. Nie o to,
co masz i jak wysokie są twoje notowania.
Będziecie szczęśliwi, jeśli sami
także innych będziecie uszczęśliwiać.

Znów przyszedł list: „To już nie jest życie.
Znikła cała moja miłość do męża.
Mój Boże, nie wiem, co dalej.
Jak mam być kiedykolwiek znów szczęśliwa?".
W wielu małżeństwach panuje sporo ukrytych cierpień.
Główną przyczyną kryzysu naszych czasów
jest nadmierna seksualizacja życia publicznego.
Niektórzy młodzi ludzie wchodzą w zażyłe związki,
mniej się przy tym zastanawiając,
niż przy kupnie używanego samochodu.
Wiele małżeństw to także takie zużyte małżeństwa,
nie nadające się do naprawienia po paru latach.
Dla szczęśliwego małżeństwa niezbędna
jest miłość „wielkiego formatu": miłość pokorna,
która rozpozna usterki, stwierdzi defekty, zapomni zło
i z dużą cierpliwością ponownie zespawa życie,
zanim nie będzie za późno.

17 PAŹDZIERNIKA

NIETYKALNE

Życie to wielka tajemnica.
Powstają trudne pytania, a żaden człowiek
nie ma ostatecznej odpowiedzi na pytanie o przyczynę.
Nauka może wprawdzie dostarczyć sporo wyjaśnień
na temat biologicznego rozwoju życia,
ale badacze nie znajdują odpowiedzi na pytanie
o przyczynę ludzkiego życia.
Jedyną odpowiedzialną postawą
jest nieskończony szacunek dla życia ludzkiego
od momentu jego powstania do końca.
Prawo każdego człowieka do życia
musi pozostać nienaruszalne. Zbrodnią jest
jakakolwiek ingerencja na początku lub końcu
ludzkiego życia w celu jego zniszczenia.

Dlaczego w tych dniach ludzie
podążają gromadnie z kwiatami na cmentarze,
pełni żalu z powodu życia, które przeszło w śmierć?
Śmierć jest tak samo wielką tajemnicą jak życie.
Cmentarz znajduje się teraz przez parę godzin w centrum
zainteresowania.

Sądzę jednak, że cmentarz coraz bardziej się rozszerza.
Cmentarz jest wszędzie tam, gdzie obojętni pozostawiliśmy
samotnych, chorych, starych, jakby już dla nas umarli.
Cmentarz sięga do naszych klinik i domów opieki
z powodu braku wsparcia bezradnych istot.
Cmentarz ciągnie się w końcu aż do parlamentu,
jeśli legalizuje się aborcję i eutanazję.

PYCHA

Jedną z największych chorób naszych czasów
jest prastara ludzka pycha.
Zarozumiałość, wyniosłość, arogancja
nie pozwalają dostrzec własnych ograniczeń i słabości,
zaakceptować ich i z nimi żyć.
Człowiek wypiera się swojej małości i chowa ją
za fasadą chełpliwości,
rozdmuchanej potęgi, luksusu na pokaz.

Ze swej słabości i niewierności
czyni teorię, ideologię,
cały światopogląd.
Ponieważ nie jest w stanie żyć tak, jak myśli,
wpada na pomysł, by myśleć tak, jak żyje.
Pycha usprawiedliwiana jest kłamstwami.

Cenię bardzo ludzi,
którzy znają swoje słabości i ograniczenia
i tym samym potrafią być wyrozumiali.
Cenię bardzo ludzi, którzy wiedzą,
że nie wiedzą wszystkiego i przyznają się do tego.
Nie lubię ludzi zarozumiałych,
bo nie są to nigdy ludzie dobrzy,
a na pewno nie będą nigdy dobrymi przyjaciółmi.

DOTRZYMAĆ SŁOWA

Tak, doznałeś zawodu i uważasz, że to podłość,
gdy ktoś nie dotrzyma słowa.
Nie rozumiesz, jak ktoś może mówić:
„Jutro zapłacę, na pewno",
a potem każe ci czekać miesiącami.

Odbiera ci mowę,
gdy ktoś święcie przyrzeka:
„Oczywiście, pomogę ci, uspokój się,
nie zostawię cię przecież na lodzie",
a potem przepada bez wieści.

Masz rację, jeśli uważasz to za złe.
Dokąd zajdziemy, jeśli nie możemy już
polegać na danym słowie,
jeśli nawet przysięga jest łamana tak łatwo.

Czy pamiętasz jeszcze, co przyrzekłeś
w dniu ślubu?
I co z tego zostało?
Spójrz na swoją obrączkę, znak miłości
i niezłomnej wierności.
Czy obrączka ta nie pali cię na palcu,
gdy jesteś niewierny?
Powiedziałeś przecież „tak".
I chyba nie kłamałeś?

OBCOWANIE Z LUDŹMI

Z rzeczami możesz obchodzić się nieczule.
Drzewo możesz ściąć, krzak wyrwać,
szklankę stłuc, swoje rzeczy rzucić w kąt.
Nawet jeśli to boli, gdy ktoś depcze kwiaty.
Z rzeczami można postępować w bardzo różny sposób.
Ale z ludźmi możesz obcować tylko wówczas,
gdy ich lubisz. Inaczej powinieneś zostawić ich w spokoju.
Byłbyś nieszczęściem dla współżycia z ludźmi.

Gdy jesteś w urzędzie, widzisz tylko papiery
i nie sądzisz, że kryje się za nimi ludzka twarz.
Gdy zabierasz głos w pracy, brzmi on
niczym powarkiwanie i szczekanie na podwładnych.
Jesteś w biurze, w szkole lub sklepie,
a przez cały dzień
nie dostrzegłeś ludzi, lecz jedynie bezduszne lalki,
które pragniesz wykorzystać na własny pożytek.

Szukaj za każdą twarzą człowieka.
Polub ludzi, małych, wielkich,
pięknych, brzydkich, wesołych,
pozbawionych poczucia humoru, zręcznych i niezręcznych,
ludzi sukcesu i nieudaczników.
Twoja miłość dobrze na nich podziała.
A i ty zauważysz, że lubi cię ktoś,
z kim się stykasz. Jeżeli ktoś ofiarnie
troszczy się o ciebie, wszystko staje się od razu inne.
Tak samo odczują to inni, którzy z tobą obcują.

DLACZEGO ON, A NIE JA

Na co się skarżysz?
Musisz zbyt ciężko pracować
lub za dużo się uczyć?
Boli cię to? Nie możesz znaleźć pracy?
Nie możesz sobie pozwolić na zbyt wiele?
Masz kłopoty pieniężne?
Na co się skarżysz?

Widziałem dziś mężczyznę:
czterdzieści lat i nieuleczalnie chory.
Okropne bóle od trzech tygodni.
Nie można na to patrzeć.
Jego żona siedzi bezradna przy jego łóżku,
a w domu czeka pięcioro dzieci.
Mężczyzna ten spojrzał na mnie i zapytał: Dlaczego?
Przeszyło mnie to.

Tak, dlaczego? Dlaczego on?
Dlaczego nie ja? Dlaczego nie ty?
Żaden uczony czy naukowiec
nie potrafi mi na to odpowiedzieć, żaden.
Mam tylko Boga, który nadaje sens i cel
wszelkiemu życiu przez cierpienie i śmierć
i który nagle mnie pyta,
dlaczego będąc zdrowy,
nie jestem wdzięczny i szczęśliwy.

22 PAŹDZIERNIKA

OPUSZCZONY

*T*o wielkie cierpienie, dotkliwa zgryzota,
jeśli czujesz się opuszczony i samotny,
jeśli nikt nie myśli o tobie, jeśli nikt cię nie potrzebuje.
Uważasz wtedy, że życie jest bez sensu i niesprawiedliwe.

*M*arzyłeś o życiu szczęśliwym
i domu pełnym miłości i ciepła.
Teraz wokół ciebie jest zimno, jesteś zupełnie sam.
Sam w pokoju, gdzie nikt na ciebie nie czeka,
sam w domu, w którym nikt cię nie rozumie.
Czujesz się opuszczony, już nic niewart, zbędny.
I z tego powodu jesteś oburzony i zgorzkniały.

*C*zy naprawdę nie da się
przełamać twojej samotności?
Czy ciągle muszą rosnąć
mury wokół twego serca?
Buduj mosty! Most do chorego
może być dla ciebie mostem do światła.
Most do innego samotnego człowieka
może być dla was obu wybawieniem.
Most do rodziny w biedzie
może otworzyć nowe horyzonty.
A most do Boga jest mostem do tego,
kto chce być ojcem dla wszystkich samotnych,
ojcem o złotym sercu.

WOJNA I POKÓJ

Znów widzieliśmy przerażające obrazy wojny.
Zdjęcia martwych i rannych, zniszczenia i wygnania.
Sprawozdawcy pokazują, ile rakiet odpalono,
ilu samolotów użyto, ile czołgów zniszczono.
Rzadko pada słowo o ludziach, którzy siedzieli w czołgach.
Ale w czasie wojny, jak się zdaje, samolot, czołg, rakieta
są o wiele więcej warte niż człowiek.

Bezbronni ludzie chowają się ze strachu pod ziemię.
Każda wojna pociąga za sobą te same ofiary:
kobiety i dzieci, starych i chorych.
Wojna, zanim wybuchnie, już dawno się zaczęła –
w umysłach opętanych władzą.
Zaczyna się wraz z poszukiwaniem wrogów.
Ludzi, którzy są inni, inaczej wyglądają,
inaczej mówią, inaczej myślą, inaczej wierzą.
Uznaje się ich za wrogów. Są wszystkiemu winni.
Wrogowie przedstawiani są w najczarniejszych barwach.
Trzeba ich nienawidzić i zniszczyć.

Jeśli pragniesz pokoju, to żaden człowiek na świecie
nie może być twoim wrogiem.
Wykreśl słowo „wróg" ze swojego słownika.
Nigdy go już nie używaj.
Wiem, że nie możemy w okamgnieniu
zlikwidować wielkich wojen. Ale możemy zadbać o to,
by ustały małe wojny w naszym małym świecie:
w domu, w rodzinie, w zakładzie pracy, w sąsiedztwie.
Małe miejsce pokoju na tym świecie jest niczym oaza,
gdzie życie może ponownie stać się świętem.

24 PAŹDZIERNIKA

JEŚLI ODWAŻYSZ SIĘ NA NIĄ SPOJRZEĆ

Jesteś skazany na śmierć. Nie wiesz tylko jeszcze,
kiedy wyrok zostanie wykonany. Śmierć podąża za tobą:
we wszystkie dni i noce, na wszystkich drogach.
Ale dopóki nie odczujesz jej na własnej skórze
lub nie zobaczysz, jak się zbliża do ukochanego człowieka,
chciałbyś żyć tak, jakby śmierć nie istniała.

A jednak każdego ranka gazety przynoszą
nową listę zmarłych. Między wierszami artykułów
znajdujesz bezimiennych, ofiary wojen i przemocy,
katastrof żywiołowych, wypadków lotniczych
i tych, którzy stracili życie na drogach.
Ludzi, o których szczegółowo pisze prasa,
ponieważ stali się ofiarami przestępstwa.
Być może zaniesiesz kwiaty na jakiś grób.
A jednak uciekasz od myśli o własnej śmierci.

Śmierć jest faktem. Nic nie pomoże zamykanie oczu.
Myślenie o własnej śmierci może być nawet bardzo zbawienne.
Mając przed oczyma własną śmierć, ujrzysz lepiej
prawdziwą miarę, rzeczywistą wartość wszelkich spraw.
Zobaczysz lepiej, jaki jesteś mały i ograniczony.
Staniesz się bardziej wyrozumiały i przyjacielski wobec innych
i będziesz mógł bardziej korzystać z drobnych radości dnia.
Będziesz żył szczęśliwszy, jeśli przywołasz z podświadomości
wypartą śmierć i odważysz się
na nią spojrzeć – jako na znaczące spełnienie owocnego życia
i ostateczne przyjęcie do nieśmiertelnej miłości.

NIE DENERWUJ SIĘ

Nie awanturuj się, nie denerwuj,
jeśli twoi bliscy, kumple, koledzy,
twoi przełożeni lub podwładni
mają swoje wady i słabostki.
Kłótnia i złość, problemy i konflikty
powstają najczęściej z krótkowzroczności.
Wszyscy znamy tylko drobną część prawdy.

Kilka nieopatrznych słów, niepowodzenie,
zaniedbanie, zawód – twoja wyobraźnia
rozdmuchuje to do rozmiarów wielkiej katastrofy.
Wzburzenie zazwyczaj niczego jednak nie rozwiąże,
najczęściej jeszcze bardziej zaszkodzi.

Opanuj swoją złość, uspokój się i bądź sprawiedliwy.
Pomyśl też czasem o własnych wadach i słabostkach.
Jeśli myślisz, że sam jesteś człowiekiem idealnym,
jest to nie tylko oszukiwanie samego siebie,
lecz także oznaka niezmiernej arogancji.

Bądź wyrozumiały dla błędów innych.
Spróbuj wiele znieść i nie wszczynaj awantur.
Wzburzenie jest najczęściej niepotrzebną stratą czasu,
niedobrze działa na serce, trawienie i ciśnienie.
Jeśli od razu pozbędziesz się zgubnej skłonności
do awantur i wybuchów złości,
zawsze będziesz w porządku i w humorze.

ZACZNIE SIĘ WTEDY NOWY CZAS

W każdym małżeństwie dojdzie prędzej czy później do kryzysu.
Droga jest długa, zaczyna się nuda.
Dokładnie znacie się nawzajem,
więc codziennie powtarza się to samo.
Też pragniecie czasem czegoś innego.
Robi się nijako i obojętnie.
Wszystko wydaje się puste, nieczułe i zimne.
Znaleźliście się na pustyni,
monotonnej, przeraźliwie jednostajnej pustyni.
Niegdysiejsze cudowne uczucia
spowszedniały, straciły blask.

Gdybyście mogli wtedy choć trochę poczekać
i nie myśleć: Wszystko skończone, lub:
To była pomyłka.
Gdybyście uzbroili się w odrobinę cierpliwości,
zamiast rozglądać się za nowym partnerem
lub szukać ucieczki w tabletkach i alkoholu.
Gdybyście poczekali i pozostali wierni
i gdyby wasze serce było otwarte i zachęcające,
gdybyście byli pomysłowi
i pozwolili partnerowi odżyć.

Wtedy pewnego dnia, zupełnie nieoczekiwanie,
wypłynie skądś źródło,
w waszym życiu zacznie się nowy czas,
po okresie pustyni nastąpi czas oazy.

27 PAŹDZIERNIKA

OSTROŻNIE

Uważaj bardzo na ludzi,
którzy mówią o innych złe rzeczy.
Na zewnątrz mogą być wielce poważanymi panami
lub bardzo zadbanymi damami,
ale w środku są fałszywi i bez sumienia.
Wyspecjalizowali się w błędach innych.
Także twoich!

Jako fachowcy wiedzą dokładnie, jak to się robi,
jak powinni oczerniać swe ofiary,
by im wierzono. W twojej obecności
krytykują znajomego,
przyjaciela lub nawet członka rodziny.
Nie ufaj im! Dążą tylko do tego,
by obrzydzić ci twoje przyjaźnie,
wnieść nieszczęście nawet do twojego małżeństwa.
Słuchasz dziś ich gadaniny
i być może się do niej przyłączasz, ale jutro
sam stajesz się ofiarą.

I uważaj na to, co mówisz!
Pierwszy cios, który ktoś otrzymuje, to najczęściej słowo.
Powstrzymaj swój zły język,
mógłby on jeszcze uczynić dla ciebie coś dobrego.
Nawet twój sąsiad jest lepszy, niż myślisz.
Dlatego: Nie mów nigdy o innych nic złego!

TWOI ZMARLI ŻYJĄ

W tych dniach wszędzie widzi się ludzi
pielęgnujących groby na cmentarzach.
To dobrze, jeśli w tych dniach wspominamy
naszych zmarłych z czułością.
Ale czasem Zaduszki stają się
czystym interesem,
współzawodnictwem o najpiękniejszy grób,
gdy żyjący pragną się nawet na cmentarzu
wzajemnie prześcignąć.
Nie nieś kwiatów na groby
tylko dlatego, że robi to sąsiadka, że robi to każdy.

Zatrzymaj się sercem, duszą
przy grobie swoich zmarłych, zamyślony i milczący.
Uwierz, że twoi zmarli żyją!
Wtedy będziesz mógł z nimi rozmawiać.
Wtedy nie będziesz stać pod ciemnym murem
z sercem pełnym żalu,
może zrozpaczony, w niemej złości.
Twoi zmarli żyją w obecności Boga! Czekają na twoje przyjście.
Bo ty także jesteś już w drodze do grobu.
Nie wiesz tylko, jak długa jest jeszcze ta droga.

Pomyśl o tym przez chwilę
i naucz się przy grobie swoich zmarłych:
Żyć bardziej po ludzku!

29 PAŹDZIERNIKA

POMYŚLEĆ O ŚMIERCI

Żyjący podążają z kwiatami do zmarłych.
Nad listopadem unosi się myśl o śmierci.
Ale niewielu potrafi tę myśl znieść.
Pragną żyć, żyć pełnym tchem,
korzystać z życia i czerpać z niego przyjemność.
Czym jednak jest życie, skoro jutro umrzesz?
Nie zachowuj się jak klown, który zasłania sobie oczy,
który nie chce nic widzieć i o niczym wiedzieć.

Pomyśl jeszcze dziś o własnej śmierci,
być może po raz pierwszy w życiu,
pomyśl, że także ty będziesz kiedyś musiał
samiuteńki wkroczyć w noc.
Umieranie budzi grozę, strach,
jeśli na oślep przekraczasz krainę,
o której jeszcze nigdy nie myślałeś,
o której jeszcze nigdy nie śniłeś.
Umieranie łatwiej zaakceptujesz,
jeśli nauczysz się dystansu,
jeśli otworzysz się na tajemnicę,
która czeka na ciebie po śmierci.

Jeśli uwierzysz, że istnieje Bóg,
który cię lubi nie tylko wtedy, kiedy żyjesz,
lecz także wtedy, kiedy umierasz,
to umieranie oznacza:
jak dziecko odnaleźć ojca,
w krainie, gdzie panuje dobro.

OTWARTE DRZWI

Pomyśl o swych umarłych i posłuchaj ich!
Nie zajmuj się teraz tylko
białymi chryzantemami.
Umarli przemawiają w tych dniach.

Odszedł na tamten świat ktoś,
kogo chciałeś zatrzymać obiema rękami.
Błagałeś, płakałeś i modliłeś się,
ale to wszystko na nic się nie zdało.
Jesteś być może całkiem rozgoryczony?
Ale ukochany zmarły, ukochana zmarła prosi cię:
Poddaj się, uspokój się, daj pokój.
Posłuchaj nas, zmarłych!

Być może stoisz rozżalony z kwiatami przy grobie kogoś,
kto przedwcześnie zmarł.
Są matki, które odeszły przedwcześnie,
bo ich dorosłe dzieci zatruły im życie
niewdzięcznością i nieczułością.
Płacz spokojnie przy grobie, jeśli przyszedłeś zbyt późno
z kwiatami i odrobiną miłości.
Ale posłuchaj! Także ci zmarli mówią
o przebaczeniu i pokoju.

Dla wszystkich, którzy wierzą i kochają,
grób nie jest zamkniętą jamą,
lecz otwartymi drzwiami
do nowego i piękniejszego życia.

31 PAŹDZIERNIKA

LISTOPAD

Niektóre sprawy wyglądają na nieszczęście,
a przecież są błogosławieństwem

NADZIEJA NA WIECZNY ODPOCZYNEK

Listopad. Napawa nas spokojem wewnętrznym,
skłania do przemyśleń.
Wynaleźliśmy wiele sposobów
na ratowanie śmiertelnie chorych.
Upiększamy nasze mieszkania
i potrafimy wytwornie jadać.
Czujemy się w życiu tak pewnie,
jakby miało się ono nigdy nie skończyć.
Ale jest to oszukiwanie siebie.

Codziennie słyszymy o śmiertelnych wypadkach.
W naszym otoczeniu przyjaciele, dobrzy znajomi
zapadają na ciężkie choroby i umierają.
Z faktu śmierci, która nikogo nie oszczędza,
musimy nauczyć się żyć.

To, co zachowuje swą wartość w chwili śmierci,
ma również wartość w trakcie życia.
Na przykład przyjaźń i miłość.
Kto był kochany, kto doświadczył prawdziwej przyjaźni,
może umrzeć wdzięczny, ponieważ jego życie było piękne.
Kto wierzy, kto czuje się kochany przez Boga,
kto uważa się za przyjaciela Boga,
może żyć i umrzeć
pełen nadziei na wieczny odpoczynek.

1 LISTOPADA

ŚMIERĆ TO NIE KONIEC

Listopadowe cmentarze. Świeżo przystrojone groby.
Żywi i umarli na krótko zebrani razem w jednym miejscu.
Szukają się wzajemnie, ale nie mogą do siebie dotrzeć.
To straszna rozłąka i bezgraniczna niemoc.
Niespokojny myślisz nagle o własnej śmierci.
Strach przed śmiercią stoi tak blisko obok radości życia.

Śmierć – przemożna siła psująca zabawę.
Zakrada się do wszelkich uciech,
podkopuje każdą pewność, dławi narząd,
którym wdychasz radość życia.
Nikt nie zna się na śmierci.
Milczymy, wypieramy z pamięci, zapominamy.
Wszystko sprowadza się do pytania:
Czy śmierć jest końcem, czy nie?
Jeśli to koniec, twoje umieranie przybierze
charakter straszliwego okaleczenia.
Jeśli to nie koniec, twoja śmierć uzyska
zadziwiająco nowy wymiar.

Masz wybór: Wszystko albo nic,
sens albo bezsens życia, Bóg albo nieskończona pustka.
Tajemnice życia i śmierci
wiążą się z tajemnicą Boga.
Bez względu na to, czy jesteś wierzący, czy nie,
życzę ci tylko jednego: nadziei.
Nadziei, która aż do twego ostatniego tchnienia
da ci radość życia, byś mógł być szczęśliwy.

ŻYJ W NADZIEI

Co dzień, co godzina, w wioskach i miastach,
w klinikach czy gdzieś przy krawężniku,
wszędzie na świecie ludzie,
którzy w głębokiej niedoli zakrywają rękoma twarz,
wybuchają łzami z powodu tylu cierpień nie do zniesienia,
którzy bezradni łkają nad nieubłaganą śmiercią.

Dlaczego tyle bólu, tyle cierpienia?
Dlaczego rak? Dlaczego wypadek? Dlaczego kalectwo?
Dlaczego umierać w wiośnie życia? Dlaczego?
Kogo chcesz o to zapytać? Naukę?
Możliwe, że wyjaśni ci w szczegółach
przyczyny choroby i śmierci.
Ale na co zda ci się taka odpowiedź?

Gdy myślisz o zmarłych, o własnej śmierci,
o cierpieniach niewinnych, natykasz się na tajemnicę.
Możesz próbować o tym nie myśleć, zapomnieć.
A jednak dla każdego z nas nadejdzie godzina,
gdy sami będziemy musieli wkroczyć w noc. Gdybym tylko
mógł w owej godzinie modlić się do Boga, wzywać go:
Dlaczego gasisz słońca, które sam zapalasz?
Wtedy będę mieć nadzieję, że sercem doświadczę spraw,
których nie mogłem pojąć rozumem.

Bóg jest miłością. Kocha cię i tych, których kochasz.
Pomyśl o tym przy grobie swoich zmarłych.
Żyj w nadziei,
że umrzesz, by żyć wiecznie w miłości.

JESTEŚ TU DLA RADOŚCI

Twoje oczy są tu dla światła,
dla bieli śniegu, zieleni wiosny,
dla szarości chmur i błękitu nieba,
dla gwiazd nocą i niewiarygodnego cudu,
że wokół ciebie jest tylu cudownych ludzi.

Twoje usta są tu dla słowa,
dla każdego dobrego słowa, na które ktoś inny czeka.
Twoje usta są dla pocałunku, a ręce
dla czułości i pociechy i po to, by ubogiemu dać chleb.
Twoje nogi są dla drogi, która wiedzie do cierpiących niedolę.

Twoje serce jest tu dla miłości, dla ciepła,
dla tych, którzy są samotni, opuszczeni, którzy marzną.
Twoje ciało jest po to, by być blisko innych.
Bez ciała nie ma cię nigdzie. Wszystko ma głęboki sens.

Dlaczego w takim razie jesteś nieszczęśliwy?
Czy twoje oczy są zamknięte?
Czy twoje usta są pełne zgorzknienia?
Czy twoje ręce potrafią tylko brać?
Lub uschło twoje serce?

Jesteś stworzony dla radości.
Nie jesteś tu po to, by chodzić ze strapionym obliczem
i obrażonym, mściwym sercem.
Jesteś stworzony dla radości.

4 LISTOPADA

ESENCJA ŻYCIA

Zwracamy zbyt mało uwagi na esencję życia,
na zupełnie zwyczajne codzienne sprawy.
Nie rzucają się zbytnio w oczy,
właśnie dlatego, że są takie zwyczajne:
wstać rano i wieczorem pójść spać;
wspólnie jeść, być razem z bliskimi, przyjaciółmi;
dokończyć coś, z czego ktoś inny się ucieszy.
Wszystko to, jeśli będziemy na to bardziej zważać,
może stać się wielkim przeżyciem, czyniącym nas szczęśliwymi.

Musimy nadać więcej sensu temu, co jest esencją życia,
najprostszym sprawom, które właściwie są oczywiste:
uprzejmości, zwracaniu uwagi na bliźnich,
trosce o ludzi, którzy nas potrzebują.
Zważanie na drobnostki może być tak ważne,
ponieważ można w ten sposób włożyć w nie sporo miłości.
Dlaczego miałbyś się nie zachwycać bawiącymi się dziećmi?
Dzieci potrafią wytrącić z równowagi myślicieli
i pokazać im, że nie wszystko w życiu jest problemem.

Esencja to zwyczajne codzienne życie.
Życie z radością i zmartwieniami, z nadziejami
i rozczarowaniami, których każdy doświadcza.
Przekazywanie esencji to najprostsze oznaki
sympatii do ludzi w naszej bliskości.
Może niepozorne gesty, które są jednak na tyle skuteczne,
by każdego dnia pozwolić słońcu świecić na nowo.

NIC NIE ROBIĆ, DAĆ SPOKÓJ

Być może jesteś pod presją, masz dużo pracy.
Może twoje życie to gonitwa pełna zdenerwowania.
Może jednak jest tak, że nie masz zbyt wiele do roboty,
a mimo to głowę masz pełną zmartwień.
Zobaczmy, jak można ci pomóc.
Pozwól sobie powiedzieć coś, co zapewni ci
wewnętrzny spokój i zdrowie duchowe i przy czym
nie musisz nic robić, tylko dać spokój.

Nie musisz nieustannie krytykować tego,
czego przecież nie możesz zmienić.
Nie musisz z powodu każdej drobnostki wychodzić z siebie
lub wyładowywać na innych swoją złość.
Nie wolno ci nigdy nikogo kompromitować i dobijać,
zwłaszcza w obecności osób trzecich.
Nie wolno ci nieprzerwanie opowiadać o swoich chorobach,
kłopotach i dolegliwościach.
Nie musisz od razu wszystkim dawać odczuć,
że jesteś w złym humorze.
Nie wolno ci nie wyłączać telewizora,
gdy ktoś chce z tobą porozmawiać.

Jeśli dasz temu wszystkiemu spokój, zauważysz,
że zostanie ci sporo czasu, by na tyle zmniejszyć
grube odłamki w twym sercu,
aby znów można tam było zasadzić kilka kwiatów.

---

6 LISTOPADA

MIŁOŚĆ JEST WINEM ŻYCIA

Gdy dajesz coś komuś, dawaj z miłością.
Jeśli dajesz bez miłości – tylko dlatego że tak wypada,
że nie wiesz, że może być inaczej, lub nie masz odwagi –
dawanie nie sprawia radości, nie staje się świętem.

Usłyszałem piękną przypowieść z Chin,
ale mogłaby ona równie dobrze pochodzić z naszych stron.
Pewien człowiek urządzał wesele i poprosił wszystkich przyjaciół,
by przyszli na przyjęcie i przynieśli ze sobą wino.
Wlano je do wielkiej beczki,
by w ten sposób każdy pił wino każdego.
Gdy przyjęcie się zaczęło, zapadła przykra cisza.
Okazało się, że w beczce nie było nic prócz wody.
Każdy myślał, że tylko on wlewa wodę zamiast wina
i że przy takiej ilości wina nikt tego nie zauważy.

Tak samo życie nie może stać się świętem, gdy ktoś
nie daje z miłością. Egoiści nie potrafią świętować.
Umieją tylko ze wszystkiego czerpać dla siebie korzyści.
Możesz dawać to, co najlepsze i wyszukane, jeśli jednak
dajesz bez miłości, nie sprawia to radości.
Nie stanie się świętem i nie zbliży cię do innych.
Wino dane bez miłości stanie się dla innych wodą.
Kto jednak z miłością da choćby jedną szklankę wody,
da więcej niż wodę, da również miłość.
Miłość jest winem życia.
Dzięki niej życie może stać się świętem.

WYŚCIG O PIERWSZE MIEJSCA

Jeśli dążysz do objęcia wysokiego urzędu w społeczeństwie,
czyń to w duchu służby. Jeśli chcesz wziąć na siebie
odpowiedzialność za życie publiczne i politykę,
czyń to z miłości do ludzi, przede wszystkim do słabych.

Wiem. Jeśli masz dużo pieniędzy i wysoką pozycję,
to jesteś znany i sławny i siedzisz w pierwszym rzędzie.
Wielu się tobą interesuje i zabiega o twoje względy.
Ale jeśli nie masz pieniędzy i pozycji,
to nie jesteś ważny, nie liczysz się, jesteś zerem.
Nikt cię nie zauważa, zapomina się o tobie – wiem.

W naszym społeczeństwie coś zostało poważnie wypaczone.
Ów wyścig o pierwsze miejsce, najwyższe dochody
i najlepszą pozycję w społeczeństwie
bierze się w gruncie rzeczy z dążenia, by mieć więcej,
z nienasyconej żądzy posiadania,
także posiadania więcej wpływów i władzy nad innymi,
z zakamuflowanej formy agresji.

Jeśli nasze społeczeństwo miałoby się zmienić,
musimy zadbać o to,
by w wielkich trybach zasadzić wreszcie serce.
Wybory polityczne powinny być zawsze próbą
znalezienia do odpowiedzialnych zadań publicznych
grupy ludzi zdolnych, uczciwych
i bezinteresownych, ludzi z sercem.
Ale niewykluczone, że możesz to sam uczynić
dla naszego chorego społeczeństwa: włożyć w nie swe serce.

8 LISTOPADA

IDEAŁ I ROZCZAROWANIE

Jest bardzo wielu dobrych lekarzy, Bogu dzięki.
Ludzi, którzy wiedzą, że ich zawód jest powołaniem,
świadomych, że za każdym razem
mają do czynienia z konkretnym człowiekiem
będącym w potrzebie,
chorym, który zrozpaczony szuka u nich pomocy.

Wielu ma o doktorze wysokie mniemanie.
Jednakże ten ideał się załamie
i stanie się strasznym rozczarowaniem,
jeśli zauważą: Doktor obecny przy chorym
jest tylko małym człowiekiem, który
myśli przede wszystkim o własnych interesach,
który chce być za parę lat bardzo bogaty,
który ma wprawdzie ręce do badania i leczenia
i przyjmowania honorarium,
ale nie ma serca dla cierpiących w ich niedoli.
Doktor tego rodzaju ponosi winę
za najbardziej szubrawą formę wyzysku, jaka istnieje:
wykorzystywanie niedoli bliźniego.

Dlatego szanuj dobrego lekarza,
noś go na rękach.
Jest wielu dobrych lekarzy, młodych i starych.
Doprawdy, nie mają łatwo.
Nie opuszczą cię.
Ty też ich nie porzucaj.

9 LISTOPADA

BRAK GWARANCJI

Są osoby stanu wolnego, które myślą:
Gdybym tylko był żonaty lub była zamężna,
byłbym szczęśliwszy lub byłabym szczęśliwa.
Są osoby pozostające w związku małżeńskim, które myślą:
Gdybym się nie ożenił lub nie wyszła za mąż,
oszczędziłbym lub oszczędziłabym sobie tych wszystkich zmartwień.

Szczęście nie jest monopolem
takiego czy innego stanu cywilnego.
Akt ślubu nie stanowi gwarancji
szczęścia człowieka.
Jeśli jesteś stanu wolnego, nie możesz zakładać,
że w dniu ślubu otrzymasz
w prezencie szczęście.
A jeśli masz żonę czy męża, nie możesz zakładać,
że znów odczujesz dodatnie strony życia,
gdy pozbędziesz się obrączki.

Jeśli chcesz – niezależnie od swego stanu cywilnego –
naprawdę być szczęśliwy, spójrz każdego ranka,
co masz w rękach, powiedz „dziękuję"
i uszczęśliw jakiegoś człowieka.
Bądź szczęśliwy z powodu szczęścia kogoś innego.
Naprawdę nieszczęśliwy staniesz się wówczas,
gdy będziesz bardziej zabiegał o jedzenie,
pieniądze, o to, czego pożądasz,
niż o swojego ducha i swoje serce.

OBRĄCZKA

Spójrz na swoją obrączkę.
A może zginęła, została wyrzucona?
Przypomnij sobie pierwszy dzień.
Czy wasze serca nie biły, głos nie był wzruszony,
gdy wsuwaliście obrączkę na palec
swej partnerki życiowej bądź swego partnera życiowego,
mówiąc: „Noś tę obrączkę na znak mojej miłości i wierności"?

Pamiętasz jeszcze tamte uczucia?
Czyż wszystko zupełnie wygasło?
Czyż nic nie zostało z miłości i wierności?
Nie pozostało nic prócz popiołu rozczarowania?

Znajdź czas, przemyśl wszystko jeszcze raz.
Nie chowaj głowy w piasek, zadaj sobie pytanie:
Co dzieje się z moją miłością i wiernością?
Ludzie mogą zawodzić.
Miłość i wierność mogą przechodzić okres burzy.

Jeśli przez nierozważne zachowanie została rozbita jedność,
a w wasze życie wdarła się noc,
jest tylko jedna droga do światła: Przebaczenie!
Jeśli jeszcze nie wszystko jest bezpowrotnie zniszczone,
nałóżcie sobie nawzajem ponownie obrączki,
wymawiając, jak wtedy, te same słowa.
Prawdziwym partnerem życiowym możesz być tylko wtedy,
kiedy jesteś wiernym partnerem miłości.

11 LISTOPADA

JAK TO MOŻLIWE

Wspólne życie nie jest takie łatwe,
jeśli nawet nawzajem się kochamy.
Nie łudź się. Nigdy nie zrozumiesz
do końca siebie i drugiego człowieka.
Inny będzie robił rzeczy, o których powiesz:
Jak to możliwe!
Czasami sam dla siebie będziesz zagadką
i pomyślisz: Jak mogłem zrobić coś takiego?

Na początku nosimy się nawzajem na rękach,
pełni zachwytu i beztroski.
Potem chodzi o to, by się tolerować,
a na koniec trzeba walczyć o miłość.
Po każdym sporze czujemy
chęć pojednania, ale i niemoc,
bezsilność i ból.

Chcemy mówić – a nie możemy wydobyć słowa.
Chcemy okazać czułość – a ręka pozostaje w bezruchu.
Chcemy się uśmiechnąć – a twarz się wykrzywia.
Chcemy objąć – a siedzimy jak kołek.
Chcemy przebaczyć – a mimo to mówimy:
Dlaczego to zrobiłeś?

Naucz się żyć z sobą i innymi
oraz akceptować to, czego nie rozumiesz.
Naucz się żyć ze swoim szczęściem,
które składa się z wielu kawałków, a jeden jest zawsze za krótki.

BYĆ PO PROSTU CZŁOWIEKIEM

*T*o wspaniałe: być człowiekiem, żyć!
Być po prostu człowiekiem, patrzeć w powietrze, podziwiać chmury,
spoglądać na kwiaty, kontemplować nocą gwiazdy.
Być jak dzieci, śmiać się, bawić, marzyć,
pracować, kochać, być zadowolonym: codziennie święto.
Po prostu żyć, być dobrym, nie pragnąć mieć wszystkiego,
nie być zazdrosnym, działać wspólnie z innymi,
nie narzekać i nie skarżyć się.
Pomagać, pocieszać, być, gdy ktoś mnie potrzebuje.
Po prostu dlatego, że jest się człowiekiem, bliźnim, że się żyje.

*C*zy wiesz o niebezpieczeństwie, które dziś zagraża?
Wszystko musi dobrze działać i się opłacać.
Ile to kosztuje, co da, do czego się przyda?
Wyliczamy dokonania, ceny, efektywność, produktywność.
Liczymy, wszystko musi dziać się szybko, nie ma czasu.
I zapominamy, że piękno życia
można znaleźć w chwilach, w których nie liczymy,
w których jest się po prostu człowiekiem,
jest się szczęśliwym, że się żyje.

*L*udzie żyją coraz dłużej, ale nie radośniej.
Wciąż jeszcze myślą, że szczęście człowieka polega na tym,
by mieć dużo, ze wszystkiego korzystać, żyć jak najdłużej.
Jak można być aż tak głupim! Człowieku, broń się przed tym!
Nie jesteś maszyną, jesteś czymś więcej niż tylko funkcją,
zawodem, pracą, zasługą. Jesteś przede wszystkim człowiekiem,
by żyć, śmiać się i kochać,
by być po prostu dobrym człowiekiem, świętem dla innych.

WYNIK BADANIA

Czy chciałbyś być szczęśliwy, dożyć starości?
Opowiem ci coś.
Pewien uczony zbadał kiedyś
życie czterystu pięćdziesięciu ludzi,
którzy dożyli powyżej stu lat.
Chciał poznać tego przyczyny i stwierdził:
Ludzie ci żyli tak długo i w zadowoleniu,
bo zawsze ochoczo pracowali;
bo pili i jedli z umiarem;
bo dużo się śmiali;
bo kładli się wcześnie spać i wcześnie wstawali;
bo nie rozmyślali za wiele,
mieli duszę pełną spokoju
i wielką ufność w Bogu.

Możemy się od nich uczyć! Pracujesz z chęcią?
Zachowujesz umiar w jedzeniu i piciu?
Śmiejesz się chętnie czy też nieustannie zamartwiasz?
Wierzysz w Boga?
Powinieneś odzyskać pogodę ducha
przez pokój i szczęście
owej czarnej kobiety z Afryki, która powiedziała:
„Gdy pracuję – pracuję ciężko;
gdy siedzę – siedzę wygodnie;
a gdy myślę – zasypiam!".
Nie szukaj swego szczęścia zbyt daleko.

14 LISTOPADA

ZATROSZCZ SIĘ O NICH

Przez stulecia szacunek
dla ojca i matki był oznaką kultury.
Możesz być na zewnątrz bardzo kulturalny
w ubiorze, zachowaniu, mowie,
ale jeśli porzucasz własnych rodziców,
jesteś w gruncie rzeczy barbarzyńcą.

Jeśli masz jeszcze ojca i matkę,
bądź dla nich dobry, zatroszcz się o nich!
Zwłaszcza jeśli są starzy
i muszą męczyć się ze swoimi dolegliwościami.
Przenieśli cię przez poranek życia.
Ty musisz z czułością możliwie najlepiej
przenieść ich przez wieczór życia.

Jeśli ojciec i matka stają się dla ciebie ciężarem,
miej odwagę wyliczyć,
jak długo żyłeś na ich koszt,
jak często dawali ci jeść,
ubierali cię i ile nocy
musieli czuwać przy tobie.

Jest jeszcze czas, abyś okazał im swoją miłość.
Nie czekaj dłużej, a nie będziesz potem musiał
robić scen przy ich grobie.

15 LISTOPADA

STARZY RODZICE

Czy pamiętasz jeszcze matkę i ojca?
Przecież wiesz – tych dwoje ludzi
wydało cię na ten dziwny świat.
Może już od dawna nie żyją.
Być może trochę prześladuje cię myśl,
że w ostatnich latach ich życia
tak niewiele z ciebie mieli.
Może jeszcze żyją. Chciałbym zatem zapytać:
Jakie właściwie miejsce zajmują u ciebie?
Nie w twoim domu, lecz w twoim sercu?

Czy rozmawiasz raczej o nich niż z nimi?
O ich chorobach, ich staromodnych poglądach,
o rencie, mieszkaniu i ubezpieczeniu?
Czy traktujesz ich jak ludzi,
którzy już nie nadążają, są spisani na straty?
Być może uważasz, że mają odpowiednią opiekę,
a z okazji każdego święta dostają bukiet kwiatów.

A jednak brakuje im wszystkiego, jeśli nie czują,
że ich lubisz i że jesteś wdzięczny.
Jeśli brakuje im twego serca, twej przyjaźni.
Dla starych rodziców musisz mieć przede wszystkim serce.
Być może już tak dobrze nie słyszą i nie widzą,
ale całkiem wyraźnie czują twoje serce.
Ich szczęście leży w twoich rękach.

16 LISTOPADA

BŁOGOSŁAWIEŃSTWO STAREGO CZŁOWIEKA

Gdy widzę tylu starych ludzi, chciałbym,
by mogli doświadczyć wiele przyjaźni i z serca
wymawiać słowa „Błogosławieństwa starego człowieka":

Błogosławieni ci, którzy rozumieją, że moje nogi już
nie mogą dobrze chodzić, a ręce stały się drżące.
Błogosławieni ci, którzy pojmują, że źle słyszę,
i starają się mówić głośno i wyraźnie.
Błogosławieni ci, którzy wiedzą, że moje oczy już niewiele
widzą i że nie wszystko od razu do mnie dociera.

Błogosławieni ci, którzy nie złorzeczą, gdy coś rozleję,
przewrócę lub upuszczę.
Błogosławieni ci, którzy pomagają mi znaleźć moje rzeczy,
bo nie wiem już, gdzie je położyłem.
Błogosławieni ci, którzy uśmiechają się do mnie
i rozmawiają ze mną.
Błogosławieni ci, którzy mnie słuchają,
gdy opowiadam o przeszłości.

Błogosławieni ci, którzy koją mój ból.
Błogosławieni ci, którzy pozwalają mi odczuć,
że jestem kochany,
i traktują mnie przyjaźnie.
Błogosławieni ci, którzy ułatwiają mi drogę do wieczności.
Błogosławieni ci, którzy są dla mnie dobrzy
i dzięki temu pozwalają mi myśleć o dobrym Bogu.
Gdy znajdę się kiedyś u Boga, też na pewno
o nich pomyślę.

TAM, GDZIE SŁUŻBA JEST WAŻNIEJSZA OD ZAROBKU

Gdy stykamy się z ludźmi i ich kłopotami,
często mamy wrażenie, że trafiliśmy do dżungli,
gdzie ludzi się niszczy, gdzie po prostu równa się ich z ziemią.
Współcześni barbarzyńcy mogą siedzieć w eleganckich biurach.
Podpisują, nigdy nie brudzą sobie rąk.
Broń przechowują w szafie pancernej.
W świecie interesów i finansów istnieją wręcz gangsterzy,
którzy bezlitośnie rabują nieświadomych, bezbronnych i słabych.

W świecie chorych, niepełnosprawnych, wymagających opieki,
w świecie ludzi, którzy popełnili błąd,
w świecie ludzi, którzy nie umieją sobie pomóc
i są całkowicie zdani na łaskę innych,
w tym świecie również może dojść do wyzysku,
który jest tak samo odrażający jak w świecie gospodarki.

Ludzie w wielkiej bezradności są nadzwyczaj wrażliwi.
Dlatego chciwość wobec nich jest szczególnie obrzydliwa.
To nieludzkie wzbogacać się na nieszczęściu innych.
Jeśli obcujesz ze słabym człowiekiem,
pierwszeństwo powinna mieć miłość, a nie pieniądze.

Jeśli twoim powołaniem jest troska o cierpiących,
musisz zobaczyć najpierw ich cierpienie i niedolę i polubić ich.
Służba jest tu nieskończenie ważniejsza od zarobku.
Kto myśli tu wyłącznie o zarobku, grzeszy,
stosując szczególnie wstrętną formę wyzysku.

18 LISTOPADA

WROTA DO NIEBA

W listopadzie myślimy o naszych zmarłych.
Ale czy myślałeś już kiedykolwiek
o własnej śmierci?
Czy śmierć jest dla ciebie straszydłem,
przed którym wolisz zamknąć oczy?
Czymś przerażającym, myślą budzącą grozę,
która wywołuje u ciebie gęsią skórkę?

*N*iechętnie umrzesz – ja również.
A mimo to myśl o śmierci
może być dla nas zbawienna. Wyobraź sobie,
że za kwadrans przyszłaby twoja kolej
i po raz ostatni musiałbyś
spojrzeć na swoje życie.

Z perspektywy śmierci zobaczysz wszystko o wiele wyraźniej.
Odkryjesz, że wiele z tego,
o co kłóciłeś się jeszcze wczoraj i kłócisz dziś,
jest bez znaczenia lub zupełnie bezsensowne.
Z myślą o śmierci żyjesz
dużo spokojniej, dużo lepiej, z mniejszą ilością kłopotów
i – co szczególne – także radośniej.
Ale jeśli bez reszty oddałeś się światu
pieniędzy i przyjemności,
to śmierć będzie oczywiście nieszczęściem.
Żyj chętnie i żyj dobrze, prowadź dobre życie.
Wtedy śmierć stanie się dla ciebie
wrotami do nieba.

PRZESZŁOŚĆ I PRZYSZŁOŚĆ

Pozbyć się starych rzeczy, które już się nie przydadzą.
Uwolnić się od balastu przeszłości,
która przygniata nowe życie i nie pozwala mu się rozwinąć.
Bądź człowiekiem postępowym,
który myśli i żyje przyszłością,
nie trzyma się kurczowo przeszłości
i nie cacka się z minionym.
Trzeba posprzątać i usunąć pleśń.

Ale nie rób tego jak owi dzisiejsi fanatycy,
którzy najpierw wszystko burzą i zwymyślają.
Brakuje im przemyślanych sądów,
jakiegokolwiek poczucia odpowiedzialności.
Ich krytyka jest tylko chorobliwym duchem przekory.
Nie chodzi im wcale o reformowanie, lecz o swoją osobę.
Za wszelką cenę pragną zwrócić na siebie uwagę
i wywołać sensację,
znaleźć się w gazetach i telewizji.
Panie, uwolnij nas od reformatorów zakochanych w swoim ego,
którzy plączą się w swoich pogmatwanych zwojach mózgowych
i chcą nam popsuć radość życia.

Daj nam ludzi, którzy się nie wywyższają,
którzy wiedzą, jak daleko byśmy zaszli,
gdyby już przodkowie nie wynaleźli koła,
i którzy liczą się z tym, że także wczoraj
kwitły już kwiaty dobra i piękna.
Panie, daj nam ufnych, łaskawych ludzi,
którzy pójdą przed nami szlakiem światła i radości.

20 LISTOPADA

W CZASIE ZIMNEJ POGODY

W listopadzie może być na dworze
nadzwyczaj nieprzytulnie i zimno.
Wielu ludzi codziennie na to narzeka.
A co ty robisz?

W czasie zimnej pogody okaż ciepłe serce!
Nie pozwól ludziom stać na zimnie.
Czy masz kubek gorącej kawy lub herbaty
dla mężczyzn wywożących śmieci?
Czy leżą u ciebie w szafie ciepłe ubrania w dobrym stanie,
koce, swetry, sukienki, których już nie nosisz,
a z których byliby bardzo zadowoleni ludzie w potrzebie?
Rozejrzyj się, czy w pobliżu
nie siedzi w swym pokoju i nie marznie
z zimna i samotności stary człowiek?

W czasie zimnej pogody okaż ciepłe serce!
Ale by okazać ciepłe serce,
musisz mieć ciepłe serce.
Bo jeśli w twym sercu nie płonie miłość,
to jest ono jak pogoda:
nadzwyczaj nieprzytulne i zimne.
Zadbaj zatem o ciepło –
najpierw w swoim sercu.

POZWÓL TERAZ KWITNĄĆ KWIATOM

Jest wśród nas mnóstwo bliźnich
chorych, samotnych, starych i opuszczonych,
którzy czekają na znak sympatii i miłości,
wdzięczności i przyjaźni.
Dla takich cudownych ludzkich uczuć
kwiaty mogą być idealnymi tłumaczami.

Niektórzy ludzie muszą jednak bardzo długo czekać
na kwiaty – aż do śmierci.
Kwiaty są dla zmarłych, podczas gdy dla wielu
za ich życia nigdy nie został ani kwiatek.
W przypadku niektórych niecierpliwie czekano,
aż będą w grobie,
bo uchodzili za bezwartościowych, zbędnych,
i to czasem w domu własnych dzieci.

Czytałem gdzieś,
jak zmarła matka mówiła do swego dziecka:
„Leżałam w grobie i usłyszałam, że przyszedłeś.
Miałeś ze sobą kilka róż.
Położyłeś je na brzegu grobu,
a ja pomyślałam: Gdybyś mi dał, gdy jeszcze żyłam,
choć raz różę, jedną różę
lub kilka kwiatów z łąki.
Jakaż bym była szczęśliwa!".

Dlatego nie czekaj z kwiatami do pogrzebu.
Niech już teraz kwitną kwiaty twojej sympatii i miłości,
wdzięczności i przyjaźni.

DLACZEGO NIE POBIEGŁ DO CZŁOWIEKA

Wczesny ranek. Kogoś przejechał pociąg.
Maszynista powiedział, że ten mężczyzna
nagle znalazł się na torach i pobiegł w stronę pociągu.
Dlaczego chciał umrzeć?
Czy życie było dla niego takim ciężarem,
że chciał się od niego wyzwolić, rzucając się pod pociąg?

Boże, dla ciebie dnie i noce są być może
pełne takich gości, którzy na wszystkie możliwe sposoby
chcą uciec od udręki życia. Bądź dla nich dobry.
Życie przyniosło im zbyt dużo cierpień.
Daj im wszystkim, także temu mężczyźnie, prawdziwe,
spełnione życie.
Nikt go nie znał, bezimienny, bez dokumentów.
Nikt nie wiedział, skąd przyszedł.
Ale ty, Boże, ty musisz go przecież znać,
bo także jego nazwisko zostało zapisane w twojej dłoni.

Brutalne, ciężkie uderzenie pędzącego pociągu
wydaje się czasem człowiekowi
upragnionym wybawieniem od życia,
które dzień po dniu stawało się udręką nie do zniesienia.

Dlaczego pobiegł w stronę pociągu,
dlaczego nie do człowieka?

23 LISTOPADA

W PRZYSZŁOŚCI CZĘŚCIEJ MILCZEĆ

Jesteś wygadany? Chętnie mówisz?
Zaczynasz szybko osądzać innych?
Oburzają cię potknięcia innych?

Tak, znasz pewnie wszystkie skandale w okolicy.
Wiesz, kto ukradł coś w sklepie.
Wiesz, komu nie układa się w małżeństwie,
kto uciekł z domu,
a kto był zupełnie pijany.
Gdy chodzi o innych,
mówisz może ze świętoszkowatą miną:
„Ach, to okropne".

Gdyby wszyscy tak wszystko wiedzieli o tobie,
wszystko: znali także twoje myśli, skryte marzenia,
żądze i całą twoją przeszłość!
Być może zaczerwieniłbyś się jak burak.
Ale, Bogu dzięki, kto tam o tym wie?
Oprócz jednego, który wie wszystko: Boga.
A ten milczy.

Chce, byś ty także milczał na temat innych.
Przemyśl to i powiedz sobie:
W przyszłości milczeć na temat innych!
Jeśli inni wiedzieliby o mnie wszystko i to rozpowiadali,
ja również nie miałbym na to specjalnej ochoty.

TAKŻE W DOMU

Nie myśl, że z ciebie taki fantastyczny gość,
urzekający mężczyzna czy czarująca kobieta,
bo potrafisz błyskotliwie rozmawiać w towarzystwie,
podczas uroczystej kolacji, przy kawie, podczas zakrapianego,
wesołego spotkania przy winie z ludźmi twego pokroju.
Nie myśl, że są to godne uwagi sukcesy,
bo potrafisz być taki miły i szarmancki,
gdy przebywasz z kolegami lub klientami.

Poznaj samego siebie!
Jesteś dobrym człowiekiem,
gdy także i przede wszystkim w domu
jesteś miły, serdeczny i skory do pomocy
tym, którzy żyją z tobą na stałe.

Nie oszukuj się!
Jeśli twój mąż, twoja żona, twoje dzieci,
jeśli twoi współmieszkańcy
uważają, że jesteś nieznośny i nie do wytrzymania,
nie mów: „To ich wina!".
Spójrz trochę głębiej w siebie.
Jeśli poza domem robisz dobre wrażenie na innych,
to zapytaj siebie uczciwie:
„Czy także w domu jestem taki sympatyczny?".

FOTELE SĘDZIOWSKIE

Codziennie stawiamy pytanie: Kto jest winny?
I zawsze ta sama odpowiedź: Winni są inni.
Inni, inaczej myślący, inaczej wierzący, inaczej żyjący.
Samemu się oczywiście wie lepiej i jest się lepszym.
Siada się w wysokim fotelu sędziowskim
i wydaje z góry wyroki: Winni są inni.

Takie nastawienie zatruwa współżycie ludzi
zarówno w wielkiej wspólnocie, jak i w małym domostwie.
Pojawia się u mężczyzn i kobiet, u dzieci i nauczycieli,
u polityków i dziennikarzy, w związkach zawodowych
i partiach,
u poszczególnych i wszystkich narodów.

Nie bądź taki surowy wobec innych.
Spróbuj sobie wyobrazić,
że u nich także można znaleźć coś dobrego.
Będziesz zaskoczony, ile jest w nich dobrego,
o czym nie miałeś pojęcia, i że inni
na pewno są tak dobrzy jak ty, może nawet lepsi.

Większość foteli sędziowskich, z których wydajemy wyroki,
ma chwiejne nogi: pychę, głupotę,
obstawanie przy swoim i bezlitosne okrucieństwo.
Naszymi prawdziwymi sędziami będą ludzie,
którzy z naszego powodu ponieśli największe wyrzeczenia,
przed którymi najbardziej się wzbranialiśmy, ci wśród nas,
którzy zmarli z głodu i braku miłości.
Ci mają prawo osądzać.

TYLE CIERPIEŃ

*M*ężczyzna przy telefonie powiedział:
„Dziś rano opuściła mnie żona.
Co mam zrobić? Mamy dwoje dzieci,
trzecie jest w drodze. Chcę odzyskać żonę".
To samo w przypadku pewnej kobiety około czterdziestki.
Osiemnaście lat małżeństwa, opuszczona od miesięcy.
Daremne wszelkie próby skłonienia męża do powrotu.
Nie mogła już, była u kresu.

*T*ak układa się mężczyznom, tak układa się kobietom.
Tyle niepowodzeń, tyle nieopisanych cierpień.
Dobrobyt zlikwidował wiele biedy materialnej,
ale zamiast tego powstała bieda moralna,
którą jeszcze trudniej znieść.
W atmosferze mass mediów stale podgrzewanej
seksualnością powstaje wrażenie,
jakby w miłości liczył się tylko związek seksualny.
Świat stanął na głowie:
To nie związek seksualny stanowi podwaliny miłości,
lecz miłość jest podstawą związku seksualnego.

*M*iłość, prawdziwa miłość jest siłą, która ci pomaga
przemóc się, by innemu też było dobrze.
Jeśli pozostaniesz wierny w miłości, niczego nie stracisz,
jeśli nawet musisz przejść przez ciemny tunel.
Jeśli nie będziesz wierny w miłości,
znajdziesz być może chwilowe zadowolenie,
ale na koniec stracisz wszystko.

W TWOICH RĘKACH

*J*esteś stworzony dla szczęścia
twoich bliźnich, przyjaciół i znajomych.
Potrzebują cię, twojej dobroci,
twojego uśmiechu, twojego serca.
Jeżeli jesteś egoistą i myślisz tylko o sobie,
to w zasadzie jesteś zbędny.
Po co żyjesz, skoro jesteś dla innych ciężarem,
chociaż wcale nie musiało tak być?
Być może sam sobie jesteś ciężarem?
Egoista nie może stać się szczęśliwy.

Bądź jak dziecko,
prosty, spontaniczny, radosny i zadowolony.
Nie bądź beczką pełną problemów, lecz chętnie się uśmiechaj.
Bądź promiennie świeży i otwarty,
jak kwiat, który jaśnieje w słońcu.
Próbuj codziennie na nowo
polubić ludzi cię otaczających
i z wielką ostrożnością leczyć rany tych,
którzy płaczą i rozpaczają,
a także rany tych, którzy chowają swe cierpienie za maską
uśmiechu.

Podaruj im trochę miłości,
tym, których mniej kochano.
To cudowne: Masz w swoich rękach
szczęście innych.

PRZEDE WSZYSTKIM NIE TRAĆ OTUCHY

Jak ci się układa? Dobrze czy źle?
Wspaniale czy tragicznie?
Jest kilka myśli,
które należałoby dobrze zapamiętać.
Gdy dobrze się układa, nie obrzydzaj sobie
tych dobrych dni rozmyślaniem,
troskami i obawami o jutro.
Gdy układa się źle, nie trać
przede wszystkim otuchy.
Inaczej wszystko będzie układać się jeszcze gorzej,
a ty całkowicie ugrzęźniesz.

Odwagi!
Odwagą pokonasz wszystko.
Jak? Nikt nie może tego z góry przewidzieć,
ale uda ci się to.
Przypomnij sobie całkiem niegłupią historyjkę
o dwóch myszach w wiadrze mleka.
Jedna straciła otuchę,
przestała się ruszać i utonęła.
Druga nie rezygnowała,
odważnie się trzepotała i trzepotała,
aż natknęła się na grudkę masła.
I to ją uratowało.

W najbardziej niemożliwych, ponurych sytuacjach
szukaj odważnie jasnych chwil.
I znajdziesz je!

WÓZ MIŁOŚCI

Twoje ciało to cudowny dar.
Dzięki ciału jesteś obecny: widoczny, namacalny.
Dzięki oczom możesz się śmiać i płakać.
Dzięki głowie możesz myśleć, marzyć, wspominać.
Dzięki ustom możesz jeść, mówić i śpiewać.
Dzięki rękom możesz okazać tkliwość, pracować, pisać.
Dzięki sercu możesz kochać, być czuły, pocieszać.

Twoje ciało jest domem na ziemi.
Twoje oczy są twym oknem na świat.
Jesteś czymś więcej niż ciało, ale nie możesz się bez niego obejść.
Musisz dobrze o nie dbać i nie rozpieszczać go.
Nie daj się opanować bezsensownemu lenistwu,
aż w końcu nogi będą ci jeszcze potrzebne tylko do trzymania pedału gazu,
a ręce będą służyć do przyciskania elektronicznych przycisków i guzików.

Ciało to wóz miłości.
Możliwe jest dobre słowo, ponieważ masz usta.
Delikatny gest, ponieważ masz ręce.
Życzliwe spojrzenie, ponieważ masz oczy.
Twoje ciało jest nośnikiem czułości. Twoje ciało potrzebuje ciepła.
Gdy zbyt długo leży w lodówce, staje się sztywne i zimne.
Staje się maszynką do jedzenia, pracy i spania.
Zamiera tętniące życie.
Ustają kontakty z innymi,
a człowiek pada martwy na swoje własne Ja.

GRUDZIEŃ

Mały człowieku, podziękuj
za całą miłość,
którą daje ci Bóg

DAWNO POGRZEBANY

Człowiek mieszka w mieście. Tabliczka z nazwiskiem.
Wiele tabliczek z nazwiskami, wiele mieszkań, wiele domów.
Wszystkie pełne ludzi, ludzi, których nikt nie zna.
Widujemy się, jeździmy razem windą.
Patrzymy przed siebie. Wiemy, że ktoś tam jest,
tak jak wiemy, że gdzieś jest słup,
który należy omijać.

Człowiek mieszka w mieście.
Ale miasto nie jest już dla ludzi przyjemnym siedliskiem.
Nie daje ciepła ani poczucia bezpieczeństwa.
Któregoś dnia człowiek umrze na ulicy.
Tłum ciekawskich, wstrzymany ruch.
Karetka odwozi zmarłego na cmentarz.
Położą go w kostnicy, by poczekać
na krewnych, przyjaciela, znajomego.
Mijają trzy dni, mija czternaście dni. Nikt nie przychodzi.

Człowiek żył w tym mieście zupełnie sam,
ludzie już dawno go pogrzebali.
Wiem, że gdy na cmentarzu zwiędną
ostatnie kwiaty, zapomina się o większości zmarłych.
Ale proszę cię: Nie bądź obojętny przynajmniej
w stosunku do żywych, przede wszystkim tych,
którzy żyją w pobliżu ciebie.
Jeśli nie dostrzegasz tych ludzi,
nie masz serca.

DROGA ZIARNA SIEWNEGO

Ziarno siewne. Wielka tajemnica
życia i śmierci, ciszy i samotności.
Pogrąża się w czeluściach ziemi,
czuje ciepło słońca, błogosławieństwo deszczu.
Nie widzi kłosa, ale wierzy w żniwo.
Droga zasianego ziarna to droga
każdego człowieka prowadząca do urodzaju i dojrzałości.

Musimy pójść nową drogą:
drogą ziarna siewnego.
Musimy zejść z drogi przemocy,
drogi znaczonej krwią i łzami,
drogi wiary w siłę,
w rzeczy materialne, w prawo silniejszego.
Musimy pójść długimi drogami,
drogą miłosierdzia wśród ludzi,
drogą ku światłu przez mrok,
długą drogą ku miłości,
aby rozkwitła radość z życia,
niczym barwna tęcza
na niebie naszej wioski zwanej ziemią.

Początek rzece daje źródło,
burzy – szum liści,
ogniu – iskra,
łanowi zboża – zasiane niewidoczne ziarna.

CUDOWNY TERAPEUTA

Uwielbiam klowna: kwiatek przy kapeluszu,
bulwiasty nos, o wiele za duże spodnie,
o wiele za długa marynarka i jaskrawa koszula.
Klown biega, wymachując rękami,
i nigdy dokładnie nie wie dokąd.
Z entuzjazmem zaczyna coś robić
i za każdym razem mu nie wychodzi.
To jego kunszt: We wszystkim, co się nie uda,
znajduje cząstkę raju
i nad wyraz cieszy się z tego kawałka.

Uwielbiam klowna, jest cudownym człowiekiem.
Nigdy nie żyje dla siebie, sam przestaje być klownem.
Wychodzi z siebie, by należeć do ludzi.
Wczuwa się w głupotę ludzi
i zmusza ich do śmiechu z samych siebie.
Klown jest prawdziwym mistrzem życia.
Tylko on potrafi się śmiać, gdy płacze.
A gdy płacze, ludzie się śmieją.
Płaczą ze śmiechu. Dzięki swojemu poczuciu humoru
jest cudownym terapeutą.

Poczucie humoru przenosi ludzi przez pustynię życia.
Gdy wszystko jest tak smutne, że nikt już nie potrafi się śmiać,
i wszystko wygląda tak beznadziejnie,
że brak powodów do śmiechu,
poczucie humoru zawsze może jeszcze wyczarować uśmiech.

TYLE PÓZ

*G*dy niektórzy ludzie opuszczają swe cztery ściany
i idą pośród ludzi, wchodzą
na wysoki podest, niewidzialną scenę. Myślą:
Zapalają się reflektory, jestem teraz w pełnym świetle,
wszyscy na mnie patrzą. I gdy wszystko inne
tonie przed nimi w ciemności, ci rozkoszują się jasnym blaskiem:
Spójrzcie na mnie, tu jestem, tu jest moje Ja.

*L*udzie zadufani w sobie uważają się za wspaniałych.
Nie potrafią sobie wyobrazić, że oprócz nich
mogłoby istnieć coś godnego uwagi.
Ich zdanie jest zawsze najmądrzejsze, ich praca najważniejsza,
ich przeżycia najciekawsze, ich choroba najgorsza.

*J*ak często mówimy w ciągu dnia: Ja? Co masz na myśli?
Sądzę, że nieźle byśmy się zdziwili,
podliczywszy nasze tysiąckrotne Ja.
Jak szybko wysuwamy sami siebie na pierwszy plan,
gdy obcujemy z ludźmi.
Jak chętnie kierujemy światła reflektorów na nas samych,
gdy rozmawiamy z innymi.

*T*yle póz – czy to nie śmieszne?
Czyż nie byłoby prościej zejść z podestu i wyłączyć reflektory?
Staniemy się szczęśliwi, gdy uwolnimy się
od śmiesznej pogoni za urojoną wielkością,
gdy pozostaniemy po prostu człowiekiem,
zupełnie normalnym człowiekiem.

---

4 GRUDNIA

ODKRYĆ W INNYCH DOBRO

Mikołaj: święty,
który w cudowny sposób
czyni ludziom dobro,
niespodziewaną radość dużym i małym,
ale szczególnie małym.
Wierzyć w Mikołaja to
wierzyć w dobro innego człowieka.

Czy wierzysz jeszcze w dobro,
czy raczej liczysz na swoje surowe oblicze,
twarde słowa, groźne pięści?
Życie jest takie piękne, jeśli potrafisz wierzyć:
Moja żona jest o wiele lepsza, niż sądziłem;
mój mąż wcale tak nie myśli,
nawet jeśli czasami jest trudny;
moi sąsiedzi, moje koleżanki i koledzy,
moi przełożeni też mają sporo dobrych stron.

Jeśli już tego nie dostrzegasz,
koniecznie poproś świętego
Mikołaja o okulary –
by ponownie odkryć dobro.
I coś jeszcze: Pomóż świętemu Mikołajowi,
by wszystko lepiej rozdzielił.
Mikołaj pragnie dać coś
również biednym ludziom, biednym dzieciom.
Ale do tego potrzebuje akurat ciebie!

OKULARY BISKUPA MIKOŁAJA

Wierzę w biskupa Mikołaja.
Nie w Mikołaja domów towarowych,
Dziadka Mroza z neonu,
który służy tylko do zwiększenia obrotów.
Prawdziwy Mikołaj znajduje się w ogromnym
niebezpieczeństwie,
że zostanie zabity przez reklamę,
która w sposób wręcz brutalny wykorzystuje cud spontanicznej
dobroci dla wszystkich dzieci na świecie.

Wierzę w biskupa Mikołaja,
który od stuleci szerzy wśród ludzi
ducha dobra i miłości.
Szósty grudnia jest dniem cudu.
Mali wydają radosne okrzyki i tańczą z radości,
a duzi cieszą się z radości dzieci.
Cud ten może dziać się każdego dnia,
nie tylko dla dzieci.

Dlatego poproszę biskupa Mikołaja
o okulary dla dorosłych,
o szczególne okulary,
aby mniej baczyli na własne Ja,
a bardziej na innych:
w domu, w pracy, w miejscach publicznych, wszędzie.
Poproszę dla nich o dar
dobrego serca.

---

6 GRUDNIA

DOBRANOC

Wielu skarży się: „Mam skołatane nerwy".
Żyjemy zagonieni i w pośpiechu.
Zagubiliśmy sens ciszy i spokoju,
nocy, którą Bóg dał nam na odpoczynek.
Zakłócone noce czynią człowieka rozdrażnionym,
a nerwowość stwarza nowe problemy.

Złość odbija się na żołądku.
Zgorzknienie powoduje nadmiar żółci.
Pesymizm odciska się na usposobieniu.
Nocą jady działają dalej,
aż jest się zupełnie skwaszonym,
nieznośnym, nie do wytrzymania.
A krzepiący sen umknął.

Spróbuj poczekać do następnego dnia,
zanim zaczniesz się denerwować. Zobaczysz,
jak mało warta jest ta cała złość.
Dobry nocny sen rozwiąże niejeden problem.

Nie idź nigdy spać z jadem w sercu.
Pomyśl o pięknych sprawach minionego dnia.
Napełnij swe serce ufnością,
wyrozumiałością, dobrocią i przebaczeniem.
Nie kładź się do łóżka w złym humorze.
Idź spać z sercem,
które jutro będzie potrafiło kochać.

7 GRUDNIA

DODAĆ LUDZIOM SKRZYDEŁ

Niektórzy ludzie nigdy nie słyszą
słowa uznania, przyjacielskiej pochwały.
Wykonują najbardziej mozolne prace,
a każdy uważa to za oczywiste.
Bezgłośnie czynią tysiące rzeczy
w domu, biurze, zakładzie, klubie.
I nie ma tam nikogo, kto by to dostrzegł.

Lecz gdy zrobią fałszywy krok,
każdy to zauważa.
Wylicza się im błędy
i obarcza nimi.
Dlatego w społeczeństwie, które
nie pyta o sumienność i wierność,
chodzi zbyt wielu zgarbionych ludzi.
Dlatego zbyt wielu ludzi czuje się
przygnębionych, wykorzystywanych, spisanych na straty.
Praca nie sprawia im już przyjemności,
nie odczuwają już radości życia.

Przygnębionym ludziom
trzeba dodać skrzydeł.
Gdy będą mieli skrzydła, ich życie stanie się łatwiejsze.
Gdy będą mieli skrzydła, wszystko nabierze polotu.
Słowo uznania może ich uskrzydlić.
Pochwała jest jak sprężyna.
Pochwal od czasu do czasu,
a ludzie dostaną skrzydeł.

8 GRUDNIA

ZAWSZE GOTÓW DO POJEDNANIA

Czy znasz niezwykłą prawdę: 70 razy 7?
Zawarta jest w Ewangelii i oznacza:
przebaczaj zawsze!
Nie mów: „To głupota. Przebaczę raz,
to i tak o wiele za dużo".
Twoja miłość do bliźnich
najpiękniejsza jest w przebaczeniu.
Miłość bliźniego znaczy dawać i przebaczać.
Podziel się dobrem, które posiadasz.
Przebacz zło, które ci ktoś uczynił.

Jeśli szukasz zemsty i odwetu,
być może odczujesz przez chwilę zadowolenie.
Jeśli jednak pragniesz w swym sercu i otoczeniu
trwałej radości i trwałego pokoju,
przebacz, przebacz hojnie,
przebacz zawsze.

Nienawiść i zemsta wpychają cię w mrok.
Karlejesz duchowo i fizycznie,
możesz zobojętnieć aż do brutalności.
Jest to podłoże, z którego wyrasta zbrodnia.
Im szybciej przebaczysz, tym będzie to łatwiejsze.
Dlatego nie ociągaj się: Przebacz!
Może ci to oszczędzić dużo czasu i złości.
70 razy 7! Bądź zawsze gotów do pojednania.

9 GRUDNIA

PRAWA I OBOWIĄZKI

Obowiązki trzeba wykonywać,
by inni mogli zyskać swoje prawa.
Gdy ktoś nie wykona swego obowiązku,
ktoś inny nie zyska swojego prawa.
Jest tylko tyle praw, ile jest obowiązków.
Można by wiele mówić o prawach człowieka,
dopóki jednak panuje śmiertelne milczenie na temat
obowiązków człowieka,
dopóty wspaniała „Deklaracja praw człowieka"
dla milionów biednych, słabych i bezradnych
jest tylko kawałkiem papieru.

Jakąż wartość mają te pięknie sformułowane prawa
dla ludzi, którzy głodują, bo inni nie chcą się dzielić?
Cóż znaczą te prawa dla dzieci zaniedbanych,
zmuszanych do pracy, prostytucji, aktów przemocy,
ponieważ państwo i społeczeństwo, rodzina i szkoła
nie wykonują swojego obowiązku i nie chronią praw dzieci?

Łatwiej jest żądać praw niż wykonywać obowiązki.
Poczucie obowiązku jest u wielu nierozwinięte.
Wielu ludzi nie chce u nas nic o tym słyszeć ani wiedzieć.
Ale prawa i obowiązki zazębiają się ze sobą.
Nie mogą istnieć niezależnie.
Prawa i obowiązki zaczynają się w uścisku,
w którym ludzie stają się bliźnimi,
w którym miłość staje się normą wszystkich związków
międzyludzkich.
Tam rodzi się pokój i rośnie przyjaźń.
Tam każdy z chęcią wykonuje swój obowiązek.
Tam każdy otrzymuje swoje prawo.

SZKODA NA TO CZASU

Bojaźliwi ludzie są skłonni do rozmyślań.
Gubią się w domysłach.
Wciąż muszą się bronić.
Sami się unieszczęśliwiają.
Tęsknią za niepotrzebnymi troskami,
biorą je w ramiona i głaszczą.
W ogóle nie wierzą, że mogłoby świecić słońce,
i zmarznięci chowają się w cień.

Ale życie nie służy do rozmyślań.
Szkoda na to czasu.
Nie po to stworzono człowieka.
Lęk przed jutrem pojawia się zawsze
o jeden dzień za wcześnie.

Lęk ma wiele twarzy.
Jest lękiem przed opuszczeniem i samotnością,
przed tym, że się zawiedzie i straci;
przed nieznaną przyszłością;
przed lewym i prawym;
przed przemocą, nieszczęściem i chorobą.
Wszystkie lęki kończą się koniec końców
na lęku przed śmiercią.
Ponieważ człowiek tak kurczowo trzyma się życia,
odejście powoduje ból.

Tylko ten, kto nauczy się dawać zamiast brać,
pozwalać odejść zamiast zatrzymywać,
ten może żyć wolny, szczęśliwy i odprężony, bez lęku.

---

11 GRUDNIA

NIE DO KUPIENIA

Szukasz szczęśliwości, przytulnego domu.
Pragniesz odprężenia w rozluźnionej atmosferze,
by być wesołym i szczęśliwym.
I zaczynasz kupować, bo czasem
masz więcej na koncie niż w sercu.
Kupujesz piękne meble i dywany miękkie jak puch.
Kupujesz najnowszy zestaw telewizyjny i stereofoniczny.
Sprawiasz sobie łagodne, dyskretne oświetlenie.
Urządzasz kącik do jedzenia
i własny domowy barek, wszystko bardzo przytulne.

Biedne dziecko dobrobytu,
dlaczego nie wyglądasz na szczęśliwszego?
Dlaczego śmiejesz się tak mało,
tak szybko się denerwujesz?
Dlaczego ten cały dobrobyt pozostawia cię
na koniec takim pustym i niespełnionym?
Ponieważ są to wszystko przedmioty martwe.
Są zapewne bardzo praktyczne i przydatne,
ale nie dostaniesz za nie ani grama miłości.

Miłość jest tym, czego koniecznie potrzebujesz do życia.
Ale miłości nie możesz kupić.
Jeśli miłość byłaby na sprzedaż, nie byłaby już miłością.
Miłość powstaje przez to, że dajesz,
dajesz siebie samego z całym swoim sercem.
Oto klucz do wszystkich problemów,
biedne dziecko dobrobytu.

12 GRUDNIA

PRZEBACZENIE

Nic nie ciąży tak bardzo, jak niemożność przebaczenia.
Nic nie jest tak złe, jak życie dzień i noc
z ciężkim kamieniem złości i nienawiści w sercu.
Jeden, może wielu ludzi uczyniło ci zło.
Twoje wnętrze stopniowo zdrętwiało na zimnie.
Nie jesteś już taki sam. Sam się dziwisz.
Nie jesteś już taki serdeczny, taki łagodny.
Twoja sympatia przerodziła się w antypatię.

Gdzie panowało przywiązanie, jest teraz rozłam.
Z przyjaźni powstała wrogość, z miłości – nienawiść.
Cierpisz z tego powodu. Czujesz się jak w więzieniu.
Rolety spuszczone, wszystko zamknięte.
Słońce zostało na zewnątrz. Życie staje się ciężkie jak ołów.
W głębi serca tęsknisz za wyzwoleniem,
przede wszystkim chciałbyś być znów wolny wewnętrznie.

Uwierz mi, jest tylko jedna droga: przebaczenie!
Przebacz! Kosztuje to sporo, ale jest warte swej ceny.
Przebaczyć to coś twórczego.
Przebaczyć znaczy obudzić nowe życie i nową radość.
Przebaczyć czyni możliwym nowe, w tobie i innych.
Przebaczyć to najpiękniejszy prezent teraz,
na święta Bożego Narodzenia.
Musisz wiele razy przebaczać i nie wolno ci liczyć, jak często.
Przebacz siedem razy siedemdziesiąt, to znaczy nieskończenie,
bo sam potrzebujesz także tyle przebaczenia.

ZALETA PUSTEGO ŻŁOBU

Świat interesu zastąpił dzieciątko Jezus w żłobie
Mikołajem obładowanym, prezentami.
Sprowadzono go do naszego niezmiernie bogatego
społeczeństwa, bo dzieciątko Jezus nie czuło się
tu już jak w domu.

Dzieciątko Jezus przyszło na świat w biedzie i wyrzeczeniach.
W gospodzie wśród ludzi nie było miejsca.
Ale tam była gwiazda i stał tam żłób,
który miał tę zaletę, że był pusty; i tak znalazło się miejsce dla dziecka.
Było tam kilku pasterzy, podejrzanych typów,
niechętnie widzianych przez ludzi w mieście.
I było tam przesłanie, przesłanie pokoju,
nadziei i miłości dla ludzi dobrej woli.

Mikołaj może pomóc w zrobieniu dobrych interesów,
przyozdobić choinkę, postarać się o dobre jadło
i oryginalny prezent. Więcej nic.
Dzieciątko Jezus ma przesłanie, które nas pobudza,
by pracować na rzecz lepszego świata i które napełnia
nasze serce sympatią dla ubogich, maluczkich, odrzuconych.

W te świąteczne dni odczuwam ból, bo jest
tyle prezentów, a tak mało wzajemnego zrozumienia.
Ludzie na świecie są tacy surowi wobec siebie nawzajem,
radość z tajemnicy bożonarodzeniowej taka skryta.
Życzę ci, abyś znalazł drogę do tej tajemnicy,
tajemnicy nadziei, wiary i miłości,
tajemnicy światła w mroku.

14 GRUDNIA

SZTUKA PRZYJMOWANIA

*J*est to czas, w którym
składamy sobie nawzajem najlepsze życzenia.
Wiesz, jak dobrze robi
podarowanie czegoś komuś,
kto może się z tego serdecznie ucieszyć.

*T*o wielka sztuka umieć dawać,
a jeszcze większą sztuką jest umieć przyjmować.
Może dostaniesz coś kosztownego,
a może tylko drobnostkę.
Bądź jednak świadom tego,
że ukochany człowiek myślał nad tym,
że starannie coś wyszukał i zapakował
w nadziei, że cię tym zaskoczy
i sprawi radość. Nie zapomniał o tobie.

O setkach innych się zapomina,
nie dostają niczego, nikt o nich nie myśli.
Raduj się zatem, że ktoś cię lubi
i myśli o tobie. Bądź wdzięczny.
I daj poznać po sobie,
że potrafisz to docenić,
nawet jeśli jest to drobnostka.

SENS WSZELKICH PREZENTÓW

Przyjaźń jest najpiękniejszym
i najbardziej drogocennym prezentem,
sensem wszelkich prezentów, które ludzie dają sobie wzajemnie.

Jeśli twój prezent jest wyrazem przyjaźni,
możesz zawinąć go w barwny papier
i przyozdobić kolorowymi tasiemkami.
Ale przyjaźń wypuść na zewnątrz,
jak motyla, który dzięki lekkim skrzydłom
lata od jednego serca do drugiego.
Gdy zapakujesz motyla,
nie będzie mógł już latać.
Gdy zapakujesz przyjaźń,
straci dostęp do powietrza i się udusi.

Przyjaźń musi być wolna, bez ukrytych myśli.
Jeśli myślisz, że dzięki prezentom zyskasz
życzliwość lub uległość ludzi, przyjaźń umiera.
Gdy prezenty stają się transakcją
ze zobowiązaniami po obu stronach,
przyjaźń ginie.

Dar przyjaźni
nigdy nie jest duży ani ciężki.
Nie ciąży, bo niosą go
prądy sympatii, która bezwiednie
płynie od jednego serca do drugiego.
Zapakować i obwiązać możesz prezenty,
ale nigdy przyjaźń.

16 GRUDNIA

NAJPIĘKNIEJSZY PODARUNEK BOŻONARODZENIOWY

Czy żyjesz w pokoju, w zgodzie
z całą swoją rodziną, ze wszystkimi ludźmi?
A może jesteś z nimi skłócony?
Czy są ludzie, którzy cię obrazili,
którzy zadali ci rany,
którzy głęboko cię dotknęli?
Może twój mąż, twoja żona?
Może własny syn, własna córka?
Może bardzo bliscy krewni, bardzo bliscy przyjaciele?
Wtedy w głębi twojej duszy
powstaje otwarta rana, która boli i dokucza.

Teraz poproszę cię o coś bardzo trudnego.
Wkrótce przyjdą święta Bożego Narodzenia,
dlatego mogę powiedzieć: Przebacz!
Nie mów od razu: „To niemożliwe.
Zrobiłem dla niego, dla niej wszystko, dałem wszystko.
A co on zrobił, co ona zrobiła?
Przebaczenie – nie, to wykluczone".

Ach, nie dałeś jeszcze wszystkiego, jeszcze nie.
Dasz wszystko dopiero wówczas, gdy przebaczysz.
Przebaczenie jest najpiękniejszym podarunkiem
bożonarodzeniowym.
To boski prezent.
Ty także potrzebujesz przebaczenia.
Dzięki przebaczeniu goją się wszystkie rany,
a wtedy ponownie może rozkwitnąć miłość.

DOBRY CZŁOWIEK

Być człowiekiem, dobrym człowiekiem
to jedyne, co ważne na świecie.
Ale kogo to interesuje? Komu jeszcze na tym zależy?
Bycie dobrym zakłada rzeczy, które nie są modne:
prostotę, uprzejmość, dobrowolność, dobro,
gotowość do działania, altruizm.

Wciąż nawołuje się o coś nowego:
o nowy porządek ekonomiczny,
o nowy system socjalny, ale rzadko słyszę coś
o fundamentach wspólnotowego życia człowieka.
Wielki świat interesuje się wyłącznie wielkimi sprawami,
sprawami, które rzucają się w oczy, sprawami, które u wielu
na skali wartości stoją najwyżej: karierą,
honorem, szczęściem, pieniędzmi.
Pożąda się tytułów, dyplomów, osiągnięć, zaangażowania.
Pożąda się człowieka technicznego, naukowego.
Możliwie odpornego na ludzkie uczucia, na serce.
Komputer nie liczy się z sercem.

Dlaczego jest tak przeraźliwie dużo biedy na świecie?
Dobrzy ludzie nie mają władzy,
a ci, którzy ją mają, często postępują tak,
jakby ziemskie dobra były ich prywatną własnością.
Nie daj się zniechęcić!
Stań się dobrym człowiekiem, w pełni dobrym człowiekiem.
Wtedy kawałek świata, w którym żyjesz i pracujesz,
stanie się dzięki temu lepszym kawałkiem świata.

ZAPROSIĆ SAMOTNEGO

Zaproś samotnego.
Zrób to sam, nie przez jakąś organizację.
Uczyń to osobiście, nawiąż zupełnie zwyczajny kontakt
z samotnym, najlepiej z twojego otoczenia.
Ale nie z nastawieniem:
Chcę zrobić coś dobrego z okazji Bożego Narodzenia.

Zaprosić samotnego nie jest łatwo.
Nie wszystkie osoby żyjące same są samotne.
Musisz wykazać się subtelnym wyczuciem,
by odnaleźć naprawdę samotnych
i nie zranić ich podczas pierwszego kontaktu.
Nikt nie chciałby być traktowany jak samotny,
jak ktoś, komu należy współczuć.

Zaproś samotnego.
Zrób to sam, z całego serca,
spontanicznie i pełen przyjaźni.
Może to być ktoś,
kogo życie ciężko doświadczyło
i kto nie potrafi sobie z tym poradzić.
Może to być ktoś już bardzo stary
albo jeszcze bardzo młody, a jednak już bezradny.
Zaproś samotnego, ale przede wszystkim
spraw swoją uwagą i zrozumieniem,
by nikt w twoim otoczeniu nie był samotny.

WDZIĘCZNOŚĆ

*I*stnieje pamięć, która odnosi się do głowy.
Jeden zapamiętuje coś łatwo, inny szybko zapomina.
I istnieje pamięć, która ma o wiele głębsze korzenie.
Korzenie tej pamięci tkwią w sercu.

*L*udzie byli dla mnie dobrzy.
Troszczyli się o mnie, gdy byłem mały.
Towarzyszyli mi, gdy podrosłem.
Wspierali mnie, gdy było mi źle.
Cieszyli się, ponieważ ja byłem radosny.
Wszystko to przynosiło mi ulgę. Moje serce nie zapomni o tym.
Pamięć serca zwie się wdzięcznością.

*P*owiedz „dziękuję", mały człowieku, za strumień miłości,
który w całkowitej ciszy przepływa przez świat.
Dziękować to zauważyć, ile dobra się dla ciebie czyni.
Sam sobie dałeś wzrok?
Sam przyprawiłeś sobie palce u rąk?
Gdzieś tu tkwi tajemnica miłości.
Gdzieś jest ktoś, kto cię niewiarygodnie lubi.

*D*ziękować to przypomnieć sobie wszystko,
co uczynili dla ciebie inni.
Aby być wdzięczny, nie musisz być bogaty.
Nic nie boli tak jak niewdzięczność.
Najczęściej jest ona wyrazem obojętności i nieczułości.
Niewdzięcznik uważa wszystko za normalne i oczywiste.
Człowiek wdzięczny pokaże, że jego serce ma dobrą pamięć.

CUD

Bóg jest miłością dla ciebie i dla mnie,
każdego dnia i każdego roku.
Bóg jest miłością w tobie i we mnie.
Powinna ona stać się jeszcze dziś widoczna i odczuwalna
w twoim dobrym uczynku, uprzejmości i dobroci,
w wyrozumiałości dla innych, przebaczeniu,
w pocieszeniu, które niesiemy.

Nie żyjesz przecież wyłącznie dla siebie.
„Każdy dla siebie" to wrota do piekła.
Twoim zadaniem jest codziennie
urzeczywistniać miłość,
nadawać miłości kształt,
czy jesteś ministrem, czy zamiataczem ulic.
Świat musi dzięki tobie stać się lepszy.

Napełnij więc swego ducha, swe serce
i ręce miłością.
Nie pozostawaj w chłodzie obojętności,
nienawiści, odwetu i zemsty.
Choć na krok wyjdź spoza swego muru,
a Bóg zdziała dla ciebie cuda.
Nikt nie będzie tego wiedział,
ale podczas Bożego Narodzenia twoje serce
przepełni radość.

OWOC RADOŚCI

Idą święta Bożego Narodzenia.
Zapomnij teraz o całej złości i wściekłości,
wszelkich rozczarowaniach i trudnościach
z twoimi bliźnimi.
Pomyśl o pokoju w twoim domu
i twoim sercu.

Przebacz znów!
Jeszcze raz zapomnij o cierpieniu, które ci zadano.
Pozwól, by w domu wszystko się ułożyło.
Nie mów: To niemożliwe.
Nie mów: Czuję się bezsilny,
taki biedny, pusty i zimny.

Zapamiętaj dobrze: Jeśli będziesz tak otwarty,
jak ubogi zimny żłób bożonarodzeniowy,
przyjdzie Bóg
i w twoim sercu zdziała cuda.
On sam przy twojej dobrej woli
zasadzi na gruncie twego serca
dobroć i miłość.

Będziesz mógł wtedy zrywać cudowne owoce,
owoce pokoju i radości.
To one uczynią cię szczęśliwym
podczas tych bożonarodzeniowych dni.

ŚWIATŁO I CIEPŁO

Aby być szczęśliwym podczas świąt Bożego Narodzenia,
nie potrzebujesz świątecznej gęsi, nadmiaru jedzenia i picia,
zamówionego wcześniej drogiego odświętnego menu
w restauracji,
by później odczuwać bóle brzucha lub dostać zawału serca.
Światło, pokój, radość nie wiszą jak bombki na choince.
Nie ogarną cię wraz z sentymentalną muzyką.
Jarmarki bożonarodzeniowe, marzenia w ozdobnym
opakowaniu nie są w stanie z okazji świąt napełnić szczęściem
ani jednego pustego serca.

Aby być szczęśliwym podczas tych świątecznych dni,
potrzebujesz światła i ciepła, nie zimnego migotania neonów
i nie ciepła, które daje kocioł grzejny, jeśli działa.
Potrzebujesz światła w sercu, by widzieć sens życia,
i ciepła drogich ci ludzi, którzy cię lubią.

W ubóstwie, zimnie i głębokim zapomnieniu
przyszedł na świat do wszystkich ludzi ktoś,
kto całym swoim życiem chciał być światłem i ciepłem
i kto opuścił świat na krzyżu.
Jeżeli jesteś otwarty na tajemnicę tego człowieka,
otwarty jak dziecko, to przyjmiesz światło i poczujesz ciepło.

Być może nic nie czujesz,
może jesteś jeszcze za bardzo przywiązany
do wielu rzeczy materialnych. Każde miejsce,
do którego jesteś przykuty, daje efekt krótkiego spięcia.
Życzę ci w tych dniach wiele światła w sercu,
abyś zapalił w ciemnościach kilka gwiazd,
i wiele ciepła w tobie, by sprowadziło tam ludzi
stojących na zimnie.

23 GRUDNIA

POKÓJ TAKŻE TOBIE

*B*oże Narodzenie! Pokój wszystkim ludziom dobrej woli!
Pokój także tobie, kimkolwiek jesteś,
cokolwiek myślisz i w cokolwiek wierzysz!
Pokój! Bo także ty nosisz głęboko w sercu,
może nieświadomie, nieskończoną tęsknotę
za utraconym rajem,
tęsknotę za pokojem, dobrem i miłością.

*J*eśli w Boże Narodzenie szukasz tylko
stołu z jedzeniem i piciem,
miłego lokalu, urozmaicenia, odurzenia,
to nie zaznasz pokoju.
Niezadowolony będziesz za każdym razem pożądać
nowego lokalu, nowego odświętnego jadła,
nowych przyjemności, nowego urozmaicenia.
Stale będziesz niezadowolony.
Na zawsze pozostanie ten sam ból, na zawsze ten sam głód.
W ten sposób nigdy nie zaznasz pokoju.

*B*oże Narodzenie: Uwolnij się
spod płaszcza egoizmu.
Poszukaj pokoju w dobroci i miłości do innych –
a znajdziesz pokój.
Boże Narodzenie: Miłość Boga powinna się uwidocznić
w twoim sercu i całym twoim życiu.
Boże Narodzenie: tylko pokój,
jedynie dobroć i miłość
dla wszystkich ludzi na całym świecie!

GDZIE MIESZKA BÓG

Boże Narodzenie jest objawieniem Boga,
objawieniem miłości w świecie,
który jest taki ponury i zimny, aż do twojego serca.
To coś potężnego.

Podczas tych bożonarodzeniowych dni każdy
może przyjąć dobro i miłość. Również ty.
Także jeśli jesteś jeszcze taki ubogi, pusty i zimny.
Taki był przecież żłób.
Miał tylko jedną zaletę: był otwarty.
I to jest wszystko, czego żąda się także od ciebie
w tych bożonarodzeniowych dniach: bycia otwartym!

Każda skrytość jest formą nienawiści,
wyrazem tego, że ktoś nie chce przyjmować.
Bóg nie przychodzi w nienawiści, nie przychodzi w występku,
nie w sporze i kłótni, nie w zrzędzeniu,
nie w zazdrości i zgorzknieniu.

Bóg mieszka wyłącznie
w dobroci człowieka dla człowieka,
w przebaczeniu, pojednaniu,
we wzajemnym zrozumieniu,
w uprzejmości i pobłażliwości.
Bóg jest miłością. Czy Bóg mieszka w tobie?

BOGA MOŻNA ROZPOZNAĆ

Święta Bożego Narodzenia. Bóg objawił się na ziemi
w geście każdej uprzejmości i miłości wśród ludzi.
Ale wielu nie martwi się o Boga,
a nierzadko uznaje Go za martwego.
Powstała atmosfera, w której nie ma potrzeby
pytać o Boga. Bóg nie jest w podaży.

Bóg jest martwy dla tych, którzy nie są gotowi
bądź nie są w stanie go kochać.
Dla tych, którzy potrafią kochać tylko siebie,
własny rozum, własne zdanie,
swój stan posiadania, własne Ja.
Bóg nie jest martwy. On żyje, ale niełatwo Go
zauważyć, przemawia tylko do tych,
którzy pragną go kochać.
Nie jest Bogiem filozofów i uczonych,
którzy co stulecie zmieniają poglądy na Jego temat.
Boga można rozpoznać: Mogą go spotkać
ludzie prości, mali, ubodzy, grzesznicy,
wszyscy, którzy zejdą z piedestału
i zechcą zdjąć maskę pychy.

Dlatego, drogi człowieku, zrzuć wszelki balast
zarozumiałości i bezkrytyczności wobec siebie.
Otwórz swe serce i ramiona –
jeśli nawet są tak surowe jak żłób,
niech się tylko otworzą – i dostąp
bożonarodzeniowej tajemnicy miłości.

PEŁNIA SEZONU NA NOWE SZANSE

Czy ostatni rok był dla ciebie dobry?
Stałeś się bardziej człowiekiem, lepszym człowiekiem?
Miałeś na to 365 dni!
Spójrz wstecz, co zrobiłeś w tym celu?
Przyniosłeś słońce i radość
czy smutek i ból?
Troszczyłeś się o innych
czy rozbiłeś ich szczęście?

Twoje życie w ostatnim roku jest teraz niezbitym faktem,
dokumentem dla wieczności, ale zaczyna się
nowy rok, nowa szansa.
365 dni, aby być dobrym, miłym i skorym do pomocy.
365 dni, aby kochać, by zasiać szczęście dla innych.

We wszystkie strony wysyła się życzenia noworoczne.
Gdyby można było specjalnymi promieniami
prześwietlić myśli wielu ludzi,
wysnułoby się prawdopodobnie taki wniosek:
„Nowy Rok – pełnia sezonu na przesadną hipokryzję!".
Jedynie miłość potrafi w tych dniach wszystko uwiarygodnić
i odnowić.

Nie kryj się zatem za swoimi małymi,
powszednimi, egoistycznymi potrzebami.
Uczyń nowy rok rokiem pełnym szans,
pełnym szczęścia dla wszystkich bliźnich i życz im:
Szczęśliwego Nowego Roku!

ROZMYŚLANIA NA KONIEC ROKU

Kończy się rok.
Co ci z niego zostało?
Być może rozczarowania i niepowodzenia,
fura złości i siwe włosy.
Być może cichy ból w sercu,
że wszystko minęło tak szybko,
że szczęście, które znalazłeś,
było tak krótkie i kruche,
że nikt nie umiał ci pomóc
przedłużyć dobre,
a skrócić złe dni.

Jesteś zmęczony? Czujesz
być może po raz pierwszy,
że każdy rok odkrawa
kawałek twego życia?
Pomyśl o tym spokojnie.
Nie zaszkodzi,
jeśli pozbędziesz się paru iluzji.
Ale byłoby tragedią,
gdybyś stracił otuchę
i wiarę w nadchodzący rok.

Szukaj dalej pokoju.
Szukaj nieprzymuszonego kontaktu z Bogiem.
Potrafi napełnić twe puste ręce i puste serce
dobrocią i miłością.

MOJA OAZA

Wiem, że w oazie wszystko leży nad wodą
i że pustynia może rozkwitnąć i stać się żyzna,
gdy jest woda. Bez wody wszystko usycha, wszystko zamiera.
Jeśli znajdziesz gdzieś na pustyni wodę,
musisz za nią pójść, by odnaleźć źródło, oazę.

Wiem, że oaza człowieka leży w miłości
i że miłość jest źródłem wszystkich oaz
wśród ludzi, i wierzę, że Bóg jest „miłością".

Woda to życie. Miłość to żywa woda.
Jeśli na pustyni swego życia znajdziesz gdzieś miłość,
prawdziwą miłość, to pójdź za nią,
a dojdziesz do źródła wszelkiej miłości, do Boga,
wielkiej oazy na dzisiaj i na wieki.

Moją oazą jest Bóg. Wywołuje mnie z pustyni
i pragnie dać mi do skosztowania cuda w jego ogrodzie,
dary swego serca, owoce swego ducha.
Mam być na jego pustyni małym nosiwodą.

Bóg jest prawdziwym domem,
w którym masz poczucie bezpieczeństwa.
W Bogu możesz żyć i działać.
W Bogu możesz zamieszkać.
W Nim możesz głęboko odetchnąć.
Wszystko jest świeże, wszystko jest nowe.
Możesz przyjść i wyjść,
znaleźć pożywienie i żywą wodę.
Czujesz się pewnie. Nie żyjesz już w pustce.
Nie wisisz zrozpaczony nad przepaścią nicości.

ZACZERPNĄĆ ODDECHU

Czym jest modlitwa?
Modlitwa jest dla mnie sprawą miłości, ufności
i oddania, wiernego, nieomal ślepego oddania Bogu,
niezgłębionej istocie, w której czuję się bezpieczny.
Czuję przyciąganie pola magnetycznego nieskończenie
drogiego Boga, który ciągnie mnie coraz dalej do siebie.
Modlitwa jest czymś oczywistym,
czymś zupełnie naturalnym, zaczerpnięciem oddechu.
Modlitwa zaczyna się w głębi człowieka.
I dlatego myślę, że modlitwa jest czymś bardzo osobistym,
innym dla każdego człowieka.

Czym jest modlitwa?
Odpowiedzią całym jestestwem
na niezgłębioną tajemnicę miłości,
która nie mija, która przemawia do ciebie w całym świecie
i przez wszystkie cuda wokół ciebie.
Pozwoleniem, by cię zagadnięto, i odpowiedzią,
podzięką, radością, pytaniem, skargą, krzykiem,
milczeniem, podążaniem, powiedzeniem „tak" słowami,
znakami, czynami i całym swoim życiem.
Modlitwa nie jest oddalona od życia.
Modlitwa to podstawowy czyn istoty ludzkiej.
Kto się modli, potrafi żyć, także w tych czasach.

Ptak jest ptakiem, gdy lata.
Kwiat jest kwiatem, gdy kwitnie.
Człowiek jest człowiekiem, gdy się modli.

MOJA MODLITWA

Gdy jestem zmęczony drogą do gwiazd,
by przynieść ludziom trochę światła nocą,
siadam w ciszy i znajduję Ciebie, mój Boże!
Przysłuchuję się źródłu i słyszę Ciebie.
W głębi duszy i we wszystkim, co mnie otacza,
czuję wielką tajemnicę.

Boże, jesteś dla mnie tak blisko, jesteś tu dla mnie,
namacalny, jak na wyciągnięcie ręki.
Jesteś obecny we mnie, bardziej niż powietrze
w moich płucach, bardziej niż krew w moich żyłach.

Boże, wierzę w Ciebie.
Tak jak ślepy wierzy w słońce,
nie dlatego, że je widzi, lecz dlatego, że je czuje.
Drogi Boże, przez Jezusa dałeś mi odczuć,
ile dla Ciebie znaczę. Jak bardzo mnie kochasz!
Swoją miłość do mnie zawarłeś w całej przyrodzie
i ludziach, którzy mnie otaczają.
Jesteś Bogiem miłości.

Dotykasz mnie tysiącem dłoni.
Całujesz mnie tysiącem ust.
Karmisz mnie tysiącem owoców.
Dałeś mi wszystko,
wszystko, czego potrzebuję, i wszystko, czym jestem.
Niesiesz mnie na tysiącach skrzydeł.
Z tobą jestem jak dziecko w domu.

A jednak sukces – sukces książki, którego nikt nie przewidział, którego nie nagłośniła żadna kampania prasowa ani nie zaprogramowała żadna strategia marketingowa, a który jeszcze dziś dla flamandzkiego autora Phila Bosmansa pozostaje „een mysterie", tajemniczą zagadką. W roku 1972 ukazała się po niderlandzku jedna z jego najbardziej znanych książek *Vergiss die Freude nicht* [Nie zapominaj o radości]. Właściwie nie była to typowa książka, gdyż jej zbyt duży format sprawiał, że różniła się od standardowych tomów w domowej biblioteczce. Autor sam zaproponował taką wielkość, ponieważ książka miała trafić do żywych ludzi, a nie na zakurzoną półkę. Po 25 latach tylko z wydania niderlandzkiego sprzedano około 750 000 egzemplarzy, z wydania niemieckiego, które ukazało się kilka lat później – ponad milion. Książki Bosmansa stały się światowym fenomenem: dwa miliony egzemplarzy w języku niderlandzkim, trzy miliony w niemieckim, przekłady na 24 języki, szacowana całkowita wysokość nakładu – dziewięć milionów egzemplarzy. Co sprawia, że książki te tak intensywnie przemawiają do ludzi niezależnie od różnic językowych, kulturowych czy stanu posiadania?

„Nie jestem teoretykiem. Moim uniwersytetem jest żywy człowiek"

Pierwszą istotną przyczyną jest zakorzenienie twórczości Bosmansa w życiu – w życiu ludzi oraz w życiu autora. Książki te są czymś innym niż tylko wytworem wyobraźni. Nie chodzi tu bowiem o intelektualne spekulacje, które dla jednych są bardzo interesujące, dla innych zaś śmiertelnie nudne. Ale także nie o głębokie wczucie się w zaniedbane, zmarniałe we współczesnym społeczeństwie potrzeby duszy.

Mimo że Phil Bosmans tak bardzo zbliża się do ludzi, którzy w jakiś sposób są zawsze nieszczęśliwi, sfera psychiki nie jest jego światem. Nie rości sobie żadnych poetyckich pretensji, nawet jeśli jego utwory – zawsze krótkie – przybierają czasami formę wiersza.

Nie jest ani intelektualistą, ani nieomylnym guru, nie jest literatem czy gwiazdą pisarstwa. Jest po prostu człowiekiem pośród ludzi. Jeśli o swoich książkach mówi, że w zasadzie napisali je prości ludzie, którzy pozostali anonimowi, nie ma w tym żadnej kokieterii, lecz rzeczywistość. Za każdym napisanym przez niego wierszem stoją żywi ludzie, z ich bezradnością i zwątpieniem, z ich tęsknotą za szczęściem i poczuciem bezpieczeństwa – to także życie samego Phila Bosmansa.

„Wiele jest dróg do Boga,
tak wiele, jak ludzi"

„Miałem szczęście", przyznaje autor w jednej z najbardziej osobistych książek („Bóg, któremu wierzymy", od roku 1997 pod tytułem *Vergiss die Liebe nicht* [Nie zapominaj o miłości]), będącej hymnem pochwalnym dedykowanym rodzicom, biednym rolnikom, którzy mimo wielu trosk byli ludźmi szczęśliwymi, oraz rodzinnej wsi Gruitrode we wschodniobelgijskiej prowincji Limburg, gdzie pisarz urodził się 1 lipca 1922. Później rodzina przeniosła się w okolice Genk – tam ojciec i bracia znaleźli pracę w kopalni węgla kamiennego. Dzięki swojej ciotce uzdolniony młodzieniec mógł uczęszczać do szkoły w Rotselaar. W roku 1941 wstąpił do klasztoru Ojców Montfortanerów – którego założycielem na początku XVIII stulecia był bretoński wędrowny kaznodzieja i misjonarz ludowy Grignion de Montfort – a w roku 1948 został księdzem z powołania i głębokiego przekonania, które w ciągu następnych pięćdziesięciu lat pozostało niezmienne.

Szczególne znaczenie w kształtowaniu młodego księdza miała praca w północnej Francji w środowiskach, które zupełnie odeszły od Kościoła i w których tradycyjne formy troski o duszę przestały wystarczać. A ponieważ dzielił życie z ludźmi spoza dobrze sytuowanego społeczeństwa, w barakach z górnikami, pośród których byli także rosyjscy uciekinierzy, jeszcze lepiej poznał język ludzi prostych, ich uczucia, serca i potrzeby.

„Niektóre sprawy wyglądają na nieszczęście, a przecież są błogosławieństwem"

Na początku lat pięćdziesiątych został umieszczony w Limburgu – swojej ukochanej ojczyźnie, w absorbującej jego siły placówce, która nosiła wówczas nazwę Misji Ludowej (*Volksmission*). Tam prowadzi niezliczone spotkania i rozmowy z ludźmi w trakcie wizyt domowych, przemowy przez głośniki samochodowe, kazania i procesje, zebrania i msze, często od wczesnych godzin rannych do późnej nocy, miesiącami, bez odpoczynku, nie bacząc na siebie samego, aż do momentu, gdy w roku 1954 doznał całkowitego załamania, wyczerpując siły fizyczne i psychiczne. Dwa lata spędził w łóżku uznany przez lekarzy za przypadek nie rokujący nadziei na wyzdrowienie, przyjęty przez „najbardziej gościnną plebanię świata, gdzie rozśmieszały mnie z bezgraniczną cierpliwością dwa anioły". Dziś mówi o tych czasach: „Miałem wiele szczęścia. Teraz już wiem: niektóre sprawy wyglądają na nieszczęście, a przecież są błogosławieństwem".

Gdy wbrew wszelkim lekarskim prognozom jednak wyzdrowiał i po trzech latach mógł pomyśleć o pracy, zaproponowano mu kolejne zadanie: Stowarzyszenie bez Nazwy, założony dwadzieścia lat wcześniej przez kaznodzieję radiowego w Holandii wolny ruch sympatyków działający zgodnie z dewizą: „Ulepszaj świat! Zacznij od siebie samego!". W roku 1959 rozpoczął od Antwerpii. Stowarzyszenie bez Nazwy miało być jego życiowym zadaniem i dziełem. Wszystko, co pisał i publikował, nawiązuje do tej organizacji, zwracającej się do wszystkich osób, „które mają serce na dłoni".

Bez związku z życiem wielu ludzi, z ich codziennymi doświadczeniami, z ekstremalnymi sytuacjami, bez wrodzonego dowcipu ludzi prostych, bez ich gotowości do przyjaźni i niesienia pomocy, bez ich mądrości życiowej nie byłoby książek Bosmansa. Ofiarowały one poczucie solidarności pośród ludzi dobrego serca, ożywiającą aprobatę, która z siłą przekonywania na rzecz uniwersalnego dobra pomagała przetrwać najcięższe ludzkie kryzysy.

„Kwiat potrzebuje słońca, by stać się kwiatem.
Człowiek potrzebuje miłości, by stać się człowiekiem"

Stowarzyszenie bez Nazwy Bosmansa nie zostało zaprojektowane, lecz rozwijało się spontanicznie z potrzeby chwili. Gdy byli więźniowie wyszli na ulicę, ponieważ nie mieli pracy, Bosmans założył dla nich w Antwerpii Dom Pracy MiN, pierwszą tego rodzaju organizację społeczną w Belgii, a pięć lat później – dom dla kobiet. Zapoczątkował też działania na rzecz więźniów odsiadujących karę i ludzi pokrzywdzonych. Wstawiał się w bezdusznych urzędach za Cyganami, którzy chcieli otrzymać pozwolenie na pobyt lub miejsce stacjonowania. Zdołał pozyskać współpracowników i zarazić ich swoim entuzjazmem. Jeszcze ważniejszą wewnętrzną przesłanką wszystkich działań podejmowanych na rzecz ludzi będących w potrzebie jest duchowa postawa, którą nazywa „kulturą serca". Niestrudzenie głosi jej orędzie: w comiesięcznych kartkach z sentencjami opatrzonymi krótkim komentarzem, w wykładach, audycjach radiowych, podczas dyżuru telefonicznego, gdzie co tydzień oferuje się krzepiące słowa. W ten sposób pracuje nad zmianą mentalności, a jednocześnie inspiruje tę wielką rodzinę Stowarzyszenia bez Nazwy, liczącą w Belgii ponad trzysta tysięcy członków, która dzięki swojej ofiarności umożliwiła realizację inicjatyw o charakterze społecznym. Idea Stowarzyszenia bez Nazwy zakorzenia się także w innych krajach, przede wszystkim w Hiszpanii i Ameryce Południowej, a od roku 1988 także w Niemczech.

„Nie stan posiadania wzbogaca, lecz radość.
Szczęścia nie można kupić. Miłość dostaje się za darmo"

Książki nigdy nie były dla Bosmansa celem samym w sobie. Jeśli jednak widział jakieś możliwości przybliżenia ludziom swoimi publikacjami orędzia „kultury serca", to potrafił je doskonale wykorzystać. Co charakteryzuje książki Bosmansa? Jedną z cech szczególnych jest bogactwo doświadczeń życiowych. Często chodzi o elementarne fakty z ludzkiej egzystencji, które komentuje z zadziwiającą prostotą i szczerością. Innym wyróżnikiem jest jego niepowtarzalny język. Autor stał się mistrzem skrótów myślowych, zaskakujących nagłówków czy sentencji o charakterze przysłowia. Za pomocą doskonale dobranych słów i obrazowych wyrażeń przemawia do nieuświadomionych pragnień, wskazuje wartościowe rozwiązania i cele. Czytelnikiem jego książek jest prosty człowiek, który niezależnie od pochodzenia i stanu posiadania konfrontuje się ze swoim prawdziwym „ja", staje jakby twarzą w twarz ze wszelkimi słabościami i ułomnościami ludzkiej natury, celem i posłannictwem życia. Poszukiwanie nieuwarunkowanego szczęścia, cierpienie, tęsknota to problemy dotyczące nas wszystkich.

Teksty Bosmansa są zawsze krótkie i zwięzłe. W argumentacji nie używa skomplikowanych myśli, lecz obrazów czytelnych dla każdego. Jednym zdaniem przechodzi do sedna rzeczy. Potrafi wspaniale opowiadać, za pomocą niewielu słów opisuje poruszającą scenę, trafiającą do serca. Uwielbia prastarą a wiecznie młodą symbolikę słów: symbolikę nocy i gwiazd, pustyni i oazy, słońca, kwiatów, ptaków, domu, portu i wielu innych. Tak oto na swój sposób przemawia kaznodzieja do ludzkiego sumienia, stając się rodzimym poetą, który porusza najgłębsze sfery duszy.

„Winę za zniszczenie swego świata
ponosi sam człowiek,
jego zatruty duch i spustoszona dusza"

Phil Bosmans ma ludziom coś do powiedzenia, coś, co być może jest najważniejsze w życiu, a o czym dziś – jak mówi – milczy się w różnych językach. W jego utworach tkwi cała „filozofia". Człowiek współczesny ma w sobie pewien zapomniany obszar, w jego „mieście" znajduje się zupełnie zaniedbana „dzielnica nędzy" – ludzkie serce. Autor pragnie odkryć świat, gdzie nie wierzy się w siłę pieniądza, we władzę czy stan posiadania, lecz w światło, dobro i miłość. Ten prosty zasadniczy motyw rozwija w coraz nowszych wariacjach. Człowiek nie jest jedynie po to na świecie, by produkować i konsumować, lecz po to, by być człowiekiem, by być szczęśliwym i uszczęśliwiać innych. „Filozofię" szczęścia Bosmansa można streścić następująco: jest to szczęście, które jak cień podąża za miłością, jak echo, które ci odpowie, jeżeli w ogóle jesteś. Szczęścia nie można kupić, miłość jest wyłącznie za darmo. Phil Bosmans nie jest łatwowierny ani naiwny, za jakiego uważają go ci, którzy go nie znają. Nie ucieka od problemów dotyczących ciemnych stron życia, szuka także na nie odpowiedzi. Z ogromnym, niemal dziecięcym zdziwieniem opisuje cuda natury i widzi w tym tajemnicę umiłowania dzieła Stwórcy, ale nie zamyka oczu na to, co człowiek z tym uczynił.

Potrafi wtedy mówić także o Bogu, a jest to język miłości: „Delikatnymi dłońmi gładzi mnie, kiedy przychodzi z wieczornym wiatrem, by ziarno utulić do snu. W dobroci i sympatii ludzi czuję jego miłość do mnie. W biciu mego serca słyszę jego łagodny głos. Bóg jest zakochany, a wszystko jest darem. Każdy dar jest słowem Bożym, w którym chce On powiedzieć, jak bardzo mnie lubi. Co dnia mówię do Boga: Jesteś wspaniały. Im częściej to mówię, tym więcej cudów pozwala mi oglądać". Z tego doświadczenia czerpie Phil Bosmans swą udzielającą się radość, siłę poczucia bezpieczeństwa, wsparcia i zaufania, dzięki którym pocieszył i zachwycił tak wielu ludzi".

„W najciemniejszą noc widzimy,
choć czasem przez własne łzy,
najpiękniejsze gwiazdy"

Od roku 1957 mieszka w małym, skromnym jak na dzisiejsze warunki, klasztorze Ojców Montfortanerów w okolicach Antwerpii. „Jestem zakochany – w rzeczach najprostszych". Kto się z nim zetknie, wierzy w to bez zastrzeżeń. Swoje honoraria autorskie przeznacza na MiN. Tajemniczy skrót, który góruje nad domostwami i warsztatami, brzmi: „Człowiek w potrzebie". Przed kilkoma laty przekazał odpowiedzialność za belgijskie „Stowarzyszenie bez Nazwy" w młodsze ręce. Wtedy także jego życie potoczyło się inaczej, niż myślał. Wydarzenia te skomentował w ten sposób: „Bóg przekreślił mój terminarz". Gospodyni i pielęgniarka, bez której opieki nigdy by nie wyzdrowiał, przed niemal czterdziestoma laty uznany za przypadek beznadziejny, nagle sama zachorowała na guza mózgu. Bosmans bierze na siebie niecodzienne dla siebie zadanie opieki nad nią i towarzyszy jej w ciężkiej drodze powolnego umierania. Kilka miesięcy później sam doznaje udaru mózgu. Trzy miesiące spędza w klinice, pozostaje mu jednak prawostronny paraliż, który mimo terapii i siły woli ustępuje tylko w nieznacznym stopniu. „Mam nadzieję, że będzie trochę lepiej – pisze do swego przyjaciela – z resztą próbuję się pogodzić. Nie musimy bać się nocy, gdyż w najciemniejszą noc widzimy, choć czasem przez własne łzy, najpiękniejsze gwiazdy". Ani śladu rezygnacji. Uczy się pisać lewą ręką, a nawet prowadzić samochód dla inwalidów. Wkrótce znowu wygłasza odczyty. Troszczy się także o niemieckie Stowarzyszenie bez Nazwy.

„Musimy pójść nową drogą, drogą ziarna siewnego"

Tak pisze w roku 1979 w książce „Miłość sprawia codziennie cuda", która najdobitniej streszcza jego filozofię. Losem tych, którzy dają życie, jest umrzeć właśnie tak, jak ziarno zboża, ziemniak, jak ziarno owocu, z którego wyrasta nowe życie. „W przyzwoleniu na umieranie ukryty jest najbogatszy owoc, owoc głębokiej radości życia". Bosmans nie przywołuje biblijnych obrazów o ziarnie pszenicy, które pada na ziemię i musi obumrzeć. Zbędne są tu słowne zapewnienia, ponieważ to, co mówi Biblia o kochającym Bogu, weszło do języka i życia autora. Phil Bosmans jest wielkim kaznodzieją właśnie dlatego, że nikt nie zauważa, że on głosi kazanie. Jest obrońcą i przyjacielem ludzi w potrzebie, gdyż ich szczególnie umiłował. Jest rodzimym mistykiem, który spotyka Boga w milczeniu – po tamtej stronie wszystkich słów i myśli, uczuć i wyobrażeń, ale który potrafi także wyznać: „Widziałem Boga – w twarzach ludzi".

Ulrich Schütz